Do wszystkich fanów, którzy pisali do mnie
na temat tej serii: dziękuję, że powiedzieliście mi,
co było w niej dobre, co złe, a które fragmenty sprawiły,
że cisnęliście książką na drugi koniec pokoju.
(Tak, dobrze wiecie, do kogo mówię).

Część I
WYJĄTKOWA

Zrywając płatki kwiatu, nie poznajemy jego urody.
Rabindranath Tagore

SKOK NA IMPREZĘ

Sześć lotodesek wśliznęło się między drzewa z gracją i gładkością kart opadających w wirze na stół. Jadący na nich ludzie ze śmiechem uskakiwali i uchylali się przed ciężkimi od lodu gałęziami, uginając kolana i wyciągając ręce. Za sobą pozostawiali kryształowy deszcz maleńkich sopli strząśniętych z sosnowych szpilek i migoczących w promieniach księżyca.

Tally postrzegała wszystko z mroźną precyzją: słaby, lodowaty wiatr na gołych rękach, minimalne zmiany obciążenia przyciskające jej stopy do deski. Wciągała w nozdrza las, smużki sosnowej woni oblepiały jej gardło i język, gęste jak syrop.

W zimnym powietrzu dźwięki zdawały się rozbrzmiewać czyściej, luźna poła domowej kurtki łopotała niczym flaga na wietrze, przyczepne buty na każdym zakręcie napierały z lekkim piskiem na powierzchnię deski. Fausto puszczał dudniącą muzykę taneczną prosto przez skórtenę, jednak w świecie wokół zalegała cisza. Ponad gorączkowym rytmem Tally słyszała każdy skurcz swych nowych mięśni obudowanych kokonem monowłókien.

Zmrużyła oczy smagane mroźnym wiatrem. Napływające do nich łzy sprawiły, że teraz widziała jeszcze wyraźniej. Obok niej przelatywały migotliwe, rozmazane sople, światło księżyca posrebrzało cały świat, wyglądający jak stary, bezbarwny film, który nagle ożył.

Oto jedna z zalet bycia Nacinaczem: teraz wszystko było mroźne, czyste jak lód, jak gdyby świat otwierał się przed nią.

Shay podleciała do Tally, ich palce na moment zetknęły się w przelocie. Uśmiechnęła się. Tally próbowała odpowiedzieć uśmiechem, lecz na widok twarzy Shay coś ścisnęło jej się w żołądku. Piątka Nacinaczy działała dziś pod przykrywką, ich czarne źrenice kryły się pod mętnymi soczewkami kontaktowymi. Maski z inteligentnego plastiku ukrywały ostre rysy okrutnych ślicznych. Przebrali się za brzydkich, bo wybierali się nieproszeni na imprezę w parku Kleopatry.

Tally ta zabawa w przebieranki wydała się przedwczesna. Zaledwie od paru dni była Wyjątkowa i kiedy patrzyła na Shay, spodziewała się ujrzeć nową, cudownie okrutną urodę najlepszej przyjaciółki, a nie dzisiejszą brzydką maskę.

Przechyliła na bok deskę, unikając ciężkiej od lodu gałęzi i zrywając kontakt. Skoncentrowała się na rozmigotanym świecie, na kołysaniu i lawirowaniu między drzewami. Prąd zimnego powietrza pomógł jej skupić się na otoczeniu, a nie na dręczącym ją uczuciu – wynikającym z tego, że Zane im nie towarzyszył.

– Przed nami cała balanga brzydkich – na tle muzyki zabrzmiały słowa Shay. Procesor wszczepiony w szczękę wychwycił je i rozesłał poprzez sieć skórten. – Na pewno jesteś na to gotowa, Tally-wa?

Tally odetchnęła głęboko, chłonąc oczyszczający myśli chłód. Wciąż czuła mrowienie nerwów, lecz gdyby się teraz wycofała, zachowałaby się jak totalny losowiec.

– Spokojnie, szefowo. To będzie mroźna sprawa.

– I powinna. To w końcu impreza – odparła Shay. – Zachowujmy się jak szczęśliwi mali brzydcy.

Kilku Nacinaczy zachichotało, spoglądając po swoich sztucznych twarzach. Tally ponownie przypomniała sobie o obecności własnej cienkiej na milimetr maski: plastikowych wyprysków i nierówności sprawiających, że jej twarz wyglądała niedoskonale i nieczysto, pokrywających cudowną, pulsującą sieć błyskotatuaży. Nierówne korony ukrywały ostre jak brzytwa zęby. Nawet wytatuowane dłonie spsikano sztuczną skórą.

Zerknięcie w lustro ukazało Tally, jak wygląda: jak zwykła brzydka, przeciętna, krzywonosa, z tłuściutkimi policzkami i niecierpliwym wyrazem twarzy – tęsknie wyglądająca następnych urodzin, pustogłowej operacji i wyprawy za rzekę. Innymi słowy, kolejna przeciętna piętnastolatka.

To był pierwszy numer Tally od zamiany w Wyjątkową. Sądziła, że będzie już gotowa na wszystko – serie operacji wyposażyły ją w nowe mroźne mięśnie i refleksy podkręcone do iście wężowej szybkości. Potem zaś spędziła dwa miesiące w obozie szkoleniowym Nacinaczy w głuszy, niemal bez snu i zapasów.

Jednak już jedno zerknięcie w lustro pozbawiło ją pewności siebie.

To, iż do miasta wrócili przez dzielnicę staryków, nad niekończącymi się rzędami ciemnych, identycznych domów, jeszcze pogorszyło sprawę. Przeciętna nuda miejsca, w którym dorastała, zdawała się ją oblepiać, a dotyk recyklingowanego stroju domowego na wrażliwej nowej skórze także nie pomagał. Wychuchane drzewa pasa zieleni zdawały się zaciskać wokół Tally, jakby miasto próbowało znów schwytać ją i ściągnąć na poziom przeciętności. Lubiła być Wyjątkowa, obca, mroźna i lepsza i nie mogła się już doczekać powrotu w głuszę i zdarcia z twarzy brzydkiej maski.

Zacisnęła zęby, słuchając sieci skórten. Zalała ją muzyka Fausta i dźwięki wydawane przez pozostałych – ciche oddechy, szum wiatru na twarzach. Wyobraziła sobie, że gdzieś w tle słyszy bicie ich serc, jakby rosnące podniecenie Nacinaczy odbijało się echem w jej kościach.

– Rozdzielmy się – poleciła Shay, gdy światła imprezy stały się wyraźne. – Nie chcemy wyglądać na jedną ekipę.

Nacinacze złamali szyk, Tally została z Faustem i Shay. Tachs i Ho skręcili w stronę wylotu parku Kleopatry. Fausto wyłączył grajkę i muzyka ucichła, pozostawiając jedynie szum wiatru i odległy łoskot balangi.

Tally jeszcze raz odetchnęła nerwowo i jej nozdrza wypełnił zapach tłumu – pot brzydkich, rozlany alkohol. Nagłośnienie imprezy nie korzystało ze skórten: prymitywne głośniki wpuszczały dźwięki wprost w powietrze, pozwalając im rozlewać się tysiącami odbić wśród drzew. Brzydcy zawsze byli hałaśliwi.

Ze szkolenia Tally wiedziała, że mogłaby zamknąć oczy i poruszać się po lesie wyłącznie dzięki najsłabszym echom, niczym nietoperz słuchający własnych pisków. Dziś wieczór jednak potrzebowała swojego wyjątkowego wzroku.

Shay miała w Brzydalowie szpiegów, którzy donieśli, że na imprezie zjawią się obcy – Nowodymiarze rozdający nano i podsycający niepokój.

Dlatego przybyli też Nacinacze: zaszły Wyjątkowe Okoliczności.

Cała trójka wylądowała tuż poza kręgiem pulsujących stroboskopowych świateł lotokul. Zeskoczyli na poszycie z trzeszczących od mrozu sosnowych szpilek. Shay kazała ich deskom ukryć się między wierzchołkami drzew, po czym posłała Tally rozbawione spojrzenie.

– Wydajesz się zdenerwowana.

Tally wzruszyła ramionami. Nie czuła się komfortowo w mundurku z brzydkich czasów. Shay zawsze umiała wyczuć emocje pozostałych.

– Może i tak, szefowo.

Tu, na skraju imprezy, natrętne wspomnienie przypomniało jej, jak zawsze się czuła, przybywając na przyjęcie. Nawet jako piękna pustogłowa Tally nienawidziła mrowienia nerwów pojawiającego się zawsze, gdy napierał na nią tłum, gorąca dziesiątków ciał, ciężaru przygważdżających ją spojrzeń. Teraz maska oblepiała jej twarz, tworząc barierę oddzielającą Tally od świata. Bardzo niewyjątkowe. Policzki pod warstewką plastiku na chwilę poczerwieniały, niczym w przypływie wstydu.

Shay sięgnęła ku niej i uścisnęła jej dłoń.

– Nie martw się, Tally-wa.

– To tylko brzydcy – szept Fausta przeciął powietrze. – A my jesteśmy tu z tobą. – Jego ręka spoczęła na ramieniu Tally i delikatnie pchnęła ją naprzód.

Tally przytaknęła, słysząc przez skórtenę powolne, spokojne oddechy pozostałych. Było dokładnie tak, jak zapowiadała Shay: Nacinacze pozostawali złączeni, tworząc nierozerwalną ekipę. Nigdy już nie będzie sama, choć czasami miała wrażenie, że czegoś jej brakuje. Choć czasem brak Zane'a budził w niej obezwładniającą panikę.

Rozgarniając gałęzie, ruszyła w ślad za Shay w krąg błyskających świateł.

Wspomnienia Tally pozostały idealnie jasne i czyste, nie tak jak w czasach, gdy była pustogłową kretynką stale oszołomioną i ogłupiałą. Pamiętała, jak wielką wagę przykładali brzydcy do Wiosennej Balangi. Nadejście wiosny oznaczało dłuższe dni, pełne numerów i latania na desce, i mnóstwo imprez na świeżym powietrzu.

Gdy jednak wraz z Faustem podążyła za Shay przez tłum, nie czuła wcale energii zapamiętanej z zeszłego roku. Impreza wydawała się niesamowicie spokojna, nieciekawa, losowa. Brzydcy jedynie stali dokoła, nieśmiali i tak skrępowani, że każdy, kto zaczynał tańczyć, wyglądał, jakby za bardzo się starał. Wszyscy sprawiali wrażenie pustych i sztucznych, niczym statyści na ścianie wideo czekający na przybycie prawdziwych gości.

Prawdą też było jednak to, co lubiła powtarzać Shay: brzydcy nie są tak durni jak pustogłowi, tłum rozstępował się przed nimi gładko, błyskawicznie. Mimo niesymetrycznych, pryszczatych twarzy brzydcy mieli bystre oczy, w których lśniły nerwowe iskierki świadomości. Byli dość sprytni, by wyczuć, że trójka Nacinaczy różni się od reszty. Nikt nie przyglądał się zbyt długo Tally i nie zorientował się, co kryje się za maską z inteligentnego plastiku, lecz ciała ustępowały pod jej najlżejszym nawet dotknięciem. Widziała wstrząsane dreszczami ramiona mijanych ludzi, zupełnie jakby brzydcy wyczuwali w powietrzu coś niebezpiecznego.

Jakże łatwo odczytywała myśli odbijające się na ich twarzach! Widziała zazdrość i nienawiść, rywalizację i pociąg odzwierciedlone w ich minach i sposobie poruszania. Teraz gdy stała się Wyjątkowa, wszystko było jasne i oczywiste, zupełnie jakby patrzyła z góry na leśną ścieżkę.

Odkryła, że się uśmiecha, w końcu odprężona i gotowa do łowów. Znalezienie intruzów na zabawie powinno być łatwizną.

Zaczęła przeczesywać wzrokiem tłum, szukając kogoś, kto wyróżniałby się spośród innych: nieco zbyt pewnego siebie, przesadnie umięśnionego, opalonego od życia w głuszy. Wiedziała, jak wyglądają Dymiarze.

Zeszłej jesieni, jeszcze w czasach, gdy była brzydka, Shay uciekła w głuszę, by uniknąć operacji zamieniającej w pustogłowych. Tally wyruszyła za nią, by sprowadzić ją z powrotem, i obie na kilka tygodni wylądowały w Starym Dymie. Życie jak zwierzę stanowiło prawdziwą torturę, lecz teraz wspomnienia mogły jej się przydać. Dymiarze mieli w sobie pewną arogancję – uważali się za lepszych od mieszkańców miasta.

Potrzebowała zaledwie paru sekund, by wyłuskać wzrokiem Ho i Tachsa krążących w tłumie. Wyróżniali się niczym para kotów sunących pośród stada kaczek.

– Nie myślisz, że za bardzo rzucamy się w oczy, szefowo? – wyszeptała, pozwalając, by sieć poniosła jej słowa.

– Niby jak?

– Oni są tacy zagubieni, a my wyglądamy... wyjątkowo.

– Bo jesteśmy Wyjątkowi. – Shay obejrzała się na nią przez ramię. Na jej wargach zatańczył uśmiech.

– Myślałam jednak, że mamy pozostać w przebraniu.

– To nie znaczy, że nie możemy się zabawić – powiedziała Shay i nagle pomknęła naprzód.

Fausto dotknął ramienia Tally.

– Patrz i ucz się.

Był Wyjątkowy dłużej niż ona. Nacinacze byli najnowszą grupą wśród Wyjątkowych Okoliczności, lecz operacja Tally trwała najdłużej. W przeszłości robiła mnóstwo bardzo przeciętnych rzeczy i trzeba było czasu, by doktorzy zdołali pozbyć się narosłego w niej poczucia winy i wstydu. Przypadkowe resztki emocji zaćmiewały umysł, a to trudno nazwać wyjątkowym. Prawdziwa moc kryła się w mroźnej czystości myśli, dokładnej wiedzy, kim się jest. Nacinania.

Toteż Tally została z Faustem, patrząc i ucząc się.

Shay złapała pierwszego z brzegu chłopaka, odrywając go od dziewczyny, z którą rozmawiał. Jego drink wylał się na ziemię. Chłopak zaczął protestować, potem jednak spojrzał jej w oczy.

Tally zauważyła, że Shay nie jest tak brzydka jak reszta z nich; mimo przebrania w jej oczach wciąż pozostały fioletowe błyski, w stroboskopowych światłach tęczówki lśniły jak u drapieżnika. Przyciągnęła do siebie chłopaka, ocierając się o niego. Towarzysząca ruchowi fala mięśni spłynęła po niej jak po poruszonej linie.

Potem chłopak nie odwrócił już wzroku, nawet gdy oddawał swoje piwo jednej z dziewczyn gapiącej się z otwartymi ustami. Brzydki położył dłonie na ramionach Shay, jego ciało także zaczęło się poruszać.

Ludzie zaczynali im się przyglądać.

– Nie pamiętam, by to było częścią planu – powiedziała cicho Tally.

Fausto roześmiał się.

– Wyjątkowi nie potrzebują planów, a już na pewno nie sztywnych.

Stał tuż za Tally, obejmując ją w talii. Czuła na karku jego oddech i po jej ciele zaczęło rozchodzić się mrowienie.

Odsunęła się. Nacinacze nieustannie się dotykali, lecz ona nie zdążyła jeszcze do tego przywyknąć. W takich chwilach jeszcze bardziej martwiło ją, że Zane jak dotąd do nich nie dołączył.

Przez skórtenę Tally słyszała Shay szepczącą do chłopaka. Jej oddech stał się głębszy, mimo iż Shay mogła bez mrugnięcia okiem przebiec kilometr w dwie minuty. W sieci rozległ się ostry szelest niedogolonego zarostu, gdy otarła się policzkiem o twarz brzydkiego. Tally wzdrygnęła się, a Fausto zachichotał.

– Spokojnie, Tally-wa – rzekł, masując jej ramiona. – Ona wie, co robi.

To akurat było oczywiste: taniec Shay promieniował na innych, przyciągając ludzi. Do tej pory impreza przypominała nerwową bańkę wiszącą w powietrzu. Shay strzaskała kruchą, napiętą otoczkę, uwalniając zamknięty w środku lód. Tłum zaczął łączyć się w pary, oplatając się ramionami, poruszając coraz szybciej. Ktokolwiek zajmował się muzyką, musiał to zauważyć – dźwięki stały się głośniejsze, basy głębsze, lotokule nad głowami pulsowały, zmieniając kolory, od czerni po oślepiający blask. Tłum zaczął skakać w rytm melodii.

Tally poczuła, jak jej tętno przyspiesza. Zdumiało ją, jak łatwo Shay pociągnęła ich za sobą. Impreza zmieniała się, stawała na głowie, i to wyłącznie przez nią. Nie przypominało to durnych numerów z brzydkich czasów – przekradania się przez rzekę, kradzieży kamizelek bungee. To była magia.

Magia Wyjątkowych.

Co z tego, że jej twarz skrywała brzydka maska? Shay zawsze powtarzała na szkoleniach, że pustogłowi nic nie rozumieją: to nie wygląd się liczy, ważne jest, jak się zachowujesz, jak postrzegasz siebie. Siła i refleks to tylko część większej całości – Shay po prostu wiedziała, że jest Wyjątkowa, i dlatego nią była. Wszyscy inni stanowili jedynie tapetę, niewyraźne tło, zwykły szum. Trzeba było dopiero Shay, by rozświetliła ich swym blaskiem jak reflektor.

– Chodź – wyszeptał Fausto, odciągając Tally od gęstniejącego tłumu. Wycofali się w stronę skraju polany, przemykając niezauważeni. Wszystkie oczy kierowały się ku Shay i jej przypadkowemu partnerowi. – Idź tam i uważaj.

Tally przytaknęła. Słyszała szepty pozostałych Nacinaczy rozpraszających się wokół. Nagle wszystko nabrało sensu...

Impreza była zbyt martwa, zbyt nudna, by zamaskować Wyjątkowych i ich ofiary. Teraz jednak zebrani unosili ręce, machając nimi w rytm, w powietrze wzlatywały plastikowe kubki, wszędzie panował ruch i zamęt. Jeśli Dymiarze zamierzali wprosić się na balangę, to na to właśnie czekali.

Poruszanie się stanowiło pewien problem. Tally przebiła się przez rój dziewczynek – jeszcze maluchów – tańczących razem z zamkniętymi oczami. Brokat rozpylony na ich nierównej skórze błyskał w pulsującym świetle lotokul. Gdy Tally przepychała się między nimi, nawet nie zadrżały. Nowa energia przepełniająca imprezę, taneczna magia Shay, zagłuszyła jej wyjątkową aurę.

Małe, brzydkie ciała odbijające się od niej przypomniały Tally, jak bardzo zmieniła się wewnątrz. Jej nowe kości wykonano z materiału ceramicznego stosowanego w lotnictwie, lekkiego jak bambus i twardego jak diament. Mięśnie były jak postronki, splecione z samonaprawiających się monowłókien. Obok niej brzydcy wydawali się miękcy, niematerialni, przypominali ożywione pluszowe zabawki, zapalczywe, lecz niegroźne.

W jej głowie zadźwięczał ping, Fausto podkręcił zasięg skórteny i uszy Tally wychwyciły strzępy dźwięków: krzyki dziewczyny tańczącej obok Tachsa, niski, basowy rytm dobiegający z głośników niedaleko Ho. Wśród tego wszystkiego Shay szeptała coś do ucha swego losowego chłopaka. Tally miała wrażenie, jakby stała się piątką ludzi jednocześnie, jakby jej świadomość rozpełzła się po całej imprezie, chłonąc w siebie jej energię, mieszaninę świateł i dźwięków.

Odetchnęła głęboko, kierując się w stronę krańca polany, szukając mroku poza kręgiem świateł z lotokul. Stamtąd mogła przyglądać się lepiej, łatwiej panować nad zmysłami.

Wkrótce odkryła, że łatwiej jest tańczyć, poddawać się ruchom tłumu, zamiast przebijać się przez niego. Pozwoliła, by popychali ją między sobą, podobnie jak pozwalała prądom powietrznym unosić lotodeskę. Wyobrażała sobie wówczas, że szybuje niczym drapieżny ptak.

Zamykając oczy, chłonęła imprezę pozostałymi zmysłami. Może to właśnie oznaczało bycie Wyjątkowym: taniec pośród innych, uczucie, że jest się jedynym prawdziwym człowiekiem w tłumie.

Nagle włosy na karku Tally zjeżyły się, jej nozdrza rozszerzyły gwałtownie. Zapach wyróżniający się wyraźnie wśród woni ludzkiego potu i rozlanego piwa przywołał wspomnienia brzydkich dni, ucieczki, pierwszych dni spędzonych samotnie w głuszy.

Czuła woń dymu – ciężki smród ogniska.

Uniosła powieki. Brzydcy z miasta nie palili drzew ani nawet pochodni, bo zabraniało tego prawo. Jedyne źródło światła stanowiły migoczące lotokule i wschodzący właśnie księżyc.

Zapach musiał pochodzić od kogoś z zewnątrz.

Tally zaczęła zataczać coraz szersze kręgi, rozglądając się wśród tłumu, próbując odnaleźć źródło woni.

Nikt się nie wyróżniał: zwykła banda durnych brzydkich tańczących z zapałem, wymachujących rękami, rozlewających piwo. Nie widziała wśród nich nikogo wdzięcznego, pewnego siebie, silnego...

I wtedy ujrzała dziewczynę.

Tańczyła w objęciach jakiegoś chłopaka, szepcząc mu coś z napięciem do ucha. Jego palce poruszały się nerwowo na plecach dziewczyny, bez związku z rytmem muzyki. Wyglądali jak para maluchów na pierwszej nieudanej randce. Dziewczyna obwiązała się kurtką w pasie, jakby nie przeszkadzał jej chłód. Po wewnętrznej stronie jej rąk widniał wzór z jasnych kwadratów, ślad po plastrach przeciwsłonecznych.

Musiała spędzać dużo czasu na dworze.

Podchodząc bliżej, Tally znów wyczuła zapach drzewnego dymu. Jej nowe doskonałe oczy dostrzegły szorstki materiał spódnicy dziewczyny utkanej z naturalnych włókien, jej nierówne szwy. Nozdrza Tally wypełniła kolejna ostra woń: proszek do prania. Tego stroju nie zaprojektowano po to, by założyć go raz i wrzucić do recyklera. Należało go prać, zanurzać w mydlinach i uderzać o kamienie w zimnym strumieniu. Tally widziała niedoskonały kształt fryzury dziewczyny – włosów przystrzyżonych ręcznie metalowymi nożyczkami.

– Szefowo – wyszeptała.

– Tak szybko, Tally-wa? – odparła sennie Shay. – Świetnie się bawię.

– Chyba mam Dymiarę.

– Jesteś pewna?

– Bez dwóch zdań. Pachnie jak pralnia.

– Widzę ją – zabrzmiał pośród muzyki głos Fausta. – Brązowa koszula? Tańczy z jednym gościem?

– Tak. I jest opalona.

Usłyszeli pełne irytacji westchnienie i kilka wymamrotanych słów przeprosin, gdy Shay uwolniła się od swego brzydkiego chłopaka.

– Jeszcze ktoś?

Tally ponownie przebiegła wzrokiem tłum, zataczając szeroki krąg wokół dziewczyny, próbując wychwycić zapach dymu w powietrzu.

– Z tego, co widzę, nie.

– Moim zdaniem nikt inny nie wygląda dziwnie. – W pobliżu pojawiła się głowa Fausta. On również zbliżał się do dziewczyny. Z drugiej strony nadciągali Tachs i Ho.

– Co ona robi? – spytała Shay.

– Tańczy i... – Tally urwała, widząc, jak dłoń dziewczyny wsuwa się do kieszeni chłopaka. – Właśnie coś mu dała.

Shay syknęła cicho. Zaledwie parę tygodni wcześniej Dymiarze zajmowali się w Brzydalowie tylko propagandą. Teraz jednak przemycali coś znacznie niebezpieczniejszego: pigułki pełne nano.

Nano likwidowały blizny sprawiające, że śliczni pozostawali pustogłowi, wygłuszające gwałtowne emocje i pragnienia. Tyle że w odróżnieniu od narkotyków, których działanie w końcu mija, te zmiany były trwałe. Głodne, mikroskopijne maszyny mnożyły się, każdego dnia było ich więcej. Jeśli ktoś miał pecha, pożerały także jego mózg. Wystarczyła jedna pigułka, żeby stracić rozum.

Tally widziała już coś takiego.

– Brać ją – poleciła Shay.

Żyły Tally wypełniła adrenalina. Teraz widziała wszystko jasno mimo muzyki i poruszeń tłumu. Ona pierwsza dostrzegła dziewczynę, toteż jej przypadło zadanie, przywilej schwytania ofiary.

Obróciła pierścionek na środkowym palcu, czując, jak wysuwa się igła. Wystarczy jedno ukłucie, by Dymiarka zachwiała się i straciła równowagę, jakby zbyt wiele wypiła. Ocknie się w kwaterze głównej Wyjątkowych Okoliczności, gotowa na pójście pod nóż.

Na tę myśl po plecach Tally przebiegł dreszcz. Wkrótce dziewczyna stanie się pustogłowa, śliczna, radosna i szczęśliwa. I niewiarygodnie głupia.

To i tak lepsze niż los biednego Zane'a.

Osłoniła palcem igłę, uważając, by nie ukłuć kogoś przypadkiem w tłumie. Jeszcze parę kroków i wyciągnęła drugą rękę, odciągając chłopaka.

– Odbijany? – spytała.

Jego oczy rozszerzyły się, twarz rozjaśnił uśmiech.

– Co? Chcecie zatańczyć?

– W porządku – odparła dziewczyna z Dymu. – Może ona też chciałaby trochę dostać?

Odwiązała rękawy kurtki i naciągnęła ją sobie na ramiona, wsunęła ręce w rękawy i do kieszeni. Tally usłyszała szelest foliowej torebki.

– Połamcie nogi. – Chłopak cofnął się, patrząc na nie z lubieżnym uśmiechem.

Wyraz jego twarzy sprawił, że Tally zapiekły policzki. Chłopak uśmiechał się teraz z wyższością, był rozbawiony. Zupełnie, jakby była kimś przeciętnym, nikim ciekawym – nikim wyjątkowym. Brzydka maska z inteligentnego plastiku nagle zdawała się ją parzyć.

Ten dureń sądził, że przyszła tu zapewnić mu rozrywkę. Musiał zrozumieć, że jest inaczej.

Błyskawicznie ułożyła w głowie nowy plan.

Nacisnęła guzik na bransolecie. Sygnał z szybkością dźwięku dotarł do plastiku pokrywającego jej twarz i dłonie. Inteligentne cząsteczki zaczęły się rozłączać i brzydka maska eksplodowała w obłoczku pyłu, odsłaniając ukryte pod spodem okrutne piękno. Tally zamrugała mocno, zrzucając szkła kontaktowe i ukazując wilcze, czarne jak węgiel źrenice. Poczuła, jak koronki ześlizgują się, i wypluła je do stóp chłopaka, po czym uśmiechnęła się, odsłaniając kły.

Cała przemiana zabrała niecałą sekundę, z jego twarzy ledwie zdążył zniknąć grymas rozbawienia.

Tally uśmiechnęła się.

– Spadaj, brzydki. A ty – odwróciła się do dziewczyny z Dymu – wyjmij ręce z kieszeni.

Tamta przełknęła ślinę i powoli uniosła ręce na boki.

Tally poczuła na sobie wzrok dziesiątków oczu przyciąganych jej okrutną urodą, oszołomienie tłumu na widok pulsujących tatuaży pokrywających jej skórę fascynującą czarną koronką. Szybko skończyła recytować formułę.

– Nie chciałabym cię skrzywdzić, ale zrobię to, jeśli będę musiała.

– Nie będziesz – odparła spokojnie dziewczyna, po czym zrobiła coś z rękami, unosząc w górę kciuki.

– Nawet nie próbuj... – zaczęła Tally.

Zbyt późno dostrzegła wybrzuszenie wszyte w strój dziewczyny – paski przypominające kamizelkę bungee, zaciskające się samoistnie wokół ramion i ud.

– Dym żyje – syknęła dziewczyna.

Tally sięgnęła ku niej dokładnie w chwili, gdy tamta wystrzeliła w powietrze niczym naciągnięta gumka. Palce Tally zacisnęły się w pustce, patrzyła w górę z otwartymi ustami. Dziewczyna wciąż się wznosiła. W jakiś sposób zdołali przerobić baterie kamizelki tak, by wyrzuciła ją z ziemi w powietrze.

Ale czy nie oznacza to, że zaraz spadnie?

Tally dostrzegła ruch na ciemnym niebie. Ze skraju lasu nad imprezę nadleciały dwie lotodeski. Jedną kierował Dymiarz ubrany w zwierzęce skóry, druga była pusta. Gdy dziewczyna osiągnęła ich pułap, Dymiarz wyciągnął rękę i ledwie zwalniając, wciągnął ją z powietrza na pustą deskę.

Ciałem Tally wstrząsnął dreszcz. Rozpoznała kurtkę Dymiarza uszytą ręcznie ze skór. W błysku lotokuli jej podkręcone oczy zauważyły bliznę przecinającą brew.

„David" – pomyślała.

– Tally, spójrz w górę!

Polecenie Shay wyrwało Tally z oszołomienia. Natychmiast dostrzegła kolejne deski mknące ponad tłumem, tuż nad głowami zebranych. Jej bransolety zareagowały szarpnięciem. Ugięła kolana, obliczając chwilę skoku.

Tłum cofał się przed nią wstrząśnięty widokiem okrutnej, ślicznej twarzy i nagłym wzlotem dziewczyny – lecz chłopak tańczący wcześniej z Dymiarką spróbował ją złapać.

– To Wyjątkowa! Pomóżcie im uciec!

Jego atak był powolny i niezgrabny, Tally dźgnęła dłoń chłopaka niepotrzebną już igłą. Cofnął szybko rękę, wpatrując się w nią przez moment z ogłupiałą miną, a potem runął na ziemię.

Zanim upadł, Tally znalazła się w powietrzu. Trzymając oburącz nierówną powierzchnię własnej deski, ustawiła stopy na chwytliwej powierzchni i przesunęła własny ciężar, gwałtownie skręcając.

Shay także stała już na desce.

– Bierz go, Ho! – rozkazała, wskazując nieprzytomnego brzydkiego, jej maska również zniknęła w obłoczku pyłu. – Reszta z was za mną.

Tally mknęła już naprzód, lodowaty wiatr chłostał odsłoniętą twarz, w gardle wzbierał zimny okrzyk bitewny. Setki zdumionych twarzy przyglądały jej się z zalanej piwem ziemi.

David był jednym z przywódców Dymiarzy – najlepszą zdobyczą, na jaką Nacinacze mogli liczyć w tę zimną noc. Tally nie mogła uwierzyć, że odważył się przybyć do miasta. Zamierzała jednak dopilnować, by już go nie opuścił.

Pomknęła pomiędzy błyskającymi lotokulami i znalazła się nad lasem. Jej oczy natychmiast przywykły do ciemności. Wypatrzyła dwójkę Dymiarzy, wyprzedzali ją zaledwie o sto metrów. Lecieli nisko, pochyleni do przodu, jak surferzy na stromej fali.

Mieli przewagę, lecz deska Tally także była wyjątkowa – najlepsza, jaką mogło stworzyć miasto. Przyspieszyła, muskając czubki rozkołysanych drzew i pozostawiając za sobą pióropusze lodu.

Nie zapomniała, że to matka Davida wynalazła nano, maszyny, które uszkodziły mózg Zane'a. Ani tego, że to David wywabił Shay w głuszę wiele miesięcy temu, uwiódł najpierw ją, a potem Tally, robiąc wszystko, co w jego mocy, by zniszczyć ich przyjaźń.

Wyjątkowi nie zapominali swoich wrogów. Nigdy.

– Mam cię – powiedziała.

MYŚLIWI I OFIARY

– Szerzej – poleciła Shay. – Nie pozwólcie im zawrócić w stronę rzeki.

Tally zmrużyła oczy smagane ostrymi powiewami wiatru, przesunęła językiem po odsłoniętych ostrych koniuszkach zębów. Jej wyjątkowa deska miała wirniki z przodu i z tyłu, kręcące się śmigła, które pozwalały jej latać poza granicami miasta. Natomiast staroświeckie deski Dymiarzy poza siecią magnetyczną spadłyby jak kamień. Oto wady życia poza miastem: poparzenia słoneczne, ukąszenia owadów i kiepski sprzęt. W którymś momencie dwójka Dymiarzy będzie musiała skręcić w stronę rzeki i zalegających na jej dnie złogów metalu.

– Szefowo, czy mam się połączyć z obozem i wezwać posiłki? – spytał Fausto.

– Za daleko, żeby zdążyli na czas.

– A doktor Cable?

– Zapomnij o niej – rzuciła Shay. – To numer Nacinaczy. Nie chcemy, żeby zwykli Wyjątkowi przypisali sobie zasługę.

– Zwłaszcza tym razem, szefowo – dodała Tally. – Ten przed nami to David.

Zapadła długa cisza, a potem w sieci rozległ się ostry jak brzytwa śmiech Shay. Tally miała wrażenie, jakby ktoś przesunął lodowatym palcem po jej kręgosłupie.

– Twój dawny chłopak, co?

Tally zgrzytnęła zębami. Przez moment żołądek ścisnął jej się na wspomnienie wstydliwych dramatów z czasów, gdy była brzydka. Z niewiadomych przyczyn wciąż pozostał w niej ślad dawnego poczucia winy.

– Twój też, szefowo, jeśli dobrze pamiętam.

Shay znów się roześmiała.

– Wygląda na to, że obie mamy z nim porachunki. Żadnych wezwań, Fausto, nieważne, co się stanie. Ten chłopak jest nasz.

Tally z determinacją zacisnęła usta, lecz żołądek wciąż ciążył jej boleśnie. Jeszcze w Dymie Shay i David byli razem. Gdy jednak zjawiła się Tally, David uznał, że podoba mu się bardziej, a zazdrość i kompleksy, nieodłącznie powiązane z byciem brzydkimi, jak zwykle wszystko skomplikowały. Nawet po zniszczeniu Dymu – nawet gdy Shay i Tally stały się bezrozumnymi pustogłowymi – gniew Shay z powodu tej zdrady nie zniknął do końca.

Teraz jednak były Wyjątkowe i dawne dramaty nie powinny się już liczyć. Jednak widok Davida w jakiś sposób naruszył zmrożenie Tally. Podejrzewała, że gdzieś wewnątrz Shay także zapłonęła dawna furia.

Może kiedy go schwytają, raz na zawsze uwolnią się od dawnych problemów. Tally odetchnęła głęboko i pochyliła się do przodu, rozpędzając swoją deskę.

***

Skraj miasta zbliżał się coraz szybciej. Pas zieleni pod nimi zastąpiły przedmieścia, rzędy nudnych domów, w których średni śliczni wychowywali maluchy. Dwójka Dymiarzy opadła na poziom ulic, z ugiętymi nogami i rozłożonymi szeroko rękami pokonując ostre zakręty.

Tally pochyliła się, pierwszy raz skręcając gwałtownie. Jej twarz rozjaśnił uśmiech, gdy ciało poruszyło się gładko. Zazwyczaj Dymiarze tak właśnie uciekali. Zwykli Wyjątkowi w swych lamerskich lotowozach mogli poruszać się szybko tylko w linii prostej. Nacinacze byli jednak wyjątkowymi Wyjątkowymi: latającymi równie swobodnie jak Dymiarze i równie szalonymi.

– Trzymaj się ich, Tally-wa – poleciła Shay.

Pozostałych wciąż dzieliło od nich kilka długich sekund.

– Nie ma sprawy, szefowo. – Tally przemykała wąskimi ulicami zaledwie metr nad betonem.

Na szczęście średni śliczni nigdy nie wychodzili tak późno; gdyby ktoś znalazł się na ulicy w czasie pościgu, jedno przypadkowe uderzenie lotodeski zamieniłoby go w mokrą plamę.

Ciasnota nie zmusiła bynajmniej Tally do zwolnienia. Pamiętała z własnych dymiarskich czasów, jak świetnie latał David, zupełnie jakby urodził się na desce. A dziewczyna zapewne wiele ćwiczyła w uliczkach Rdzawych Ruin, starożytnego widmowego miasta, z którego Dymiarze zapuszczali się na swoje wyprawy.

Jednak Tally była teraz Wyjątkowa. Refleks Davida to nic w porównaniu z jej własnym. Lata ćwiczeń nie były w stanie zniwelować podstawowej różnicy: on był losowcem, istotą zrodzoną przez naturę. Natomiast Tally została do tego stworzona – czy raczej przerobiona. Żyła, by tropić wrogów miasta i sprowadzać ich przed oblicze sprawiedliwości. By ratować głuszę przed zniszczeniem.

Przyspieszyła, skręcając gwałtownie, odbijając się od narożnika ciemnego domu i wyginając rynnę. David był już tak blisko, że słyszała pisk jego butów przesuwających się na desce.

Jeszcze parę sekund i będzie mogła skoczyć, złapać go i ściągnąć z deski, czekając, aż bransolety zatrzymają ich z wykręcającą ręce siłą. Oczywiście przy tej szybkości nawet jej wyjątkowe ciało poczuje ból, a zwykły człowiek może odnieść setki zupełnie losowych obrażeń.

Tally zacisnęła pięści, zwolniła jednak odrobinę. Będzie musiała zaatakować na otwartej przestrzeni. Nie chciała przecież zabić Davida, ale ujrzeć go poskromionego, zmienionego w pustogłowego durnia, ślicznego i głupiego; uwolnić się od niego na zawsze.

Przy następnym ostrym zakręcie David odważył się obejrzeć szybko przez ramię i Tally dostrzegła na jego twarzy przebłysk zrozumienia. Jej nowe rysy okrutnej ślicznej musiały go mocno zaskoczyć.

– Hej, to ja, kochasiu – wyszeptała.

– Spokojnie, Tally-wa – upomniała ją Shay. – Zaczekaj do granicy miasta. Trzymaj się blisko.

– Jasne, szefowo. – Tally zwolniła jeszcze odrobinę. Ucieszyła się, że David wie, kto go ściga.

Pościg szybko dotarł do pasa fabryk. Kolejno wzlecieli jeszcze wyżej, unikając automatycznych ciężarówek dostawczych przejeżdżających z grzmotem w ciemności, w słabym blasku pomarańczowych świateł podwozi odczytujących znaczniki na drodze i odnajdujących cel podróży. Pozostali Nacinacze lecieli za nią w luźnym szyku, nie pozwalając Dymiarzom zawrócić.

Wystarczyło zerknięcie w górę na gwiazdy i błyskawiczne obliczenie, by Tally pojęła, że dwójka ściganych wciąż oddala się od rzeki, pędząc ku nieuchronnemu schwytaniu na skraju miasta.

– To dość dziwne, szefowo – powiedziała. – Czemu David nie kieruje się w stronę rzeki?

– Może zabłądził? To zwykły losowiec, Tally-wa, a nie śmiały chłopak, którego pamiętasz.

Tally usłyszała w sieci ciche śmiechy. Zapiekły ją policzki. Czemu zachowywali się, jakby David nadal coś dla niej znaczył? Był zwykłym przypadkowym brzydkim, a poza tym zakradnięcie się do miasta wymagało odwagi... Choć było też wybitnie głupie.

– A może kierują się w stronę Szlaków? – wyraził przypuszczenie Fausto.

Szlaki były wielkim rezerwatem po drugiej stronie Starykowa. Średni śliczni zapuszczali się tam, udając, że są w głuszy. Wyglądały dziko, ale kiedy człowiek się zmęczył, natychmiast pojawiał się lotowóz.

Może sądzili, że zdołają uciec pieszo? Czy David nie zdawał sobie sprawy z tego, że Nacinacze mogą latać poza granicami miasta? Że widzą w ciemności?

– Mam wkroczyć? – spytała Tally.

Tu, nad pasem fabrycznym, mogła ściągnąć Davida z deski, nie zabijając go.

– Spokojnie, Tally – odparła stanowczo Shay. – To rozkaz. Sieć wkrótce się skończy, nieważne, w którą stronę polecą.

Tally zacisnęła pięści, jednak nie protestowała.

Shay była Wyjątkowa najdłużej z nich. Miała umysł tak mroźny, że sama zmieniła się w Wyjątkową – przynajmniej mentalnie – uwalniając się z oków pyszności dzięki dotknięciu ostrego noża na własnej skórze. I to ona zawarła pakt z doktor Cable, pozwalający Nacinaczom zniszczyć Nowy Dym w sposób, jaki tylko im się spodoba.

Była zatem szefową i całkiem dobrze słuchało się jej rozkazów. Było to mroźniejsze niż niezależne myślenie, które nieraz prowadziło do kłopotów.

Pod nimi pokazały się następne tereny Starykowa. Zostawiali za sobą puste ogrody czekające, aż późni śliczni zasadzą w nich kwiaty. David i jego wspólniczka opadli tuż nad ziemię, trzymając się nisko, pozwalając, by lotki maksymalnie korzystały ze słabnącej sieci.

Tally ujrzała, jak ich palce dotykają się lekko, gdy przeskakiwali nad niskim ogrodzeniem. Zastanawiała się, czy są ze sobą. Pewnie David znalazł sobie nową Dymiarkę, której też zrujnuje życie.

Bo to właśnie robił: krążył wokół miasta, rekrutując brzydkich, namawiając do ucieczki, uwodząc najlepsze i najbystrzejsze dzieci z miasta obietnicami buntu. I zawsze miał swoich faworytów. Najpierw Shay, potem Tally...

Potrząsnęła głową, by pozbyć się natrętnych myśli. „Życie towarzyskie Dymiarzy nie interesuje Wyjątkowych" – upomniała się w duchu.

Pochyliła się do przodu, jeszcze bardziej rozpędzając deskę. Przed sobą widziała czarną połać Szlaków. Pościg dobiegał końca.

Dwójka Dymiarzy zagłębiła się w ciemność i zniknęła pośród gęsto rosnących drzew. Tally podleciała wyżej, tuż nad las, wypatrując ich śladów w ostrym blasku księżyca. W dali za Szlakami rozciągała się prawdziwa głusza, absolutna czerń Zewnętrza.

Wierzchołkami drzew wstrząsnął dreszcz. Dwie deski Dymiarzy mknęły przez las niczym powiew wiatru.

– Wciąż lecą naprzód – oznajmiła.

– Jesteśmy tuż za tobą, Tally-wa – odparła Shay. – Zechcesz do nas dołączyć?

– Jasne, szefowo.

Tally, opadając, zakryła twarz dłońmi. Jej ciało od stóp do głów zaatakowały igły, pieszcząc mocno skórę. A potem znalazła się między pniami, mknąc przez las na ugiętych kolanach, z szeroko otwartymi oczami.

Pozostałych trzech Nacinaczy zrównało się z nią, teraz lecieli sto metrów od siebie. Okrutne śliczne twarze wyglądały złowieszczo w poświacie księżyca.

Przed nimi na granicy między Szlakami a prawdziwą głuszą dwójka Dymiarzy zniżała lot, magnetycznym lotkom desek zaczynało brakować metalu. Odgłosy opadających desek rozchodziły się echem pośród drzew. Po chwili zastąpił je tupot nóg.

– Gra skończona – oznajmiła Shay.

Tally poczuła pod stopami ożywające wirniki, niski pomruk rozszedł się pośród drzew niczym warkot uśpionej bestii. Nacinacze zwolnili, opadając na wysokość kilku metrów, przebiegając wokół wzrokiem w poszukiwaniu śladów ruchu.

Po plecach Tally przebiegł przyjemny dreszcz. Pościg zamienił się w zabawę w chowanego. Nie do końca uczciwą.

Kiwnęła palcem i kości wszczepione w dłonie i mózg zareagowały, przystosowując jej oczy do widzenia w podczerwieni. Świat uległ natychmiastowej przemianie – pokryta śniegiem ziemia stała się zimnoniebieska, drzewa otaczały łagodne zielone aureole, każdy przedmiot oświetlało jego własne ciepło. Dostrzegła kilka małych ssaków, czerwonych i pulsujących. Kręciły głowami, jakby instynktownie wyczuwając, że w pobliżu czai się coś niebezpiecznego. Niedaleko nad ziemią jaśniał Fausto, rozgorączkowane ciało Wyjątkowego płonęło jaskrawą żółcią, a po jej dłoniach zdawały się pełgać pomarańczowe płomyki.

Przed sobą w fioletowej ciemności nie zauważyła żadnego obiektu rozmiarów człowieka.

Tally zmarszczyła brwi, kilka razy pospiesznie zmieniając kanały widzenia.

– Gdzie oni są?

– Muszą mieć stroje maskujące – wyszeptał Fausto. – Inaczej już byśmy ich widzieli.

– Albo przynajmniej wywęszyli – dodała Shay. – Może twój chłopak nie jest jednak taki losowy, Tally-wa.

– Co teraz zrobimy? – spytał Tachs.

– Zsiądziemy i użyjemy uszu.

Tally pozwoliła desce opaść na ziemię; wirniki rozrzuciły wokół gałązki i suche liście, zwalniając powoli. Gdy zeszła z deski, ta znieruchomiała. Zimowy wiatr wciskał się pod cholewki butów.

Poruszyła palcami stóp, słuchając lasu, patrząc, jak oddech wzlatuje jej przed twarzą, czekając, aż ucichnie skowyt pozostałych desek. W miarę jak ciemność gęstniała, uszy Tally wyłapywały dobiegające zewsząd ciche dźwięki wiatru szeleszczącego sosnowymi szpilkami zakutymi w kokony lodu. Parę ptaków przeleciało w powietrzu, a głodne wiewiórki, które ocknęły się z długiego zimowego snu, grzebały w poszukiwaniu zakopanych orzechów. Na widmowym kanale skórteny słyszała oddechy pozostałych Nacinaczy, oddzielone od reszty świata.

W poszyciu nie poruszało się nic, co wydawanymi odgłosami przypominałoby poruszającego się człowieka.

Tally uśmiechnęła się. Przynajmniej dzięki Davidowi pościg nie okazał się aż taki nudny. Nawet jednak w strojach maskujących tłumiących ciepło ciał Dymiarze nie mogli wiecznie pozostawać bez ruchu.

Poza tym wyczuwała go. Był blisko.

Uciszyła dźwięki dobiegające ze skórteny i odcięta od reszty grupy została sama w wyciszonym świecie podczerwieni. Klęknęła i zamknęła oczy, przykładając do twardej zamarzniętej ziemi gołą dłoń. Jej wyjątkowe ręce miały w sobie kości wychwytujące nawet najlżejsze wibracje. Tally całym ciałem nasłuchiwała zbłąkanych odgłosów.

Coś było w powietrzu... Pomruk na samym skraju słuchu, bardziej swędzenie w uszach niż prawdziwy dźwięk. Obecnie wychwytywała wiele podobnych widmowych odgłosów, na przykład pomruk własnego układu nerwowego albo syk jarzeniówek. Uszu Wyjątkowych dobiegało wiele dźwięków niesłyszalnych dla brzydkich i pustogłowych, równie dziwnych i zaskakujących jak pętle i zagłębienia w ludzkiej skórze oglądanej pod mikroskopem.

Ale co to właściwie było? Dźwięk unosił się i opadał niesiony wiatrem, niczym nuty wyśpiewywany przez napięte liny miejskich elektrowni słonecznych. Może to jakaś pułapka, drut rozciągnięty między drzewami? Albo ostry jak brzytwa nóż unoszony tak, że załamuje się o niego wiatr?

Tally w dalszym ciągu nie otwierała oczu, wytężała słuch, marszcząc czoło.

Do pierwszego dźwięku dołączyły następne, teraz dobiegały ze wszystkich stron. Trzy, cztery, pięć wysokich tonów dźwięczących coraz wyraźniej, choć w sumie nie głośniejszych od kolibra słyszanego z odległości stu metrów.

Otworzyła oczy i gdy jej wzrok wyostrzał się w ciemności, nagle ich ujrzała: lekkie przesunięcie wokół pięciu ludzkich sylwetek stojących w lesie. Stroje maskujące niemal idealnie zlewały się z tłem.

I wtedy zrozumiała, dlaczego stoją – w szerokim rozkroku, z jedną ręką cofniętą, drugą wyciągniętą do przodu – i pojęła, co wydaje taki dźwięk...

Cięciwy napięte i gotowe do strzału.

– Pułapka – powiedziała Tally i uświadomiła sobie, że wyłączyła skórtenę.

Zresetowała ją w chwili, gdy w powietrze wzbiła się pierwsza strzała.

NOCNA WALKA

Strzały mknęły w powietrzu.

Tally przeturlała się po ziemi i przywarła do oblodzonych sosnowych szpilek. Coś ze świstem przeleciało obok, na tyle blisko, by zmierzwić jej włosy.

Dwadzieścia metrów dalej jedna ze strzał trafiła w cel. Głowę Tally wypełniło elektryczne brzęczenie przypominające przeciążenie sieci, które zagłuszyło sapnięcie Tachsa. Następna strzała trafiła Fausta, Tally usłyszała, jak jęknął, a potem umilkł. Rzuciła się za najbliższe drzewo, a z tyłu dobiegł ją łoskot dwóch ciał padających na twardą ziemię.

– Shay? – syknęła.

– Chybili – padła odpowiedź. – Widziałam strzałę.

– Ja też. Mają na sobie stroje maskujące – powiedziała Tally i przywarła do szerokiego pnia, szukając wzrokiem sylwetek wśród drzew.

– I podczerwień – dodała Shay. – Spokojnie.

Tally zerknęła na swoje ręce płonące jasno w podczerwieni i przełknęła ślinę.

– To znaczy, że oni widzą nas wyraźnie, a my ich w ogóle?

– Przyznam, że chyba nie doceniłam jednak twojego chłopaka, Tally-wa.

– Może gdybyś pamiętała, że był też twoim chłopakiem...

Coś poruszyło się między drzewami, Tally usłyszała brzęk cięciwy. Uskoczyła na bok w chwili, gdy strzała trafiła w drzewo, uwalniając z siebie ładunek jak ogłuszacz i pokrywając pień siecią migotliwych wyładowań.

Tally wycofała się szybko i przeturlała w miejsce, gdzie dwie gałęzie splatały się ze sobą. Wciśnięta w wąską przestrzeń między nimi znów się odezwała:

– Jaki mamy plan, szefowo?

– Taki, żeby skopać im tyłki, Tally-wa – upomniała ją spokojnie Shay. – Jesteśmy Wyjątkowe. Owszem, zaskoczyli nas, ale to nadal tylko losowcy.

Brzęknęła kolejna cięciwa, Shay sapnęła, potem Tally usłyszała tupot stóp biegnących przez zarośla.

Odgłosy kolejnych cięciw nie pozwalały jej wstać, lecz strzały mknęły w stronę, w którą wycofała się Shay. W lesie poruszały się cienie, którym towarzyszyły odgłosy wyładowań elektrycznych.

– Znów chybili – zachichotała Shay.

Tally przełknęła ślinę. Wytężała słuch, próbując zagłuszyć gorączkowe bicie serca. Przeklinała fakt, że Nacinacze nie uznali za stosowne zabrać ze sobą strojów maskujących, broni do rzucania ani niczego, czego mogłaby teraz użyć. Miała tylko swój nóż, paznokcie, niezwykły refleks i mięśnie.

Najgorsze było to, że w jakiś sposób jej sytuacja się zmieniła. Czy naprawdę ukrywała się za drzewami? Czy może napastnik patrzył na nią spokojnie, szykując kolejną strzałę, by ją ogłuszyć?

Tally zerknęła w górę, próbując odczytać położenie gwiazd, lecz gałęzie dzieliły niebo na nieczytelne kawałki. Czekała, starając się oddychać powoli, spokojnie. Skoro do tej pory do niej nie strzelili, nie mogli jej widzieć.

Ale czy powinna uciec? Czy siedzieć bez ruchu?

Wciśnięta między drzewa czuła się naga. Dymiarze nigdy dotąd tak nie walczyli. Kiedy zjawiali się Wyjątkowi, zawsze uciekali i jak najszybciej się ukrywali. Szkolenie Nacinaczy skupiało się wyłącznie na tropieniu i chwytaniu, nikt nigdy nie wspominał o niewidzialnych napastnikach.

Dostrzegła ognistożółtą postać Shay zapuszczającą się głębiej na teren Szlaków i oddalającą się coraz bardziej. Została sama.

– Szefowo – wyszeptała. – Może powinnyśmy wezwać zwykłych Wyjątkowych?

– Nie ma mowy, Tally, nie waż się. Narobisz mi wstydu przed doktor Cable. Zostań tam, gdzie jesteś, ja poprowadzę ich łukiem. Może urządzimy sobie własną zasadzkę?

– Dobra. Ale jak to zrobimy? Oni są niewidzialni, a my nie mamy nawet...

– Cierpliwości, Tally-wa, i trochę ciszej, proszę.

Tally westchnęła i zmusiła się do zamknięcia oczu, nakazując sercu bić wolniej. Nasłuchiwała znajomego brzęku.

Niedaleko za nią rozległ się kolejny wysoki dźwięk towarzyszący naciąganiu łuku z nałożoną strzałą. Potem dołączył do niego drugi, trzeci... Ale czy celowali w nią? Powoli policzyła do dziesięciu, czekając na brzęk zwalnianej cięciwy.

Niczego nie usłyszała.

Musiała być dobrze ukryta. Naliczyła w sumie piątkę Dymiarzy. Skoro trzech naciągało łuki, gdzie podziewali się pozostali dwaj?

I wtedy jej uszy wychwyciły coś jeszcze, coś cichszego nawet od spokojnego, miarowego oddechu Shay: odgłos kroków na sosnowych szpilkach. Były zbyt ostrożne, zbyt ciche jak na losowca urodzonego w mieście. Tylko ktoś wychowany w głuszy mógł poruszać się tak cicho.

David.

Tally podniosła się powoli, szorując plecami po pniu i otwierając oczy.

Kroki zbliżały się, nadciągały z prawej. Przemieściła się wolno, pilnując, by cały czas oddzielało ją od nich drzewo.

Zerknęła szybko w górę, zastanawiając się, czy korona jest dość gęsta, by ukryć jej rozgrzane ciało przed detektorami podczerwieni. W żaden jednak sposób nie zdołałaby wspiąć się na drzewo tak, by David nie usłyszał.

Był blisko. Może gdyby skoczyła naprzód i ukłuła go, zanim pozostali wypuszczą strzały... Ostatecznie to tylko brzydcy, zadufani w sobie losowcy niedysponujący już przewagą zaskoczenia.

Przekręciła obrączkę, wypuszczając z niej świeżo naładowaną igłę.

– Shay, gdzie on jest? – wyszeptała.

– Dwanaście metrów od ciebie – Shay wypowiedziała te słowa na najlżejszym oddechu. – Klęczy, patrzy w ziemię.

Nawet z miejsca Tally zdołałaby przebiec dwanaście metrów w parę sekund. Czy okaże się zbyt szybkim celem dla pozostałych Dymiarzy?

– Złe wieści – wyszeptała Shay. – Znalazł deskę Tachsa.

Tally zagryzła mocno dolną wargę, uświadamiając sobie, o co chodziło w tej pułapce: Dymiarze chcieli zdobyć deskę Wyjątkowych Okoliczności.

– Przygotuj się – poleciła Shay. – Idę w twoją stronę.

W oddali jej jaśniejąca postać błysnęła pomiędzy drzewami, aż nadto widoczna, lecz zbyt szybka i odległa, by mogło ją doścignąć coś tak wolnego jak strzała.

Tally znów zmusiła się do zaciśnięcia powiek, nasłuchując. Usłyszała kolejne kroki, głośniejsze, mniej zgrabne niż Davida – piąty Dymiarz szukał drugiej deski.

Czas zacząć działać. Otworzyła oczy.

Lasem wstrząsnął upiorny dźwięk wirników deski rozpędzających się i rozrzucających wokół posiekane gałązki i poszycie.

– Zatrzymaj go! – syknęła Shay.

Tally już się poruszała, pędziła w stronę źródła dźwięku. Z bolesnym uciskiem w brzuchu pojęła, że skowyt wirników jest dość głośny, by zagłuszyć brzęk zwalnianych cięciw.

Przed sobą ujrzała wznoszącą się deskę, jaskrawożółta postać zwisała bezwładnie w rękach drugiej, czarnej.

– Zabrał Tachsa! – krzyknęła.

Jeszcze dwa kroki i będzie mogła skoczyć.

– Tally, padnij!

Zanurkowała na ziemię; pióra strzały musnęły jej ramię, gdy obróciła się w powietrzu. Ładunek elektryczny zjeżył jej włosy na głowie. Kolejna strzała przemknęła obok, gdy Tally przeturlała się i zerwała z ziemi, w szaleńczej nadziei, że nie nadlecą następne.

Deska wzniosła się już na trzy metry i nadal wzlatywała powoli, kołysząc się pod podwójnym ciężarem. Tally skoczyła i poczuła na twarzy prąd powietrza z wirników. W ostatniej chwili wyobraziła sobie własne palce wbijane między śmigła – odcięte w rozbryzgu krwi i odłamków chrząstek – i zabrakło jej odwagi. Koniuszkami palców chwyciła krawędź deski, ledwie się jej trzymając. Ciężar jej ciała sprawił, że lotodeska zaczęła powoli opadać.

Kątem oka Tally ujrzała mknącą ku niej strzałę i obróciła się gorączkowo w powietrzu, uskakując przed nią. Pocisk przemknął obok, lecz palce straciły oparcie. Najpierw ześliznęła się jedna ręka, potem druga... Spadając, Tally usłyszała warkot kolejnej deski. Ukradli też drugą.

W hałasie rozległ się krzyk Shay.

– Podsadź mnie.

Tally wylądowała przykucnięta pośród wiru igieł i ujrzała biegnącą ku niej w pełnym pędzie żółtą sylwetkę Shay.

Splotła palce i uniosła dłonie na wysokość pasa gotowa wyrzucić przyjaciółkę w powietrze, wprost na deskę wznoszącą się z trudem.

Kolejna strzała pomknęła ku niej z ciemności. Gdyby jednak uskoczyła, pocisk trafiłby Shay w trakcie skoku. Zaciskając zęby, czekała na agonię ogłuszacza trafiającego w kręgosłup.

Nagły powiew powietrza z rotorów pchnął strzałę ku ziemi niczym niewidzialna dłoń. Pocisk trafił pomiędzy stopy Tally, wybuchając w migotliwej pajęczynie świateł na zamarzniętej ziemi. W wilgotnym powietrzu poczuła smak elektryczności. Maleńkie niewidzialne palce zatańczyły jej na skórze, ale nierówne podeszwy butów stanowiły doskonałą izolację.

Potem ciężar ciała wylądował na jej dłoniach i Tally sapnęła, z całych sił robiąc zamach.

Shay krzyknęła, mknąc w górę.

Tally rzuciła się na bok, wyobrażając sobie kolejne lecące strzały. Poślizgnęła się na wciąż brzęczącym pocisku, obróciła gwałtownie i runęła na plecy.

Kolejna strzała przemknęła nad nią, chybiając twarzy o parę centymetrów.

Spojrzała w górę. Shay wylądowała na desce, która rozchybotała się gwałtownie, wirniki zawyły pod potrójnym ciężarem. Uniosła rękę z igłą, lecz ciemna postać Davida pchnęła ku niej Tachsa, zmuszając, by chwyciła nieprzytomnego towarzysza. Shay zatańczyła na skraju deski, próbując nie spaść.

Wtedy David skoczył naprzód, trafiając ją w ramię trzymanym w ręce ogłuszaczem. Nocne niebo rozświetliła kolejna sieć iskier.

Tally zerwała się z ziemi, biegnąc z powrotem w stronę miejsca walki. Dymiarze nie walczyli uczciwie!

Nad jej głową jaskrawożółta postać spadała z deski głową w dół. Tally wyskoczyła w powietrze, wyciągając ręce, w których wylądował martwy ciężar – wyjątkowe kości twarde jak worek pełen kijów do baseballa – i posłał ją na ziemię.

– Shay? – wyszeptała, ale to był Tachs.

Znów spojrzała w górę. Deska była już dziesięć metrów nad nią, całkowicie poza zasięgiem. Bezwładne ciało Shay oplatało spowitą w strój maskujący ciemność w niezgrabnym uścisku.

– Shay! – krzyknęła Tally, widząc, jak deska wzlatuje jeszcze wyżej. A potem jej uszy wyłapały brzęk cięciwy i znów rzuciła się na ziemię.

Strzała chybiła o milę – ktokolwiek ją wypuścił, zrobił to w biegu. Wszędzie roiło się od postaci w strojach maskujących, wokół ożywały kolejne deski, Dymiarze wznosili się w powietrze.

Tally przekręciła bransoletę, nie poczuła jednak znajomego szarpnięcia. Zabrali wszystkie cztery deski – była uwięziona na ziemi jak zwykły turysta, który zabłądził w lesie.

Z niedowierzaniem pokręciła głową. Skąd Dymiarze wzięli stroje maskujące? Od kiedy to strzelają do ludzi? Jakim cudem tak banalny numer poszedł aż tak źle? Podłączyła skórtenę do miejskiej sieci, zamierzając wezwać doktor Cable. Zawahała się jednak chwilę, pamiętając rozkazy Shay. Żadnych wezwań, nieważne, co się stanie. Nie mogła nie posłuchać.

Wszystkie cztery deski były już w powietrzu, ich wirniki lśniły pomarańczowym blaskiem. Widziała nieprzytomną Shay w ramionach Davida i świetlistą postać innego Wyjątkowego wiezioną na drugiej desce.

Zaklęła. Tachs wciąż leżał na ziemi, co oznaczało, że mieli także Fausta. Musiała wezwać posiłki, ale w ten sposób złamałaby rozkazy...

W sieci rozległ się ping.

– Tally? – spytał odległy głos. – Co się tam dzieje?

– Ho? Gdzie jesteś?

– Lecę za waszymi lokalizatorami. Jeszcze parę minut – zaśmiał się. – Nie uwierzysz, co powiedział mi chłopak z imprezy, ten, z którym tańczyła twoja Dymiara.

– Nieważne, po prostu się pospiesz. – Patrzyła z bezradną wściekłością na deski Nacinaczy unoszące się coraz wyżej. Jeszcze minuta i Dymiarze znikną na dobre.

Za późno już, by dotarli tu zwykli Wyjątkowi. Za późno na cokolwiek...

Wściekłość i frustracja wezbrały w niej, niemal ją ogłuszając. David jej nie pokona, nie tym razem! Nie mogła teraz stracić głowy.

Wiedziała, co robić.

Zakrzywiając palce prawej dłoni, Tally wbiła paznokcie w ciało lewej ręki. Delikatne nerwy wplecione w skórę zawyły, prąd bólu przeszył ją, atakując mózg.

Potem jednak nadeszła owa niezwykła chwila, mroźna jasność zastępująca panikę i zamęt. Sapnęła, wciągając w płuca lodowate powietrze.

Oczywiście. David i dziewczyna zostawili własne deski. Musiały gdzieś tu leżeć.

Zawróciła i pobiegła w stronę miasta, szukając w ciemności na wpół zapomnianego zapachu Davida.

– Co się stało? – spytał zdziwiony Ho. – Dlaczego tylko ty jesteś online?

– Zaatakowali nas. Bądź cicho.

Po kilku długich sekundach nos Tally coś znalazł: zapach Davida, pozostały w miejscu, które jego dłonie pocierały i naciskały, gdzie podczas pościgu kapał pot. Dymiarze nie zabrali swoich staroświeckich desek. Nie była całkiem bezradna.

Pstryknęła palcami i deska Davida wzleciała w górę, rozsypując pospiesznie zgarniętą warstwę igieł. Tally wskoczyła na nią, czując, jak chybocze się pod jej ciężarem niczym koniec trampoliny, bez wsparcia wirników. Jeszcze niedawno sama latała na podobnej desce. Na razie będzie musiała wystarczyć.

– Ho, lecę ci na spotkanie.

Deska pomknęła wzdłuż granicy miasta, przyspieszając, w miarę jak lotki znajdowały oparcie w sieci magnetycznej.

Wznosiła się spomiędzy drzew, wodząc wzrokiem po horyzoncie. W oddali widziała Dymiarzy, ciała dwójki jeńców jarzyły się niczym rozżarzone węgle.

Spoglądając w gwiazdy, wyliczała kąty i kierunki.

Dymiarze lecieli w stronę rzeki, gdzie mogli użyć napędu magnetycznego. Obecność dodatkowych pasażerów oznaczała, że będą potrzebować wszelkiej dostępnej mocy.

– Ho, skręć w stronę zachodniej granicy Szlaków, szybko!

– Po co?

– Żeby zyskać na czasie!

Nie mogła spuścić ściganych z oczu. Dymiarze mogli być niewidzialni, ale dwójka schwytanych Wyjątkowych jaśniała w podczerwieni niczym reflektory.

– Dobra, już lecę – odparł Ho. – Ale co tam się dzieje?

Tally nie odpowiedziała, mknąc między drzewami niczym slalomowiec. Nie spodoba mu się to, co musi zrobić, ale nie miała wyboru. Chodziło o Shay, David porwał ją i unosił w głuszę. Teraz Tally ma okazję naprawić wszystkie dawne błędy.

I dowieść, że naprawdę jest Wyjątkowa.

Ho czekał w miejscu, gdzie ciemne drzewa Szlaków zaczynały rzednąć.

– Hej, Tally – rzucił, gdy pomknęła ku nim. – Czemu jedziesz na takim złomie?

– Długa historia – zatrzymała się, skręcając gwałtownie.

– No właśnie. Czy mogłabyś mi powiedzieć, co się...

Krzyknął zaskoczony, gdy Tally zepchnęła go z deski i posłała w ciemność.

– Przepraszam, Ho-la – rzuciła, przeskakując na jego deskę i skręcając w stronę rzeki. Wirniki ożyły, gdy przekroczyła granicę miasta. – Muszę to pożyczyć, nie mam czasu na wyjaśnienia.

Jej uszu dobiegło kolejne sapnięcie, to bransolety Ho wyhamowały upadek.

– Tally! Co się...

– Mają Shay. I Fausta. Tachs jest w Szlakach, nieprzytomny. Idź, dopilnuj, by nic mu się nie stało.

– Co? – głos Ho cichł w oddali.

Tally pomknęła w głuszę, pozostawiając za sobą sieć miejskich powtarzaczy. Rozejrzała się i dostrzegła wyraźny przebłysk w podczerwieni podobny do dwojga jaśniejących oczu Fausta i Shay.

Pościg trwał dalej.

– Zaatakowali nas, nie słuchałeś? – wyszczerzyła zęby. – A Shay zabroniła wzywać doktor Cable. Nie chcemy niczyjej pomocy.

Tally była pewna, że Shay nie życzyłaby sobie, aby Wyjątkowe Okoliczności dowiedziały się, że Nacinacze – wyjątkowi Wyjątkowi doktor Cable – dali z siebie zrobić głupców.

Poza tym, gdyby zjawił się tu oddział ryczących lotowozów, Dymiarze natychmiast zorientowaliby się, że lecą za nimi. Samotnie Tally może zdoła się do nich zbliżyć. Pochyliła się naprzód, wyciskając całą moc z pożyczonej deski. Za sobą słyszała cichnące protesty Ho.

Wiedziała, że ich dogoni. Piątka Dymiarzy i dwóch jeńców na czterech deskach. Nie ma mowy, by poruszali się z maksymalną prędkością. Musi tylko pamiętać, że to losowcy, a ona jest Wyjątkowa.

Nadal miała szansę uratować Shay, schwytać Davida i wszystko naprawić.

RATUNEK

Tally leciała nisko i szybko, niemal muskając powierzchnię rzeki. Cały czas rozglądała się, próbując przeniknąć wzrokiem ciemność między drzewami.

Gdzie oni byli?

Dymiarze nie mogli tak bardzo się oddalić – mieli zaledwie parę minut przewagi. Podobnie jak ona lecieli nisko, korzystając dodatkowo z pola magnetycznego złóż minerałów w krętym korycie rzeki i ukrywając się między drzewami. Nawet wyjątkowo jasny blask ciał Shay i Fausta w podczerwieni nie był w stanie przeniknąć płaszcza czerni spowijającego las. W tym właśnie problem.

Co, jeśli skręcili już znad rzeki i schowali się między drzewami, przepuszczając ją przodem? Na skradzionych deskach Dymiarze mogli dolecieć, gdzie tylko chcieli.

Tally potrzebowała paru sekund w górze, skąd mogłaby spojrzeć w dół. Ale Dymiarze także dysponowali podczerwienią. Żeby zerknąć i się nie zdradzić, musiała znacznie obniżyć temperaturę ciała.

Spojrzała w ciemne wody pod stopami i zadrżała.

Wiedziała, że to nie będzie przyjemne.

Skręciła i zatrzymała się, czując na rękach i twarzy rozbryzg lodowatych kropel, które wywołały kolejny dreszcz przenikający aż do kości. Rzeka rwała bystro naprzód przepełniona po wręby wodą z topniejących śniegów spływającą z gór, zimną jak kubełek z szampanem w dawnych pysznych czasach.

– Cudownie – mruknęła Tally.

Skrzywiła się i zeskoczyła z deski.

Jej ciało uderzyło w wodę niemal bez plusku, lecz w zetknięciu z lodowatą rzeką serce zabiło szaleńczo. Po sekundach zaczęła szczękać zębami, mięśnie zaciskały jej się tak mocno, iż mogły zmiażdżyć kości. Tally wciągnęła pod wodę deskę Ho – wirniki wypluwały z siebie smużki pary, stygnąc gwałtownie.

Zaczęła liczyć powoli, morderczo powoli, do dziesięciu, rzucając w myślach najgorsze klątwy na Davida, Dymiarzy i tego, kto pierwszy wymyślił zamarzającą wodę. Chłód wnikał jej w ciało, nie zważając na krzyk nerwów, i osiadał głęboko w kościach.

Potem jednak nadeszła owa szczególna chwila, zupełnie jak wtedy, kiedy się nacinała i ból narastał, aż w końcu nie mogła już go znieść... po czym nagle wszystko odwracało się o sto osiemdziesiąt stopni. Ukryta w cierpieniu jasność powróciła, zupełnie jakby świat nagle nabrał absolutnego sensu.

Doktor Cable obiecała jej to dawno temu i rzeczywiście było to lepsze niż bycie pysznym. Wszystkie zmysły Tally szalały, lecz jej umysł jakby stał na uboczu, obserwując obojętnie ich reakcje.

Była nielosowa, lepsza od innych... niemal nadludzka. Stworzono ją taką, by ocaliła świat.

Przestała liczyć i odetchnęła powoli, spokojnie. Stopniowo dreszcze ustały, lodowata woda straciła swą moc.

Tally wsiadła z powrotem na deskę Ho, chwytając jej krawędzie białymi jak kość palcami. Dopiero za trzecim razem zdołała pstryknąć wystarczająco głośno, wreszcie jednak deska zaczęła wzlatywać w ciemne niebo, unosząc się tak wysoko, jak pozwalały jej wychłodzone, milczące magnetyczne lotki. Wzlatując ponad drzewa, Tally poczuła uderzenie wiatru niczym lawinę zimna, nie zważała na nie jednak, wodząc wzrokiem po cudownie jasnym świecie w dole.

Zobaczyła ich – zaledwie kilometr dalej – migotanie desek nad czarną wodą, ludzką sylwetkę lśniącą w podczerwieni. Dymiarze poruszali się powoli, niemal stali w miejscu. Może odpoczywali nieświadomi faktu, że ktoś ich ściga. Tally miała jednak wrażenie, że owa chwila mroźnego skupienia zatrzymała czas.

Pozwoliła desce opaść, chcąc zniknąć, nim ciepło ciała przeniknie przez przemoczone ubranie. Przebranie brzydkiej oblepiało ją niczym mokry wełniany koc. Tally zsunęła kurtkę i odrzuciła ją w wodę.

Deska ożyła, z rykiem mknąc naprzód na uruchomionych do maksimum wirnikach, pozostawiając po sobie metrową falę.

Choć Tally była przemoczona, przemarznięta do kości i sama przeciw piątce, kąpiel rozjaśniła jej w głowie. Czuła, jak jej wyjątkowe zmysły analizują otaczający ją las, instynkt budzi się, mózg sprawdza pozycje gwiazd nad głową i oblicza, ile dokładnie trzeba czasu, by ich dogoniła.

Poruszyła odrętwiałymi rękami. Wiedziała, że to jedyna broń, jakiej potrzebuje. Nieważne, jakie sztuczki mają jeszcze w zanadrzu Dymiarze.

Była gotowa do walki.

Sześćdziesiąt sekund później zobaczyła ją: samotną deskę czekającą na nią tuż za zakrętem rzeki. Dosiadający jej Dymiarz stał spokojnie: czarna postać przytrzymująca lśniące ciało Wyjątkowego.

Tally zahamowała ostro, zatoczywszy ciasny krąg i przeszukując wzrokiem drzewa. Ciemnofioletowy mrok między pniami przepełniały niewyraźne kształty poruszane wiatrem, lecz nie dostrzegła żadnych ludzkich sylwetek.

Spojrzała na ciemną postać blokującą jej drogę. Strój maskujący ukrywał twarz, lecz Tally pamiętała Davida stojącego na desce: jedną stopę uniesioną do tyłu pod kątem czterdziestu pięciu stopni, jak u tancerza czekającego na pierwsze takty muzyki. Poza tym czuła, że to on.

Jaśniejąca postać w jego ramionach to musiała być wciąż nieprzytomna Shay.

– Zauważyłeś, że lecę za wami? – spytała.

Pokręcił głową.

– Nie, ale wiedziałem, że się zjawisz.

– Co to ma być? Kolejna zasadzka?

– Musimy porozmawiać.

– Podczas gdy twoi przyjaciele jeszcze się oddalą?

Tally napięła ręce, nie wyprysnęła jednak naprzód i nie zaatakowała. Dziwnie było znów słyszeć głos Davida – unosił się wyraźnie nad rwącą wodą, pobrzmiewała w nim nutka zdenerwowania.

Tally uświadomiła sobie, że David się jej boi.

Oczywiście, że się bał. Ale nadal czuła się z tym dziwnie.

– Pamiętasz mnie? – spytał.

– A jak myślisz, Davidzie? – skrzywiła się. – Pamiętałam cię, nawet kiedy byłam pustogłowa. Zawsze robiłeś spore wrażenie.

– To dobrze – odparł, jakby potraktował jej słowa jak komplement. – W takim razie pamiętasz, kiedy widzieliśmy się po raz ostatni. Zorientowałaś się, jak miasto namieszało ci w głowie, zmusiłaś się, by znów myśleć jasno, a nie jak śliczni. I uciekłaś. Pamiętasz?

– Pamiętam mojego chłopaka leżącego na kupie koców bliskiego śmierci mózgowej – odparła. – Dzięki pigułkom, które wysmażyła twoja matka.

Na wzmiankę o Zanie ciemną postacią Davida wstrząsnął dreszcz.

– To była pomyłka.

– Pomyłka? Chcesz powiedzieć, że wysłałeś mi te pigułki przypadkiem?

Poruszył się na desce.

– Nie, ale uprzedzaliśmy cię o ryzyku. Nie pamiętasz?

– Teraz pamiętam wszystko, Davidzie! I w końcu wszystko rozumiem.

Umysł miała jasny, wyjątkowo jasny, wolny od nieopanowanych, paskudnych emocji i euforii ślicznych. W końcu pojęła, czym naprawdę są Dymiarze. To nie rewolucjoniści, lecz jedynie egoiści igrający z ludźmi, pozostawiający za sobą zniszczone życia.

– Tally – rzekł cicho, błagalnie.

Ona jednak zaśmiała się tylko.

Jej błyskotatuaże wirowały szaleńczo rozpędzone przez lodowatą wodę i złość właścicielki. Umysł skupił się, ostry jak brzytwa. Z każdym uderzeniem serca widziała wyraźniej postać Davida.

– Wykradasz dzieci, Davidzie. Dzieci z miasta, które nie wiedzą, jak niebezpiecznie jest poza nim. I grasz z nimi w swoje gierki.

Pokręcił głową.

– Ja nigdy... nigdy nie chciałem w nic z tobą grać, Tally. Przepraszam.

Zaczęła coś mówić, lecz w samą porę dostrzegła sygnał Davida. Był to jedynie drobny ruch jednego palca, lecz umysł miała tak wyostrzony, że owo poruszenie rozkwitło w mroku niczym fajerwerki.

Świadomość Tally rozszerzyła się nagle, ogarniając otaczającą ją czerń. Dymiarze wybrali miejsce, w którym na wpół zanurzone kamienie wzmagały jeszcze ryk wody maskujący wszystkie subtelne dźwięki. Mimo to w jakiś sposób wyczuła chwilę ataku.

Ułamek sekundy później kątem oka zauważyła lecące ku niej strzały, po jednej z obu stron, niczym dwa palce mające zgnieść robaka. Umysł Tally spowolnił czas, niemal go zatrzymując. Pociski miały trafić za niecałą sekundę, za późno, by grawitacja ściągnęła ją w dół, nieważne, jak szybko ugięłaby kolana. Ale Tally nie potrzebowała grawitacji.

Jej ręce wystrzeliły na boki. Ugięła łokcie, zaciskając palce wokół drzewc strzał, które przesunęły się parę centymetrów w jej rękach. Ich tarcie zapiekło jak gaszenie dłonią świecy, potem jednak zatrzymała je w miejscu.

Przez chwilę elektryczne ładunki w grotach brzęczały niczym rozwścieczone pszczoły, tak blisko, że Tally poczuła na policzkach ich ciepło. Potem obie strzały zgasły.

Nadal wbijała wzrok w Davida. Mimo stroju maskującego dostrzegła, jak opadła mu szczęka, znad wody dobiegł cichy jęk zdumienia.

Zaśmiała się ostro.

– Co oni z tobą zrobili? – spytał łamiącym się głosem.

– Sprawili, że zaczęłam widzieć – odparła.

David ze smutkiem pokręcił głową, a potem zepchnął Shay do rzeki.

Ciało poleciało bezwładnie, uderzając w wodę płasko, twarzą w dół. David zawrócił na desce i śmignął naprzód, wzbijając fontannę piany. Dwóch łuczników wyprysnęło spomiędzy drzew i pomknęło za nim.

– Shay! – krzyknęła Tally, lecz nieruchome ciało zagłębiało się już w wodę ściągane ciężarem bransolet bezpieczeństwa i przemoczonego ubrania.

W zimnej wodzie widziane w podczerwieni ciało Shay zaczęło zmieniać kolor, ręce gasły, z jasnożółtych stawały się pomarańczowe. Rwący prąd poniósł ją pod Tally, która odrzuciła nieszkodliwe strzały, obróciła się na pięcie i zanurkowała do lodowatej rzeki.

Po kilku gwałtownych ruchach znalazła się obok słabo świecącej postaci. Chwyciła Shay za włosy i wyciągnęła jej głowę nad powierzchnię. Błyskotatuaże ledwie poruszały się na bladej twarzy, potem jednak Shay zadrżała i rozkasłała się, opróżniając płuca.

– Shay-la! – Tally obróciła się w wodzie, mocniej chwytając przyjaciółkę.

Shay słabo zamachała rękami, po czym wypluła jeszcze trochę wody. Jej tatuaże stopniowo ożywały, wirując szybciej w rytm bicia serca. Twarz zajaśniała w podczerwieni, gdy wypełniła ją ciepła krew.

Tally zmieniła uchwyt, z trudem utrzymując nad wodą obie głowy. Dała sygnał bransoletami. Pożyczona deska zareagowała magnetycznym szarpnięciem, zbliżając się.

Shay otworzyła oczy, zamrugała parę razy.

– To ty, Tally-wa?

– Tak, to ja.

– Przestań szarpać mnie za włosy – znów zakasłała.

– Ach, przepraszam.

Tally wyplątała palce spomiędzy mokrych kosmyków. Gdy deska trąciła ją z tyłu, zarzuciła na nią rękę, drugą obejmując Shay. Długi dreszcz wstrząsnął nimi obiema.

– Zimna woda... – zauważyła Shay.

W podczerwieni jej wargi wydawały się niemal niebieskie.

– Poważnie? Ale przynajmniej cię ocuciła. – Tally zdołała dźwignąć Shay na deskę i posadzić. Shay kuliła się tam chłostana wiatrem. Tally pozostała w wodzie, patrząc w jej szkliste oczy. – Shay-la? Wiesz, gdzie jesteś?

– Obudziłaś mnie, czyli... spałam? – Shay potrząsnęła głową, zamknęła oczy w skupieniu. – Cholera, to znaczy, że trafili mnie którąś z tych durnych strzał.

– Nie strzałą. David miał w ręce ogłuszacz.

Shay splunęła do rzeki.

– Grał nieczysto. Rzucił we mnie Tachsem – zmarszczyła brwi i znów otworzyła oczy. – Czy z Tachsem wszystko w porządku?

– Tak, złapałam go, zanim uderzył o ziemię. Potem David próbował cię porwać, ale ja cię odbiłam.

Shay zdołała uśmiechnąć się słabo.

– Dobra robota, Tally-wa.

Tally poczuła, że jej usta wyginają się w słabym uśmiechu.

– A co z Faustem?

Westchnęła, podciągając się na deskę; wirniki zaszumiały pod jej ciężarem.

– Jego też zabrali. – Zerknęła w górę rzeki, nie widziała jednak niczego, tylko ciemność. – I już dawno zdążyli uciec.

Shay objęła Tally trzęsącą się, mokrą ręką.

– Nie martw się, uwolnimy go. – Popatrzyła w dół oszołomiona. – W takim razie, jak znalazłam się w rzece?

– Zabrali cię tutaj, użyli jako przynęty. Mnie też chcieli złapać, ale okazałam się dla nich za szybka i David zepchnął cię, żeby odwrócić moją uwagę. Albo może próbował zyskać trochę czasu dla pozostałych, by mogli uciec z Faustem.

– Hm, to dość obraźliwe – mruknęła Shay.

– Co?

– Użyli mnie jako przynęty? Nie Fausta?

Tally uśmiechnęła się szerzej i mocniej uścisnęła Shay.

– Może woleli mieć pewność, że się zatrzymam?

Shay zakasłała w dłoń.

– No dobra, kiedy ich złapię, pożałują, że nie zrzucili mnie ze skały – odetchnęła głęboko, jej płuca w końcu zaczęły działać jak należy. – Ale to trochę dziwne. To niepodobne do Dymiarzy: wrzucić kogoś do lodowatej wody, i to nieprzytomnego. Wiesz, co mam na myśli?

Tally przytaknęła.

– Może są coraz bardziej zdesperowani?

– Może. – Shay znów zadrżała. – Zupełnie jakby życie na łonie natury zamieniało ich w Rdzawców. Strzałami z łuku też można kogoś zabić. Dawniej bardziej mi się podobali.

– Mnie też. – Tally westchnęła.

Ostry gniew mijał, pozostawiając ducha równie oklapniętego jak ubranie. Bez względu na to, jak bardzo starała się wszystko naprawić, Fausta wciąż nie było, a David uciekł.

– W każdym razie dzięki za ratunek, Tally-wa.

– Nie ma sprawy, szefowo. – Tally uścisnęła dłoń przyjaciółki. – To co... jesteśmy kwita?

Shay zaśmiała się, objęła Tally, jej uśmiech rozszerzył się, ukazując wszystkie ostre zęby.

– Ty i ja nie musimy się martwić o bycie kwita, Tally.

Tally poczuła nagłe ciepło, jak zawsze na widok uśmiechu Shay.

– Poważnie?

Tamta przytaknęła.

– Jesteśmy zbyt zajęte naszą wyjątkowością.

Ho czekał na nie na miejscu zasadzki. Zdołał już ocucić Tachsa i wezwać resztę Nacinaczy. Byli dwadzieścia minut od nich, zabrali dodatkowe deski i kipieli żądzą zemsty.

– Nie przejmujcie się rewanżem, wkrótce odwiedzimy Dymiarzy – oznajmiła Shay, nie zadając sobie trudu, by wspomnieć o podstawowym problemie: nikt nie wiedział, gdzie leży Nowy Dym. W istocie nikt nie miał pewności, czy w ogóle istnieje. Od czasu zniszczenia pierwszego Dymu Dymiarze wciąż przenosili się z jednego miejsca na drugie. A teraz, gdy zdobyli cztery nowiutkie deski Wyjątkowych Okoliczności, jeszcze trudniej będzie ich przyszpilić.

Podczas gdy Shay i Tally wykręcały mokre ciuchy, Ho i Tachs krążyli w ciemności Szlaków w poszukiwaniu wskazówek. Wkrótce znaleźli deskę porzuconą przez Dymiarkę.

– Sprawdźcie ładunek – poleciła Shay. – Przynajmniej ustalimy, jak długo musieli lecieć, by tu dotrzeć.

– Dobry pomysł, szefowo – mruknęła Tally. – Nocą nie da się doładować deski.

– Tak, prawdziwy ze mnie geniusz – odparła Shay. – Ale odległość nie mówi zbyt wiele, trzeba nam więcej.

– Mamy więcej, szefowo – rzekł Ho. – Próbowałem powiedzieć to Tally, nim zepchnęła mnie z deski. Rozmawiałem z tym brzydkim dzieciakiem na imprezie, tym, któremu dziewczyna podrzuciła nano. Zanim przekazałem go opiekunom, zdołałem trochę go nastraszyć.

Tally nie wątpiła w to. Wśród tatuaży Ho znajdowała się demoniczna maska przysłaniająca jego własne rysy. Krwistoczerwone linie wykrzywiały się w serii grymasów w rytm uderzeń serca.

– Ten śmieć wiedział, gdzie jest Nowy Dym? – parsknęła Shay.

– W życiu. Ale wiedział, gdzie ma zanieść nano.

– Niech zgadnę, Ho-la – rzuciła Shay. – Do Miasta Nowych Ślicznych.

– Tak, oczywiście. – Uniósł foliowy woreczek. – Ale nie były przeznaczone dla byle kogo, szefowo. Miał je dostarczyć Krimom.

Tally i Shay spojrzały po sobie. Niemal wszyscy Nacinacze w dawnych ślicznych czasach należeli do Krimów. Ta ekipa specjalizowała się w najróżniejszych numerach: zachowywali się jak brzydcy, walczyli ze skazami, próbując nie pozwolić, by płytki urok Miasta Nowych Ślicznych ogłupił im umysł.

Shay wzruszyła ramionami.

– W dzisiejszych czasach Krimowie to najpopularniejsza ekipa. Są ich setki. – Uśmiechnęła się. – Odkąd sprawiłyśmy, że stali się sławni.

Ho przytaknął.

– Hej, też byłem jednym z nich. Pamiętasz? Ale dzieciak wspomniał imię kogoś, komu miał oddać je osobiście.

– Jakiś znajomy? – spytała Tally.

– Tak... Zane. Powiedział, że nano są przeznaczone dla Zane'a.

OBIETNICA

– Czemu mi nie powiedziałaś, że Zane wrócił?

– Bo nie wiedziałam. Minęły dopiero dwa tygodnie.

Tally westchnęła przeciągle przez zęby.

– O co chodzi? – rzuciła Shay. – Nie wierzysz mi?

Tally odwróciła się, patrząc w ogień, niepewna, jak odpowiedzieć. Nieufanie innym Nacinaczom nie było mroźne – prowadziło do wątpliwości i mętliku w głowie. Po raz pierwszy jednak, odkąd stała się Wyjątkowa, czuła się nieswojo i niepewnie we własnej skórze. Odruchowo pogładziła palcami blizny na rękach. Dobiegające z otaczającego ją lasu dźwięki poruszały wszystkie nerwy.

Zane wrócił ze szpitala, ale nie było go tu z nią w obozie Nacinaczy, w głuszy, gdzie jego miejsce. Czuła, że tak nie powinno być.

Pozostali Nacinacze robili wszystko, by pozostać mroźni. Rozpalili ognisko ze zwalonych drzew: to sposób Shay na podbudowanie morale po wczorajszej pułapce. Cała ich szesnastka – prócz Fausta – zgromadziła się wokół, prowokując się do przebiegnięcia na bosaka przez płomienie i przechwalając się, co zrobią z Dymiarzami, kiedy w końcu ich złapią.

A jednak Tally czuła się tak, jakby była gdzieś obok.

Zazwyczaj lubiła ogniska. Uwielbiała patrzeć na tańczące wokół cienie podskakujące jak żywe istoty. Oto prawdziwe, złośliwe dusze płonących drzew. Dlatego właśnie warto być Wyjątkową. Istnienie po to, by dopilnować dobrego zachowania całej reszty, nie oznacza, że sam człowiek musi się dobrze zachowywać.

Dziś jednak zapach ogniska przywoływał uśpione wspomnienia z czasów Dymu. Kilku Nacinaczy ostatnio przerzuciło się z kaleczenia na piętnowanie, oznaczając swe ramiona rozżarzonymi do czerwoności kawałkami metalu. Podobnie jak nacinanie pozwalało to zachować mroźny umysł. Tally towarzyszący temu zapach za bardzo kojarzył się z pieczonymi martwymi zwierzętami w Dymie, pozostała zatem przy nożach.

Kopniakiem wrzuciła patyk w ogień.

– Oczywiście, że ci ufam, Shay. Ale przez ostatnie dwa miesiące myślałam, że Zane dołączy do Wyjątkowych Okoliczności, gdy tylko wydobrzeje. Gdy wyobrażę go sobie w Mieście Nowych Ślicznych ze słodziutką twarzą... – Pokręciła głową.

– Gdybym tylko mogła go tu ściągnąć, Tally-wa, zrobiłabym to.

– To znaczy, pogadasz o tym z doktor Cable?

Shay rozłożyła ręce.

– Tally, znasz zasady: aby dołączyć do Wyjątkowych Okoliczności, musisz dowieść, że jesteś Wyjątkowy. Musisz samodzielnie przestać myśleć jak pustogłowi.

– Ale Zane już w czasach, gdy przewodził Krimom, był wyjątkowy. Czy Cable tego nie rozumie?

– Nie zmienił się, nie tak naprawdę, póki nie zażył pigułki Maddy. – Shay podsunęła się bliżej i objęła ramiona Tally. W blasku płomieni jej oczy migotały czerwienią. – Ty i ja same się wyzwoliłyśmy, bez żadnej pomocy.

– Razem z Zane'em zaczęliśmy się zmieniać od chwili naszego pierwszego pocałunku. – Tally odsunęła się. – Gdyby nano nie przysmażyły mu mózgu, z pewnością byłby już jednym z nas.

– W takim razie czym się przejmujesz? – Shay wzruszyła ramionami. – Raz już to zrobił i zrobi ponownie.

Tally odwróciła głowę i posłała jej gniewne spojrzenie, nie potrafiąc wyrazić wątpliwości, które obie czuły. Czy Zane wciąż był pysznym facetem, który założył ekipę Krimów, czy też uszkodzenie mózgu wszystko zmieniło i skazało go na bycie pustogłowym do końca życia?

Wszystko to było strasznie niesprawiedliwe. Kompletnie losowe.

*
**

Kiedy Dymiarze po raz pierwszy sprowadzili nano do Miasta Nowych Ślicznych, zostawili dla Tally dwie pigułki, a także list od niej samej uprzedzający o niebezpieczeństwie i twierdzący, że udzieliła świadomej zgody. Z początku za bardzo się bała, ale Zane zawsze pozostawał pyszny, zawsze starał się wyzwolić z więzienia śliczności. Zaplanował, że sam zażyje niewypróbowane pigułki.

Nano miały uwolnić ślicznych, zmienić ich z pustogłowych w... Cóż, nikt tak do końca nie zastanawiał się, w co dokładnie. Co zrobić z bandą rozpieszczonych, superpięknych ludzi o nieograniczonych pragnieniach? Wypuścić ich na wolność, by zniszczyli kruchy świat, tak jak niemal uczynili to Rdzawcy trzy wieki wcześniej?

Tak czy inaczej, lek nie zadziałał, jak powinien. Tally i Zane podzielili się pigułkami i Zane wylosował pechowo. Zawarte w pastylce nano usunęły skazy czyniące zeń pustogłowego i działały dalej, pochłaniając coraz więcej i więcej.

Tally zadrżała na myśl o własnym szczęściu. Jej pigułka miała za zadanie jedynie wyłączyć nano zawarte w drugiej, sama z siebie nic nie zrobiła – Tally tylko zdawało się, że zażyła lek. A jednak zdołała sama przestać myśleć jak pustogłowa – bez żadnych nano, bez operacji, nawet bez nacinania jak w ekipie Shay.

Dlatego właśnie trafiła do Wyjątkowych Okoliczności.

– Ale przecież każde z nas mogło zażyć tamtą pigułkę – powiedziała cicho. – To niesprawiedliwe.

– Jasne, niesprawiedliwe, ale nie znaczy, że to twoja wina, Tally. – Zanoszący się śmiechem bosy Nacinacz przebiegł przed nimi po rozżarzonych węglach, wzbijając w powietrze snopy iskier. – Po prostu miałaś szczęście. Tak już bywa, kiedy jesteś Wyjątkowa. Skąd to poczucie winy?

– Nigdy nie twierdziłam, że czuję się winna. – Tally przełamała patyk. – Po prostu chciałabym coś z tym zrobić. Pójdę dziś z tobą, Shay-la, dobra?

– Nie jestem pewna, czy dasz radę, Tally-wa.

– Nic mi nie jest, poradzę sobie, jeśli tylko nie będę musiała oblepiać plastikiem twarzy.

Shay roześmiała się. Wyciągnęła rękę, przesuwając małym palcem po krętych liniach błyskotatuaży Tally.

– Nie martwię się o twoją twarz, tylko o mózg. Dwóch byłych chłopaków z rzędu naprawdę może nieźle namieszać w głowie.

Tally odwróciła się.

– Zane nie jest byłym chłopakiem. Może to teraz pustogłowy, ale wyrwie się z tego.

– Spójrz tylko – mruknęła Shay – ty się trzęsiesz. To niezbyt mroźne.

Tally spojrzała na swoje dłonie. Zacisnęła pięści, by powstrzymać drżenie.

Kopniakiem wrzuciła w ogień solidną gałąź, sypiąc dokoła iskrami. Patrząc, jak pochłaniają ją płomienie, wyciągnęła ręce, by je ogrzać. W jakiś sposób lodowata rzeka pozostawiła w jej ciele chłód, który nie chciał zniknąć, niezależnie jak blisko ognia siedziała.

Po prostu musiała znów zobaczyć Zane'a, wówczas ten dziwny ziąb w kościach zniknie.

– Trzęsiesz się, bo spotkałaś Davida?

– Davida? – parsknęła Tally. – Skąd ten pomysł?

– Nie wstydź się, Tally-wa, nikt nie może być cały czas mroźny. Może po prostu powinnaś się naciąć. – Shay dobyła noża.

Tally chciała, ale parsknęła i splunęła w sam środek ogniska. Przyjaciółka nie sprawi, że poczuje się słaba.

– Całkiem dobrze poradziłam sobie z Davidem... Lepiej niż ty, jeśli dobrze pamiętam.

Shay roześmiała się i żartobliwie uderzyła Tally w ramię, tyle że to naprawdę zabolało.

– Auć, szefowo! – rzuciła Tally.

Najwyraźniej Shay wciąż przeżywała fakt, że poprzedniego wieczoru zwykły losowiec pokonał ją w walce wręcz. Teraz zerknęła na swą pięść.

– Przepraszam, naprawdę nie chciałam.

– Nie ma sprawy. To co, jesteśmy kwita? Mogę iść z tobą zobaczyć się z Zane'em?

Shay jęknęła.

– Nie, dopóki wciąż jest pustogłowym, Tally-wa. Tylko by ci to dowaliło. Może raczej pomożesz w poszukiwaniach Fausta?

– Tak naprawdę nie wierzysz, że oni cokolwiek znajdą, prawda?

Shay wzruszyła ramionami, po czym odcięła skórtenowe połączenie z resztą Nacinaczy.

– Muszę dać im coś do roboty – rzekła cicho.

Później pozostali zamierzali wyruszyć na deskach na poszukiwania w głuszy. Dymiarze nie mogli usunąć skórteny

Fausta, nie zabijając go przy tym, toteż powinni odbierać sygnał już z odległości kilometra. Tally wiedziała jednak, że w głuszy jeden kilometr nic nie znaczy. Podczas wyprawy do Dymu podróżowała na rozpędzonej desce całymi dniami, nie natykając się na żadną oznakę ludzkiego życia. Widziała całe miasta pochłonięte przez dżunglę i piaski pustyni. Jeśli Dymiarze zamierzali zniknąć, sprzyjała im sama natura.

– To nie znaczy, że masz marnować także mój czas – prychnęła Tally.

– Ile razy muszę ci wyjaśniać, Tally-wa? Teraz jesteś Wyjątkowa, nie powinnaś rozczulać się nad jakimś pustogłowym. Ty jesteś Nacinaczką, Zane nie. Oto sedno sprawy.

– Skoro tak, to czemu tak się czuję?

Shay jęknęła przez zęby.

– Ponieważ, Tally, robisz to co zwykle: wszystko komplikujesz.

Tally westchnęła i kopnęła ognisko, posyłając w powietrze snop iskier. Pamiętała, że wiele razy zdarzało jej się czuć pełnię zadowolenia – w czasach pustogłowych czy nawet w Dymie. Lecz z nieznanych powodów owo zadowolenie nigdy nie trwało długo, zawsze przekonywała się, że się zmienia, napiera na granice. I niszczyła wszystko i wszystkich wokół siebie.

– To nie zawsze moja wina – odparła cicho. – Po prostu czasem sprawy się komplikują.

– Zaufaj mi, Tally, spotkanie z Zane'em jeszcze bardziej wszystko skomplikuje. Po prostu daj mu tyle czasu, by sam odnalazł swą drogę. Nie jesteś z nami szczęśliwa?

Tally przytaknęła powoli – naprawdę była szczęśliwa. Oglądany poprzez jej wyjątkowe zmysły świat był naprawdę mroźny, jak z lodu, zaś każda chwila spędzona w nowym ciele lepsza niż rok ślicznego życia. Teraz jednak, gdy dowiedziała się, że Zane jest zdrowy, jego nieobecność wszystko skaziła. Nagle Tally poczuła się niedokończona i nierzeczywista.

– Jestem szczęśliwa, Shay-la. Ale pamiętasz, kiedy ostatnim razem uciekliśmy z Zane'em z miasta? I zostawiliśmy ciebie? Nie mogę znów tego zrobić.

Shay pokręciła głową.

– Czasami po prostu musisz kogoś zostawić, Tally-wa.

– To znaczy, że wczoraj powinnam zostawić ciebie, Shay? Pozwolić ci utonąć?

Shay jęknęła.

– Świetny przykład, Tally. Posłuchaj, to dla twojego dobra. Wierz mi, nie chcesz tej komplikacji.

– W takim razie uprośćmy to, Shay-la. – Tally wsunęła koniuszek kciuka pomiędzy ostre jak brzytwa zęby i zagryzła. Poczuła ukłucie bólu, żelazny smak krwi na języku i umysł nieco jej się rozjaśnił. – Kiedy Zane zostanie Wyjątkowym, przestanę. Już nigdy nie będę niczego komplikować. – Wyciągnęła rękę. – Przyrzekam. Krew za krew.

Shay zapatrzyła się w krople krwi.

– Przysięgniesz?

– Tak, będę grzeczną Nacinaczką i będę robić wszystko, co każecie mi ty i doktor Cable. Tylko dajcie mi Zane'a.

Shay wahała się przez moment, po czym przesunęła własnym kciukiem po ostrzu noża, patrząc na zbierającą się w rance krew.

– Zawsze pragnęłam tylko, żebyśmy były po tej samej stronie, Tally.

– Ja też. Ale chcę, żeby Zane był z nami.

– Jeśli to cię uszczęśliwi. – Shay uśmiechnęła się i ujęła dłoń Tally, przyciskając mocno kciuk do kciuka. – Krew za krew.

Przeszywający ból sprawił, że Tally poczuła, jak jej umysł po raz pierwszy tego dnia staje się mroźny. Widziała teraz swą przyszłość, prostą ścieżkę bez żadnych zwrotów i zamętu. Walczyła z byciem brzydką i z byciem śliczną, ale to już przeszłość – od tej pory chce tylko pozostać Wyjątkowa.

– Dziękuję, Shay-la – powiedziała cicho. – Dotrzymam obietnicy.

Shay puściła ją i wyczyściła nóż o własne uda.

– Dopilnuję tego.

Tally przełknęła i polizała pulsujący nadal kciuk.

– Czyli mogę pójść dziś z tobą, szefowo? Proszę?

– Wygląda na to, że musisz. – Shay uśmiechnęła się ze smutkiem. – Ale to, co zobaczysz, może ci się nie spodobać.

MIASTO NOWYCH ŚLICZNYCH

Kiedy pozostali wyruszyli w głuszę, Shay i Tally zgasiły i zasypały ognisko, wskoczyły na deski i pomknęły w stronę miasta.

Miasto Nowych Ślicznych jak każdej nocy rozświetlały barwne eksplozje na niebie. Balony na gorące powietrze unosiły się na linach ponad wieżami imprez, a gazowe pochodnie oświetlały ogrody rozkoszy niczym jasne węże spełzające w stronę rzeki. Najwyższe budynki w rozbłyskach fajerwerków rzucały roztańczone cienie, każdy wybuch na moment odmieniał sylwetkę miasta.

Gdy się zbliżyły, otoczyły je radosne wiwaty pijanych pustogłowych. Przez chwilę na ów dźwięk Tally poczuła się niczym zazdrosna brzydka gapiąca się zza rzeki i wypatrująca dnia szesnastych urodzin. To była jej pierwsza wyprawa do Miasta Nowych Ślicznych od przemiany w Wyjątkową.

– Czy zdarza ci się tęsknić za ślicznymi czasami, Shay-la? – spytała. Spędziły razem zaledwie parę miesięcy w pysznym raju, nim wszystko zaczęło się komplikować. – Było całkiem zabawnie.

– Przegięcie – odparła Shay. – Wolę mieć mózg.

Tally westchnęła. Nie mogła się z tym nie zgodzić – lecz posiadanie mózgu czasami strasznie bolało. Polizała kciuk w miejscu, gdzie czerwona kropka wciąż przypominała o złożonej przysiędze.

Wznosząc się ponad zboczem przez ogrody rozkoszy, obie trzymały się cieni, zmierzając w stronę centrum. Przemknęły wprost nad kilkoma splecionymi w uściskach parami, ale nikt ich nie zauważył.

– Mówiłam, że nie musimy włączać strojów maskujących, Tally-wa. – Shay zaśmiała się cicho, pozwalając, by skórtena uniosła jej słowa. – Dla pustogłowych i tak jesteśmy niewidzialne.

Tally nie odpowiedziała. Zerknęła w dół na mijanych nowych ślicznych. Byli tacy głupi, zupełnie nieświadomi zagrożeń, przed którymi trzeba ich strzec. Owszem, ich życie przepełniały przyjemności, ale teraz, z nowej perspektywy, widziała, że brak mu sensu. Nie mogła pozwolić, by Zane żył w ten sposób.

Nagle spomiędzy drzew dobiegły ich śmiechy i krzyki. Tally włączyła maskowanie i skręciła pomiędzy gęste szpilkowe gałęzie najbliższych drzew. W ogrodzie pojawił się długi szereg deskarzy lecących slalomem i zaśmiewających się histerycznie niczym demony. Przykucnęła, czując, jak strój pokrywa się maskującymi plamami, i zastanawiając się, jak aż tylu brzydkim udało się zakraść do Miasta Nowych Ślicznych. Niezły numer...

Może warto by polecieć za tą grupą?

Potem jednak zobaczyła ich twarze: piękne, wielkookie, doskonale symetryczne, pozbawione wszelkich skaz. To byli śliczni.

Przemknęli obok nieświadomi, wrzeszcząc ile sił w płucach, zmierzając w stronę rzeki. Ich krzyki ucichły, pozostawiając tylko zapach perfum i szampana.

– Szefowo, widzia...

– Tak, Tally-wa, widziałam. – Shay dłuższą chwilę milczała.

Tally przełknęła ślinę. Pustogłowi nie latali na deskach. Żeby się na nich utrzymać, potrzeba refleksu, to nie dla osób o mętnym umyśle, łatwo się dekoncentrujących. Kiedy nowi śliczni pragnęli dreszczyku emocji, wyskakiwali z budynków w kamizelkach bungee bądź latali balonami. Żadna z tych rzeczy nie wymagała szczególnych umiejętności.

Ci śliczni nie tylko latali na deskach, ale też robili to dobrze. Od ostatniej wizyty Tally Miasto Nowych Ślicznych wyraźnie się zmieniło.

Przypomniała sobie najnowszy raport Wyjątkowych Okoliczności: co tydzień miasto opuszczali kolejni uciekinierzy, istna epidemia brzydkich znikających w głuszy. Co jednak się stanie, jeśli ślicznym przyjdzie do głowy uciec?

Shay wyłoniła się z kryjówki. Pokrywająca jej strój plamista zieleń zniknęła zastąpiona przez matową czerń.

– Może Dymiarze rozdają więcej pigułek, niż sądziliśmy – rzekła. – Mogliby robić to tu, w Mieście Nowych Ślicznych. Ostatecznie mają stroje maskujące, mogą się dostać gdziekolwiek.

Tally przebiegła wzrokiem otaczające je drzewa. Jak dowiodła zasadzka Davida, dobrze dobrany strój ukrywał człowieka nawet przed zmysłami Wyjątkowych.

– To mi o czymś przypomina, szefowo. Skąd Dymiarze wzięli te stroje? Nie mogli ich przecież wyprodukować, prawda?

– W życiu. I nie ukradli ich. Doktor Cable mówi, że wszystkie miasta bardzo pilnują sprzętu wojskowego. Nikt jednak na całym kontynencie nie zameldował o zniknięciu czegokolwiek.

– Mówiłaś jej o zeszłej nocy?

– Powiedziałam o strojach, ale nie o porwaniu Fausta i stracie desek.

Tally zastanawiała się nad czymś, szybując leniwie nad migoczącą pochodnią.

– Zatem myślisz, że Dymiarze znaleźli nowe źródło technologii Rdzawców?

– Stroje maskujące są zbyt sprytne jak na Rdzawców. Oni umieli tylko zabijać.

Głos Shay przycichł. Przez chwilę milczała, gdy grupa Balangowiczów przeszła między drzewami, bębniąc głośno i zmierzając na imprezę nad rzeką. Tally zerknęła w dół, zastanawiając się, czy nie wydają się żwawsi niż zwykli Balangerzy. Czy wszyscy w mieście byli jakby pyszniejsi? Może efekty działania nano wpływały nawet na zachowanie ślicznych, którzy nie zażyli pigułek – tak jak bliskość Zane'a zawsze sprawiała, że ona sama czuła się pyszniej.

Kiedy grupa odeszła, Shay odezwała się pierwsza.

– Doktor Cable uważa, że Dymiarze mają nowych przyjaciół. Przyjaciół z miasta.

– Ale przecież tylko Wyjątkowe Okoliczności mają stroje maskujące. Czemu ktoś z nas miałby...

– Nie powiedziałam, że z tego miasta, Tally-wa.

– Och – mruknęła Tally.

Miasta zazwyczaj nie mieszały się do spraw innych miast. Tego typu konflikty były zbyt niebezpieczne, mogłyby zakończyć się wojnami, jak te prowadzone przez Rdzawców, gdy całe kontynenty zmagały się o władzę nad innymi, próbując wymordować się nawzajem. Sama myśl o walce z Wyjątkowymi Okolicznościami innego miasta sprawiła, że po plecach przebiegł jej nerwowy dreszcz.

Wylądowały na dachu apartamentowca Pulchra, pomiędzy bateriami słonecznymi a oczyszczaczami powietrza. Paru pustogłowych stało na dachu, tak jednak zafascynował ich taniec balonów i fajerwerków na niebie, że niczego nie zauważyli.

Dziwnie się czuła, będąc znowu tutaj. Tally praktycznie mieszkała tu z Zane'em zeszłej zimy, teraz jednak wszystko wyglądało inaczej. Inaczej też pachniało – woń ludzi dobiegała z wirujących wentylatorów rozrzuconych po dachu. Zupełnie niepodobna do świeżego powietrza w głuszy sprawiała, że Tally czuła się zdenerwowana i przytłoczona.

– Zobacz tutaj, Tally-wa.

Shay wysłała obraz przez skórtenę. Tally otworzyła go i budynek pod ich stopami stał się przejrzysty, ukazując sieć błękitnych linii oznaczonych błyszczącymi plamami.

Zamrugała parę razy, próbując zrozumieć, co widzi.

– To jakaś podczerwień?

Shay roześmiała się.

– Nie, Tally-wa, to obraz z interfejsu miasta. – Wskazała grupkę plam dwa piętra niżej. – Oto Zane-la i przyjaciele. Nadal mieszka w tym samym pokoju. Widzisz?

Gdy Tally skupiła wzrok na kolejnych plamach, obok nich pojawiały się imiona i nazwiska. Przypomniała sobie obrączki interfejsowe noszone przez pustogłowych i brzydkich i to, jak miasto za ich pomocą śledziło ludzi. Jednak Zane, podobnie jak wszyscy niesforni śliczni, prawdopodobnie nosił teraz bransoletę – większą obrączkę, której nie da się zdjąć.

Pozostałe plamy w pokoju Zane'a nosiły nazwiska, których nie rozpoznała. Wszyscy dawni koledzy z Krimów uczestniczyli zeszłej zimy w wielkiej ucieczce w głuszę. Podobnie jak Tally sami uwolnili się z oków pysznomyślenia i teraz byli Wyjątkowi – prócz tych, którzy nadal pozostali w głuszy pośród Dymiarzy.

Tuż obok Zane'a widniało imię Perisa. Peris był najlepszym przyjacielem Tally od czasów maluchów, lecz podczas ucieczki w ostatniej chwili wycofał się, woląc zostać pustogłowym. Był jedynym ślicznym, który nigdy nie zostanie Wyjątkowym – to akurat wiedziała na pewno.

Przynajmniej Zane miał przy sobie kogoś znajomego.

Zmarszczyła brwi.

– Zane musi się czuć dziwnie. Wszyscy poznają go z numerów, które robiliśmy, ale on może ich nawet nie pamięta... – umilkła, odpychając okropne myśli.

– Przynajmniej ma pewne standardy – rzekła Shay. – W tej chwili w Mieście Nowych Ślicznych odbywa się chyba z tuzin balang, lecz najwyraźniej żadna z nich nie jest wystarczająco pyszna dla Zane'a i jego ekipy.

– Ale przecież oni tylko siedzą w pokoju.

Żadna z plam się nie poruszała. Cokolwiek robili, nie wyglądało zbyt pysznie.

– Tak, trudno będzie z nim pogadać na osobności. – Shay zamierzała jakiś czas obserwować Zane'a, po czym odciągnąć go w jakiś ciemny kąt między przyjęciami.

– Czemu oni nic nie robią?

Shay dotknęła ramienia Tally.

– Spokojnie, Tally-wa. Jeśli pozwolili mu wrócić do Miasta Nowych Ślicznych, to znaczy, że Zane może imprezować. Inaczej po co by to zrobili? Może jest jeszcze zbyt wcześnie i nie chce wychodzić, bo uważa to za przegięcie.

– Mam nadzieję.

Shay skinęła ręką i obraz zniknął, znów otoczył je rzeczywisty świat.

– Chodź, Tally-wa, przekonajmy się same – rzekła, naciągając rękawice do wspinaczki.

– Nie możemy ich posłuchać przez interfejs?

– Nie, jeśli nie chcemy, by doktor Cable słuchała razem z nami. Wolałabym to zachować między nami Nacinaczami.

Tally uśmiechnęła się.

– Dobra, Shay-la. A zatem między nami Nacinaczami, jaki dokładnie mamy plan?

– Sądziłam, że chcesz zobaczyć się z Zane'em. – Shay wzruszyła ramionami. – Poza tym Wyjątkowi nie potrzebują planów.

***

Wspinaczka była łatwizną.

Tally nie bała się już wysokości, która nie sprawiała już nawet, że czuła się mroźniej. Kiedy unosząc głowę, spojrzała poza skraj dachu, poczuła jedynie lekkie ostrzegawcze ukłucie. Nic panicznego ani strasznego – bardziej jak przypomnienie mózgowi, by uważał.

Przerzuciła nogi przez krawędź i opuściła się, pozwalając stopom zsuwać się po gładkiej ścianie apartamentowca Pulchra. Jeden palec w bucie antypoślizgowym wcisnął się w łączenie dwóch ceramicznych płyt i zatrzymała się na moment, czekając, by strój maskujący przybrał kolor muru. Poczuła łuski układające się we wzór ściany.

Gdy kombinezon się dostroił, Tally zwolniła uchwyt i zaczęła na wpół zsuwać się, na wpół spadać, przyciskając dłonie i stopy do ceramicznej ściany w szaleńczym wyszukiwaniu kolejnych złączeń, krawędzi okien, nie do końca naprawionych pęknięć. Żadna z tych niedoskonałości nie była na tyle solidna, by utrzymać jej ciężar, lecz każdy kolejny uchwyt spowalniał nieco zsuwanie, pozwalając Tally nad nim panować. Było to porywające i męczące zarazem; czuła się jak owad biegnący po powierzchni wody zbyt szybko, by się w niej zanurzyć.

Gdy dotarła do okna Zane'a, zaczęła już spadać, lecz jej palce z łatwością wystrzeliły i chwyciły parapet. Zakołysała się gwałtownie, antypoślizgowe rękawiczki trzymały się gzymsu jak przyklejone, podczas gdy ciało powoli wytracało rozpęd, kołysząc się niczym wahadło, tam i z powrotem.

Kiedy Tally uniosła wzrok, ujrzała Shay, przycupniętą metr wyżej, balansującą na niewielkim gzymsie, wystającym ze ściany zaledwie na centymetr. Ręce w rękawiczkach rozczapierzyła niczym pięcionożne pająki, jednak Tally nie miała pojęcia, jakim cudem wystarczy jej tarcia do utrzymania ciężaru.

– Jak ty to robisz? – wyszeptała.

Shay zachichotała.

– Nie mogę ci zdradzić wszystkich moich sekretów, Tally-wa. Ale trochę tu ślisko. Szybko, posłuchaj.

Wisząc na jednej ręce, Tally chwyciła zębami końce palców drugiej rękawiczki. Ściągnęła ją i wyciągnęła palec, dotykając kącika okna. Procesory wbudowane w dłoń rejestrowały wibracje, zmieniając szybę w jeden wielki mikrofon. Tally zamknęła oczy, nagle z bliska usłyszała dźwięki pokoju. Czuła się, jakby przyciskała ucho do szklanki przyłożonej do cienkiej ściany. Usłyszała ping. To Shay nasłuchiwała przez skórtenę.

Zane właśnie mówił i na dźwięk jego głosu po ciele Tally przebiegł dreszczyk. Ów dźwięk był znajomy, lecz zniekształcony albo przez sprzęt podsłuchujący, albo też miesiące rozłąki. Rozumiała słowa, ale nie ich znaczenie.

– „Wszystkie stężałe, zaśniedziałe stosunki, wraz z nieodłącznymi od nich z dawien dawna uświęconymi pojęciami i poglądami ulegają rozkładowi – mówił. – Wszystkie nowo powstałe starzeją się, zanim zdążą skostnieć”*.

– Co to za bełkot? – syknęła Shay, wzmacniając uchwyt.

– Nie wiem, brzmi jak gadanie Rdzawców, jak ze starej książki.

– Nie mów mi, że Zane czyta innym Krimom.

Tally spoglądała na Shay zaskoczona. Czytanie na głos nie było w stylu Krimów, pasowało raczej do najgorszych losowców. A jednak głos Zane'a brzmiał dalej, gadając o czymś topniejącym.

– Zajrzyj, Tally-wa.

Tally przytaknęła i podciągnęła się, aż w końcu jej oczy spojrzały ponad gzymsem.

Zane siedział w wielkim wyściełanym fotelu, w jednej ręce trzymał starą, wymiętoszoną książkę, drugą wymachiwał niczym dyrygent w rytm swoich słów. W miejscach, w których według interfejsu mieli przebywać pozostali Krimowie, ujrzała tylko pustkę.

– Och, Shay – wyszeptała. – Będziesz zachwycona.

---

* Karol Marks, Fryderyk Engels, *Manifest Komunistyczny* (przyp. tłum.).

– Chyba tym, że za jakieś dziesięć sekund zlecę ci na głowę, Tally-wa. Co się tam dzieje?

– On jest sam. Pozostali Krimowie to tylko... – Zmrużyła oczy, przenikając wzrokiem mrok poza kręgiem światła wokół Zane'a. Nagle ujrzała je rozmieszczone w pokoju niczym zafascynowana widownia: obrączki. – To tylko obrączki interfejsowe.

Mimo niepewnego uchwytu Shay zachichotała przeciągle.

– Może jest pyszniejszy, niż sądziłyśmy?

Tally przytaknęła, uśmiechając się do siebie.

– Zapukać?

– Proszę.

– Może go zaskoczę?

– Zaskoczenie to dobra rzecz, Tally-wa. Chcemy, żeby był pyszny. I pospiesz się, zaczynam się zsuwać.

Tally wciągnęła się wyżej i uklękła na wąskiej półce. Odetchnęła głęboko, po czym zastukała dwa razy, próbując uśmiechnąć się tak, by nie ukazywać przy tym ostrych jak brzytwa zębów.

Zane uniósł głowę, słysząc niespodziewany dźwięk, jego oczy rozszerzyły się. Skinął ręką i okno się otworzyło.

Jego twarz rozjaśnił uśmiech.

– Tally-wa – rzekł. – Zmieniłaś się.

ZANE-LA

Zane nadal był piękny.

Jego kości policzkowe pozostały ostre i wyraźne, spojrzenie głodne i przenikliwe jak w czasach, gdy używał znikaczy kalorii, by zachować czujność. Usta miał pełne jak pustogłowi i gdy tak patrzyli na siebie z Tally, zacisnął je w dziecięcym grymasie skupienia. Jego włosy w ogóle się nie zmieniły; przypomniała sobie, jak farbował je tuszem do kaligrafii na lśniącą, błękitnawą czerń, znacznie przekraczającą narzucone przez Radę Urody standardy dobrego smaku.

Jednak jego twarz miała w sobie coś dziwnego. Umysł Tally rzucił się do pracy, próbując ustalić co.

– Przyprowadziłaś ze sobą Shay-la? – spytał, słysząc dobiegający zza okna pisk antypoślizgowych butów. – Jakież to doszczęśliwiające.

Tally przytaknęła powoli, słysząc w jego głosie, iż wolałby, żeby przyszła sama. Oczywiście. Mieli tak wiele rzeczy do omówienia i większości z nich zdecydowanie wolała nie poruszać przy Shay.

Nagle wydało jej się, że minęły lata, odkąd ostatnio widziała Zane'a. Czuła różnice we własnym ciele – ultralekkie kości i błyskotatuaże, blizny po nacinaniu na rękach. Wszystko przypominało, jak bardzo zmieniła się w czasie ich rozłąki. Jacy różni byli teraz.

Shay uśmiechnęła się szeroko na widok obrączek.

– Czy twoich przyjaciół nie nudzi ta stara książka?

– Mam więcej przyjaciół, niż myślisz, Shay-la. – Przebiegł wzrokiem po czterech ścianach pokoju.

Shay pokręciła głową i wyciągnęła z paska małe, czarne urządzenie. Czujne uszy Tally uchwyciły ledwie słyszalny szum, szelest mokrych liści w ogniu.

– Spokojnie, Zane-la. Miasto nas nie słyszy.

Jego oczy rozszerzyły się.

– Wolno wam to robić?

– Nie słyszałeś? – Shay uśmiechnęła się. – Jesteśmy Wyjątkowe.

– Ach tak. Cóż, skoro jesteśmy tu we trójkę... – Odłożył książkę na puste krzesło obok, obrączka Perisa zabrzęczała. – Pozostali organizują dziś niewielki numer. Ja ich osłaniam na wypadek, gdyby pilnowali nas opiekunowie.

Shay roześmiała się.

– I opiekunowie mają uwierzyć, że Krimowie urządzili sobie klub książkowy?

Zane wzruszył ramionami.

– Z tego, co wiemy, to nie prawdziwi opiekunowie, tylko program. Póki ktoś mówi, jest zadowolony.

Tally powoli usiadła na nieposłanym łóżku Zane'a, wewnątrz czuła dreszcz. Zane nie zachowywał się jak tępy śliczny. A skoro krył przyjaciół, którzy robili coś kryminalnego, nadal pozostawał pyszny – idealny materiał, by pewnego dnia stać się Wyjątkowym...

Wciągnęła w płuca znajome zapachy z pościeli, zastanawiając się, co robią jej tatuaże – pewnie wirują na twarzy jak szalone.

Zauważyła, że Zane nie miał na dłoni obrączki interfejsowej ani bransolety. W jaki sposób opiekunowie go obserwowali?

– Twoja nowa twarz zasługuje na co najmniej megahelenę, Tally-wa. – Zane przebiegł wzrokiem po liniach tatuaży pokrywających skórę Tally. – Mogłaby posłać w morze miliard okrętów. Tyle że raczej pirackich.

Uśmiechnęła się na ów niezdarny żarcik, zastanawiając się, co odpowiedzieć. Czekała na tę chwilę dwa miesiące i nagle była w stanie jedynie siedzieć tu jak idiotka.

Nie tylko nerwy odbierały jej mowę. Im dłużej mu się przyglądała, tym bardziej Zane wyglądał nie tak, a jego głos brzmiał, jakby dobiegał z sąsiedniego pokoju.

– Miałem nadzieję, że się zjawisz – dodał cicho.

– Nalegała na to – słowa Shay dobiegały z bardzo bliska.

Tally uświadomiła sobie, czemu Zane wydaje się tak odległy. Bez wszczepionej skórteny jego słowa nie docierały do niej jak głosy Nacinaczy. Nie należał już do jej ekipy. Nie był Wyjątkowy.

Przyjaciółka usiadła na łóżku obok niej.

– Jeśli nie masz nic przeciwko temu, możecie być razem pyszni kiedy indziej. – Wyciągnęła niewielki woreczek pigułek z nano, który Ho odebrał poprzedniego wieczoru brzydkiemu. – To o nie nam chodzi.

Zane lekko uniósł się z fotela i wyciągnął ręce, lecz Shay jedynie się roześmiała.

– Nie tak szybko, Zane-la. Masz paskudny nawyk zażywania nie tych pigułek.

– Nie przypominaj mi – odparł ze znużeniem.

Tally wstrząsnął kolejny dreszcz. Zane, siadając z powrotem, poruszał się wolno, z rozmysłem, niemal jak staryk.

Przypomniała sobie, do jakiego stopnia nano Maddy uszkodziły część jego mózgu odpowiadającą za ruch i refleks i pozbawiły panowania nad ciałem. Może to właśnie to, lekkie drżenie pozostawione przez miniaturowe maszyny. Nic strasznego.

Kiedy spojrzała mu w twarz, znów poczuła, że czegoś jej brak. Nie pokrywała jej cudowna sieć błyskotatuaży i Tally nie czuła podniecenia, jakie ogarniało ją, gdy spoglądała w czarne jak węgiel oczy kogoś z ekipy. Zane wydawał się śpiący, co Wyjątkowym nigdy się nie zdarzało. Wyglądał jak tapeta, jak dekoracja. Zwyczajny śliczny.

Ale to był Zane, nie jakiś tam pustogłowy.

Wbiła wzrok w ziemię, marząc o tym, by móc się pozbyć idealnej jasności spojrzenia. Nie chciała oglądać tych wszystkich niepokojących szczegółów.

– Skąd macie te pigułki? – spytał Zane, jego głos nadal dobiegał z daleka.

– Od dziewczyny z Dymu – odparła Shay.

Zerknął na Tally.

– Znajoma?

Pokręciła głową, nie unosząc wzroku. Dziewczyna nie była dawną Krimką ani nikim ze starego Dymu. Tally zastanawiała się przelotnie, czy nie przybyła z innego miasta. Może to właśnie jedna z nowych tajemniczych sojuszników Krimów.

– Ale znała twoje imię, Zane-la – oznajmiła Shay. – Powiedziała, że pigułki są dla ciebie. Spodziewałeś się nowej dostawy?

Odetchnął powoli.

– Może lepiej ją zapytajcie.

– Uciekła – powiedziała Tally i usłyszała ciche syknięcie towarzyszki.

Zane zaśmiał się.

– Zatem Wyjątkowe Okoliczności potrzebują mojej pomocy?

– Nie jesteśmy tym samym co... – zaczęła Tally, lecz głos uwiązł jej w gardle.

Należała do Wyjątkowych Okoliczności, Zane widział to doskonale. Nagle jednak pożałowała, że nie może mu wyjaśnić, jak bardzo Nacinacze różnią się od zwykłych Wyjątkowych, którzy manipulowali nim, kiedy jeszcze był brzydki. Nacinacze grali według własnych reguł, mieli wszystko, czego Zane od zawsze pragnął: żyli w głuszy poza władzą miasta, mieli mroźne umysły wolne od niedoskonałości brzydoty.

Całkowicie wolne od przeciętności, która zdawała się wyciekać z Zane'a.

Zamknęła usta. Shay położyła jej dłoń na ramieniu.

Tally poczuła, jak serce jej przyspiesza.

– Owszem, potrzebujemy twojej pomocy – oznajmiła Shay. – Nie możemy pozwolić, by dzięki nim – uniosła pigułki – powstali kolejni śliczni tacy jak ty. – Wypowiadając ostatnie słowa, rzuciła ku niemu woreczek.

Tally widziała, jak leci, powoli, wyraźnie, i jak mija Zane'a, którego ręce uniosły się całą sekundę za późno. Pigułki uderzyły o ścianę i zsunęły się na ziemię.

Zane pozwolił pustym dłoniom opaść na kolana, gdzie leżały wygięte niczym martwe ślimaki.

– Niezły chwyt – mruknęła Shay.

Tally przełknęła ślinę. Zane był kaleką.

Wzruszył ramionami.

– I tak nie potrzebuję pigułek, Shay-la. Jestem trwale pyszny. – Wskazał gestem swoje czoło. – Nano uszkodziły mnie tutaj, w miejscu, gdzie powinny się znaleźć skazy. Lekarze chyba wprowadzili kolejne, ale z tego, co mi wiadomo, niewiele zostało do zablokowania. Ta część mojego mózgu jest zupełnie nowa i cały czas się zmienia.

– A co z twoimi... – Gardło Tally zacisnęło się, nim zdążyła dokończyć pytanie.

– Moimi wspomnieniami? Myślami? – Znów wzruszył ramionami. – Mózgi nieźle sobie radzą z odtwarzaniem swojej zawartości, tak jak twój, Tally, gdy sama wyzwoliłaś się z oków ślicznego myślenia, i twój, Shay-la, kiedy zaczęłaś się nacinać. – Jedna dłoń uniosła mu się z kolan, szybując w górę niczym drżący ptak. – Kontrolowanie kogoś poprzez zmienianie mózgu jest jak próby powstrzymania lotowozu kopaniem rowów. Jeśli bardzo się przyłożysz, dasz radę przelecieć.

– Ale Zane... – zaczęła Tally. Zapiekły ją oczy. – Ty drżysz.

Nie chodziło tylko o jego kalekie ruchy – ale też o twarz, oczy, głos. Zane nie był Wyjątkowy.

Skupił na niej wzrok.

– Możesz znów to zrobić, Tally.

– Co zrobić?

– Naprawić to, co ci zrobili. Tym właśnie zajmują się moi Krimowie. Odtwarzają swoje umysły.

– Ja nie mam żadnych skaz.

– Na pewno?

– Zachowaj to dla swoich żałosnych kumpli Krimów, Zane-la – wtrąciła Shay. – Nie przyszłyśmy tu rozmawiać o twoim uszkodzonym mózgu. Skąd pochodzą te pigułki?

– Chcesz zapytać mnie o pigułki? – Uśmiechnął się. – Dlaczego nie? I tak nas nie powstrzymacie. Pochodzą z Nowego Dymu.

– Dzięki, geniuszu. Ale gdzie on jest?

Zane spojrzał na swą drżącą dłoń.

– Chciałbym wiedzieć. Przydałaby mi się ich pomoc.

Shay przytaknęła.

– To dlatego im pomagasz? Masz nadzieję, że cię naprawią?

Pokręcił głową.

– Tu chodzi o coś znacznie większego niż ja, Shay-la. Ale owszem, my, Krimowie, rozdajemy lek. Tym właśnie zajmuje się ta piątka, która teoretycznie siedzi tutaj. – Wskazał obrączki interfejsowe. – Ale to coś większego. Pomaga nam połowa ekip z miasta. Jak dotąd rozdaliśmy tysiące.

– Tysiące? – powtórzyła Shay. – To niemożliwe, Zane! Jakim cudem Dymiarze wyprodukowali ich aż tyle? Ostatnio nie mieli nawet spłukiwanych toalet, a co dopiero fabryk.

Wzruszył ramionami.

– Nie mam pojęcia, ale jest już za późno, by nas powstrzymać. Nowe pigułki działają zbyt szybko. Jest już zbyt wielu ślicznych umiejących myśleć.

Tally zerknęła na Shay. Faktycznie, to było coś ważniejszego niż Zane. Jeśli mówił prawdę, nic dziwnego, że całe miasto zdawało się zmieniać.

Zane uniósł przed siebie drżące ręce, zbliżając do siebie nadgarstki.

– Czy teraz mnie aresztujecie?

Shay milczała chwilę, błyskotatuaże pulsowały na jej twarzy i rękach. W końcu wzruszyła ramionami.

– Nigdy bym cię nie aresztowała, Zane-la. Tally by mi nie pozwoliła. A poza tym w tej chwili niespecjalnie obchodzą mnie twoje pigułki.

Uniósł brew.

– Co zatem obchodzi Nacinaczy, Shay-la?

– Inni Nacinacze – odparła beznamiętnie Shay. – Twoi kumple z Dymu porwali wczoraj Fausta i nie jesteśmy tym uszczęśliwieni.

Brwi Zane'a uniosły się, zerknął na Tally.

– To bardzo... ciekawe. Jak myślisz, co z nim zrobią?

– Przeprowadzą doświadczenia? Pewnie po nich będzie się trząsł jak ty – odparła Shay. – Chyba że zdążymy go znaleźć.

Zane pokręcił głową.

– Nie przeprowadzają doświadczeń bez zgody.

– Zgody? Której części słowa „porwali" nie zrozumiałeś, Zane-la? To nie dawne mięczaki z Dymu. Mają sprzęt wojskowy i nowe mroźne podejście. Złapali nas w zasadzkę, użyli ogłuszaczy.

– O mało nie utopili Shay – dodała Tally. – Zepchnęli ją nieprzytomną do rzeki.

– Nieprzytomną? – Uśmiech na twarzy Zane'a stał się szerszy. – Spałaś w pracy, Shay-la?

Mięśnie Shay napięły się, przez moment Tally wydało się, że zerwie się z łóżka i zaatakuje – jej twarde jak diament paznokcie i zęby rozszarpią bezbronne ciało Zane'a.

Shay jedynie roześmiała się, wyprostowała napięte dłonie i pogładziła włosy Tally.

– Coś w tym stylu. Ale teraz jestem bardzo przytomna.

Zane wzruszył ramionami, jakby nie zauważył, jak bliska była rozszarpania mu gardła.

– Nie mam pojęcia, gdzie jest Nowy Dym. Nie mogę wam pomóc.

– Owszem, możesz – nie zgodziła się Shay.

– Jak?

– Możesz uciec.

– Uciec? – Palce Zane'a uniosły się do gardła. Wokół szyi miał metalowy łańcuszek z matowych srebrnych ogniw. – Obawiam się, że to byłoby trudne.

Tally na moment przymknęła oczy. A zatem to tak go pilnowali. Zane był nie tylko kaleką, niewyjątkowym, ale też nosił obrożę jak pies. Potrzebowała wszystkich sił, by nie zerwać się z miejsca i nie wyskoczyć przez okno. Zapach tego pokoju – recyklingowane stroje, stara książka, lepka słodycz szampana – wszystko to budziło w niej mdłości.

– Możemy zdobyć coś, co ją przetnie – zaproponowała Shay.

Zane pokręcił głową.

– Wątpię. Sprawdzaliśmy to w pracowni, jest zrobiona z tego samego stopu co pojazdy orbitalne.

– Zaufaj mi – poprosiła Shay. – Tally i ja możemy zrobić, co tylko zechcemy.

Tally zerknęła na przyjaciółkę. Przeciąć stop orbitalny? W obliczu podobnej technologii musiałyby poprosić o pomoc doktor Cable.

Zane przesunął palcami po łańcuchu.

– I w zamian za tę drobną przysługę chcesz, żebym zdradził Dym?

– Nie zrobiłbyś tego, żeby odzyskać wolność, Zane. – Shay położyła dłonie na ramionach Tally. – Ale z pewnością zrobiłbyś to dla niej.

Tally poczuła na sobie spojrzenie dwóch par oczu – czarnych, głębokich wyjątkowych Shay i wodnistych, przeciętnych Zane'a.

– To znaczy? – spytał.

Shay po prostu stała w milczeniu, lecz przez skórtenę Tally usłyszała, jak wymawia coś cicho, samym tchnieniem.

– Zrobią z niego Wyjątkowego.

Tally przytaknęła, szukając właściwych słów. Nie posłuchałby nikogo innego.

Odchrząknęła.

– Zane, jeśli uciekniesz, udowodnisz im, że wciąż jesteś pyszny. A kiedy cię złapią, zostaniesz jednym z nas. Nie uwierzyłbyś, jakie to cudowne, jakie mroźne. I będziemy mogli być razem.

– Czemu nie możemy teraz? – spytał miękko.

Tally spróbowała sobie wyobrazić, jak całuje jego dziecinne usta, gładzi drżące dłonie i myśl ta wywołała w niej niesmak.

Pokręciła głową.

– Przykro mi... ale nie w twoim stanie.

Wciąż mówił cicho, jak do dziecka.

– Możesz się zmienić, Tally.

– A ty możesz uciec, Zane – wtrąciła Shay. – Wykraść się w głuszę i pozwolić, by Dymiarze cię znaleźli. – Wskazała ręką w kąt. – Możesz nawet zabrać te pigułki, jeśli chcesz dopysznić twoich znajomych Krimów.

Ani na moment nie spuszczał wzroku z Tally.

– A potem ich zdradzić?

– Nie będziesz musiał nic robić, Zane. Oprócz narzędzia tnącego dam ci lokalizator – oznajmiła Shay. – Kiedy dotrzesz do Nowego Dymu, przybędziemy po ciebie, a miasto sprawi, że staniesz się silny, szybki, doskonały. Na zawsze pyszny.

– Ja już jestem pyszny – odparł chłodno.

– Owszem, ale nie silny, szybki ani doskonały, Zane-la – przypomniała Shay. – Nie jesteś nawet przeciętny.

– Naprawdę sądzisz, że zdradziłbym Dym?

Shay ścisnęła ramiona Tally.

– Dla niej owszem.

Zane spojrzał na Tally. Przez moment jego twarz miała zagubiony wyraz, jakby sam nie był pewien. Potem spuścił wzrok, zerknął na swe dłonie i westchnął, powoli kiwając głową.

Tally widziała wyraźnie myśli przebiegające mu po twarzy: przyjmie ich propozycję, lecz po ucieczce je oszuka. Naprawdę uważał, że zdoła nabrać je obie i że w jakiś sposób uratuje Tally i z powrotem pociągnie ją w przeciętność.

Z taką łatwością wejrzała w jego umysł. Równie łatwo jak na wiosennej balandze, gdy odczytywała żałosne konflikty między brzydkimi. Kalekie ciało nie ukrywało niczego, myśli wypływały z niego niczym pot w upalny dzień.

Odwróciła wzrok.

– Zgoda – rzekł. – Dla ciebie, Tally.

– Spotkajmy się jutro o północy, w rozwidleniu rzeki – powiedziała Shay. – Dymiarze będą podejrzliwi wobec uciekinierów, toteż zabierz tyle zapasów, by wystarczyły na długo. Ale w końcu przyjdą – zwłaszcza po ciebie, Zane.

Przytaknął.

– Wiem, co robić.

– I zabierz tylu przyjaciół, ilu zechcesz, im więcej, tym lepiej. Możesz potrzebować pomocy.

Nie zareagował na obraźliwe słowa, jedynie pokiwał głową, próbując spojrzeć Tally w oczy. Odwróciła wzrok, lecz zmusiła się do słabego uśmiechu.

– Jako Wyjątkowy będziesz szczęśliwszy, Zane-la. Nie masz pojęcia, jakie to wspaniałe. – Poruszyła rękami, patrząc na wirujące tatuaże. – Każda sekunda jest taka mroźna, taka piękna.

Shay wstała, pociągając za sobą Tally i ruszając do okna. Zatrzymała się ze stopą na parapecie.

Zane cały czas patrzył na Tally.

– Niedługo będziemy razem.

W odpowiedzi zdołała jedynie skinąć głową.

CIĘCIE

– Miałaś rację, to było straszne.

– Biedna Tally-wa... – Shay podleciała bliżej. W wodzie w dole odbicie księżyca dotrzymywało im kroku, falując szaleńczo na powierzchni wzburzonej rwącym prądem. – Naprawdę mi przykro.

– Dlaczego on wygląda inaczej, jakby był kimś innym?

– Bo jest kimś innym, Tally. Ty jesteś Wyjątkowa, a on przeciętny.

Tally pokręciła głową, próbując przypomnieć sobie Zane'a ze ślicznych czasów. Był taki pyszny, jego twarz jaśniała podnieceniem, gdy mówił, zachwycał ją, sprawiał, że pragnęła go dotknąć. Nawet w chwilach irytacji Zane nie miał w sobie niczego przeciętnego. Jednak dziś wydawał się pozbawiony czegoś niezbędnego, tak jak szampan, z którego umknęły wszystkie bąbelki. W jej mózgu pojawił się podwójny obraz: to, jakim zapamiętała Zane'a, i to, jakim widziała go teraz. Oba wizerunki zupełnie do siebie nie pasowały. Niekończące się chwile z nim spędzone sprawiły, iż miała wrażenie, że zaraz sama pęknie na dwoje.

– Nie chcę tego – rzekła cicho. Zrobiło jej się niedobrze. Światło księżyca na wodzie jaśniało zbyt ostro, zbyt wyraźnie w jej idealnych oczach. – Nie chcę taka być.

Shay skręciła, przecinając drogę Tally i hamując szybkim, niebezpiecznym ruchem. Tally odchyliła się i obie deski zawyły niczym piły mechaniczne, zatrzymując się zaledwie parę centymetrów od siebie.

– Jaka? Wkurzająca? Żałosna? – krzyknęła Shay tonem ostrym jak mielone szkło i brzytwa. – Próbowałam cię uprzedzić, żebyś nie przychodziła!

Serce Tally waliło w piersiach po bliskim zderzeniu, gniew ogarnął ją niczym fala.

– Wiedziałaś, że to spotkanie tak na mnie wpłynie!

– Myślisz, że wiem wszystko? – odparła zimno Shay. – To nie ja jestem zakochana. Nie byłam zakochana, odkąd odbiłaś mi Davida. Ale może sądziłam, że miłość coś zmieni. I co, Tally-wa, czy dzięki niej Zane stał się dla ciebie Wyjątkowy?

Tally wzdrygnęła się, coś wewnątrz niej podskoczyło. Spojrzała w czarną wodę, zbierało jej się na wymioty. Próbowała pozostać mroźna, pamiętać, jak czuła się przy Zanie w dawnych ślicznych czasach.

– Co doktor Cable nam zrobiła, Shay? Czy mamy w mózgach jakieś specjalne skazy? Coś, co sprawia, że wszyscy inni wyglądają żałośnie? Jakbyśmy byli od nich lepsi?

– Bo jesteśmy lepsi, Tally-wa! – Oczy Shay lśniły jak monety, odbijając światła Miasta Nowych Ślicznych. – Operacja obdarza nas jasnością umysłów pozwalającą dostrzec ten fakt. Dlatego właśnie wszyscy inni wydają się oszołomieni i godni litości. Bo taka jest większość ludzi.

– Nie Zane – wtrąciła Tally. – On nigdy nie był godny politowania.

– Zane też się zmienił, Tally-wa.

– Ale to nie jego wina... – Tally odwróciła się. – Nie chcę ich tak widzieć, nie chcę czuć niesmaku wobec każdego, kto nie należy do naszej ekipy, Shay.

Shay uśmiechnęła się.

– Wolałabyś być szczęśliwa i kochająca? Tępa pustogłowa? Albo żyć jak Dymiarze, załatwiać się do dziury w ziemi, jeść martwe króliki i być z tego strasznie dumna? Co ci się nie podoba w byciu Wyjątkową?

Palce Tally wygięły się w pozycję do walki.

– Nie podoba mi się to, że Zane wygląda w moich oczach nie tak.

– A myślisz, że dla innych wygląda inaczej, Tally? Ma rozbabrany mózg.

Tally poczuła w ciele gorąco napływających łez, lecz nie sięgnęło ono oczu. Nigdy nie widziała, by ktoś z Wyjątkowych płakał, nie była nawet pewna, czy potrafi.

– Odpowiedz mi na jedno: czy coś w mojej głowie sprawia, że on wygląda nie tak, jak trzeba? Co doktor Cable nam zrobiła?

Shay westchnęła sfrustrowana.

– Tally, we wszystkich konfliktach obie strony próbują wpływać na umysł ludzi. Przynajmniej naszej stronie się to udało. Miasto tworzy pustogłowych, by mogli żyć szczęśliwie i nie niszczyli planety. Z nas robią Wyjątkowych, mamy postrzegać świat tak wyraźnie, że jego piękno niemal nas rani, abyśmy nie pozwolili ludzkości znów go zniszczyć. – Shay podleciała bliżej, wyciągając rękę do ramienia Tally. – Ale Dymiarze to amatorzy, prowadzą doświadczenia na ludziach, zamieniają ich w dziwolągi takie jak Zane.

– On nie jest... – zaczęła Tally, lecz nie dokończyła.

Część niej, którą brzydziła jego słabość, okazała się zbyt silna – nie mogła zaprzeczyć, że Zane budzi w niej odrazę jak coś, czemu nie powinno pozwolić się żyć.

Ale to nie jego wina. To wina doktor Cable, że nie zrobiła z niego jednego z Wyjątkowych. Że słuchała swoich głupich zasad.

– Pozostań mroźna – rzekła cicho Shay.

Tally odetchnęła głęboko, próbując opanować gniew i frustrację. Pozwoliła zmysłom rozpłynąć się, rozszerzyć i po chwili słyszała już wiatr tańczący między sosnowymi szpilkami. Z wody wzlatywały zapachy – algi na powierzchni, pradawne minerały w dole. Jej serce zwolniło.

– Powiedz mi, Tally, jesteś pewna, że faktycznie kochasz Zane'a? A nie pozostałe po nim wspomnienia?

Tally wzdrygnęła się, zamykając oczy. Wewnątrz niej obrazy Zane'a wciąż zmagały się ze sobą, tkwiła uwięziona między nimi. Czystość umysłu nie chciała powrócić.

– Na jego widok czuję mdłości – wyszeptała. – Ale wiem, że tak być nie powinno. Chcę wrócić, czuć to co kiedyś.

Shay zniżyła głos.

– W takim razie posłuchaj, Tally, mam plan. Sposób zdjęcia naszyjnika.

Tally uniosła powieki, zgrzytając zębami na myśl o obroży na szyi Zane'a.

– Zrobię wszystko, co zechcesz, Shay.

– Ale to musi wyglądać, jakby Zane uciekł sam. W przeciwnym razie Cable nie będzie go chciała. To oznacza oszukanie Wyjątkowych Okoliczności.

Tally przełknęła ślinę.

– Naprawdę możemy to zrobić?

– Pytasz, czy pozwolą nam nasze mózgi? – Shay parsknęła. – Oczywiście, nie jesteśmy pustogłowe. Ale zaryzykujemy wszystko, co mamy, rozumiesz?

– I zrobisz to dla Zane'a?

– Dla ciebie, Tally-wa. – Shay uśmiechnęła się szeroko, jej oczy rozbłysły. – I dla zabawy. Ale musisz pozostać absolutnie mroźna.

Dobyła noża.

Tally znów przymknęła oczy, przytakując. Tak bardzo łaknęła jasności umysłu. Wyciągnęła rękę, chcąc chwycić nóż Shay za ostrze.

– Zaczekaj, nie dłoń...

Jednak Tally już zacisnęła rękę i ostra jak brzytwa klinga rozcięła jej ciało. Delikatne, precyzyjnie nastrojone nerwy w dłoni, sto razy wrażliwsze niż u losowców, rozpadły się z wrzaskiem. Usłyszała własny krzyk.

Potem nadeszła owa wyjątkowa chwila, przerażająco jasna, i Tally w końcu przeniknęła własne poplątane myśli: głęboko wewnątrz niej tkwiły nici trwałości, rzeczy, które pozostawały niezmienione, niezależne, czy była brzydka, śliczna czy Wyjątkowa. Miłość też do nich należała. Pragnęła znów być z Zane'em, znów czuć to co kiedyś, tyle że wzmocnione tysiąc razy przez jej nowe zmysły. Chciała, by Zane dowiedział się, jak to jest być Wyjątkowym i postrzegać świat z lodowatą jasnością.

– Dobra. – Odetchnęła głęboko i otworzyła oczy. – Jestem z tobą.

Twarz Shay jaśniała.

– Grzeczna dziewczynka. Ale tradycja każe nacinać ręce.

Tally rozprostowała dłoń. Skóra ześliznęła się z noża, wzbudzając nową falę bólu. Syknęła.

– Wiem, że to boli, Tally-wa – Shay szeptała, wpatrując się w śliską od krwi klingę. – Mną też wstrząsnął widok Zane'a. Naprawdę nie wiedziałam, że będzie aż tak zmieniony. – Podleciała odrobinę bliżej i położyła miękko dłoń na skaleczonej ręce Tally. – Ale nie pozwolę, by to cię załamało, Tally-wa. Nie chcę, żebyś stała się ckliwa i przeciętna. Razem sprawimy, że zostanie jednym z nas, i ocalimy to miasto. Wszystko naprawimy. – Z kieszeni stroju maskującego wyciągnęła apteczkę. – Tak jak teraz naprawię ciebie.

– Ale on nie zdradzi Dymiarzy.

– Nie będzie musiał. – Shay popsikała ranę i ból szybko minął, pozostawiając po sobie jedynie odległe mrowienie. –

Musi tylko dowieść, że jest pyszny, my załatwimy resztę – odbijemy jego i Fausta, schwytamy Davida i pozostałych. Tylko w ten sposób można zatrzymać to, co się dzieje. Jak mówił Zane, aresztowanie grupki ślicznych niczego nie da. Musimy uciąć to u źródła. Musimy znaleźć Nowy Dym.

– Wiem – Tally przytaknęła, wciąż myśląc z mroźną precyzją. – Ale Zane jest kaleką, Dymiarze będą wiedzieli, że pozwoliliśmy mu uciec. Rozbiorą na części składowe wszystko, co przyniesie, przeskanują każdą kość w jego ciele.

Shay uśmiechnęła się.

– Oczywiście, że tak, lecz on będzie czysty.

– No to jak go wytropimy?

– Tradycyjnym sposobem. – Shay zawróciła deskę, chwytając Tally za zdrową rękę.

Zaczęły się wznosić, wirniki ożyły pod ich stopami. Shay ciągnęła Tally coraz wyżej i wyżej, aż w końcu pod sobą miały miasto, wielką misę świateł otoczoną ciemnością.

Tally zerknęła na swą dłoń, ból zamienił się w tępe pulsowanie w rytm uderzeń serca, a medsprej ścinał rozlaną krew, zmieniając ją w pył obsypujący się z dłoni. Rana już się zasklepiła, pozostawiając jedynie pasmo obrzmiałej skóry. Blizna przecinała błyskotatuaże, niszczyła obwody skórne pozwalające im tańczyć. Jej dłoń stanowiła masę splątanych, migających linii, niczym ekran komputera po awarii systemu.

Jej myśli wciąż pozostawały jasne. Rozprostowała palce, czując kolejne ukłucia bólu.

– Widzisz tę czerń, Tally-wa? – Shay wskazała bliższy kraniec miasta. – To nasze miejsce, a nie losowców. Zostaliśmy zaprojektowani do życia w głuszy i będziemy tropić Zane'a i jego towarzyszy, śledzić ich każdy krok.

– Ale zdawało mi się, że powiedziałaś...

– Nie za pomocą sprzętu elektronicznego, Tally-wa. Użyjemy własnego wzroku i węchu i starych leśnych sztuczek. – Jej oczy rozbłysły. – Jak kiedyś Przedrdzawcy.

Tally spojrzała ponad pomarańczowym pasmem fabryk, w mrok oznaczający granicę Zewnętrza.

– Przedrdzawcy? Chcesz powiedzieć, że będziemy szukać złamanych gałązek i tak dalej? Ludzie na deskach nie pozostawiają za sobą zbyt wielu śladów, Shay-la.

– To prawda. I dlatego właśnie nie zaświta im w głowie, że idziemy za nimi, bo nikt nikogo nie tropił w ten sposób od co najmniej trzystu lat. – Oczy Shay zalśniły. – Ty i ja potrafimy wywęszyć nieumytego człowieka z odległości kilometra, zgaszone ognisko – z dziesięciu. Widzimy w ciemności, słyszymy lepiej niż nietoperze – jej strój maskujący przybrał barwę nocnej czerni. – Możemy stać się niewidzialne i poruszać się bez najmniejszych szelestów. Pomyśl o tym, Tally-wa.

Tally przytaknęła powoli. Dymiarze nigdy nie zgadną, że ktoś mógłby śledzić ich z ciemności, słuchać każdego kroku, wywęszyć każde ognisko i chemicznie przyrządzony posiłek.

– A dzięki nam – dodała Tally – Zane'owi nic się nie stanie, nawet jeśli zabłądzi albo zostanie ranny.

– Właśnie. A kiedy znajdziemy Nowy Dym, znów będziecie razem.

– Czy jesteś pewna, że doktor Cable zrobi z niego Wyjątkowego?

Shay z głośnym śmiechem odepchnęła się od Tally, jej deska opadła.

– Po tym, co zaplanowałam, pewnie da mu moją posadę.

Tally spojrzała na wciąż pulsującą dłoń. Potem wyciągnęła ją i dotknęła policzka Shay.

– Dziękuję.

Jej towarzyszka pokręciła głową.

– Nie musisz dziękować, Tally-wa, nie po tym, jak wyglądałaś w pokoju Zane'a. Nie chcę, żebyś była taka nieszczęśliwa. To nie jest wyjątkowe.

– Przepraszam, szefowo.

Shay zaśmiała się i znów ją pociągnęła. Skierowały się nad rzekę, w stronę pasa fabryk, opadając na normalny pułap lotów.

– Jak mówiłam, ty wczoraj mnie nie zostawiłaś, Tally-wa. Toteż my nie zostawimy Zane'a.

– I odbijemy Fausta.

Shay odwróciła się ku niej i uśmiechnęła.

– Jasne, nie zapominajmy o biednym Fauście. I jeszcze dodatkowa premia... Jaka?

Tally odetchnęła głęboko.

– Koniec Nowego Dymu.

– Grzeczna dziewczynka. Jakieś pytania?

– Tak, jedno. Gdzie znajdziemy coś, czym można przeciąć orbitalny stop?

Shay zatoczyła na desce ciasny krąg, przykładając palec do ust.

– W bardzo wyjątkowym miejscu, Tally-wa – wyszeptała. – Leć za mną, a wszystko się wyjaśni.

ZBROJOWNIA

– Nie żartowałaś z tym niebezpieczeństwem, szefowo.

Shay zachichotała.

– Już się wycofujesz, Tally-wa?

– Nie ma mowy – wyszeptała Tally.

Po nacięciu pozostał w niej niepokój, mnóstwo energii domagającej się wyładowania.

– Grzeczna dziewczynka. – Shay uśmiechnęła się szeroko wśród wysokich traw. Wyłączyły skórteny, by archiwa miasta nie zarejestrowały tego, co zamierzają zrobić, i głos Shay wydawał się metaliczny, dobiegający z daleka. – Jeśli uznają, że Zane zorganizował taki numer, zarobi mnóstwo pysznych punktów.

– Bez dwóch zdań – wyszeptała Tally, wpatrując się w stojący przed nimi złowieszczy budynek.

Kiedy była mała, starsi brzydcy od czasu do czasu żartowali na temat zakradnięcia się do Zbrojowni, lecz nikt z nich nie był na tyle głupi, by tego spróbować.

Przypomniała sobie pogłoski. W Zbrojowni przechowywano wszystkie zarejestrowane sprzęty miejskie: broń palną i pojazdy pancerne, sprzęt szpiegowski, starożytne narzędzia i urządzenia, a nawet broń strategiczną mogącą zniszczyć całe miasta. Jedynie garstka wyselekcjonowanych osób mogła wejść do środka. Obroną budynku zajmowały się automaty.

Ciemną, pozbawioną okien budowlę otaczał rozległy, pusty teren oznakowany migającymi czerwonymi światłami strefy lotów zakazanych. Ziemię naszpikowano czujnikami, a każdego narożnika strzegło jedno z czterech autodział – wszystko na wypadek, gdyby między miastami doszło kiedyś do niewyobrażalnej wojny.

Miejsca tego nie zaprojektowano tak, by ostrzegało intruzów. Ono ich zabijało.

– Gotowa do zabawy, Tally-wa?

Tally spojrzała na skupioną twarz Shay i poczuła, jak jej serce przyspiesza. Poruszyła zranioną dłonią.

– Zawsze, szefowo.

Przekradły się z powrotem przez trawę do desek czekających za olbrzymią zautomatyzowaną fabryką. Wznosząc się na jej dach, Tally zapięła strój maskujący i poczuła, jak łuski poruszają się lekko. Jej ręce stały się czarne i rozmazane, łuski odbijały teraz fale radarowe.

Zmarszczyła brwi.

– Będą wiedzieć, że ten, kto to zrobił, miał strój maskujący, prawda?

– Już wspomniałam doktor Cable o tym, jak Dymiarze stali się niewidzialni. Może pożyczyli Krimom swoje zabawki?

Shay uśmiechnęła się, odsłaniając ostre jak brzytwa zęby, po czym naciągnęła na głowę kaptur, zamieniając się w pozbawioną twarzy sylwetkę. Tally uczyniła to samo.

– Gotowa do wystrzału? – Shay naciągnęła rękawice. Maska odmieniła jej głos, a ona sama wyglądała jak niewyraźna plama w kształcie człowieka. Sterczące pod kątem łuski zniekształcały zarys sylwetki.

Tally przełknęła ślinę, pod kapturem jej twarz omiótł gorący oddech. Miała wrażenie, że się dusi.

– Kiedy tylko zechcesz, szefowo.

Shay pstryknęła palcami i Tally przykucnęła, odliczając w głowie dziesięć długich sekund. Deski zaczęły buczeć powoli, gromadząc ładunek magnetyczny. Wirniki pracowały, rozpędzając się niemal do prędkości startowej.

Gdy doliczyła do dziesięciu, deska Tally skoczyła w powietrze, przyciskając do siebie pasażerkę. Wirniki ryknęły, maksymalnie przyspieszając, kierując ją w stronę Zbrojowni niczym wystrzelony fajerwerk. Parę sekund później wyłączyły się nagle i Tally odkryła, że szybuje w ciszy poprzez ciemne niebo. Ponownie przepełniło ją podniecenie.

Wiedziała, że ich plan to szaleństwo, ale niebezpieczeństwo mroziło umysł. Wkrótce Zane też pozna to uczucie.

W połowie drogi Tally chwyciła deskę i przyciągnęła do ciała, ukrywając jej powierzchnię pod antyradarowym strojem. Zerknęła przez ramię.

Wraz z Shay szybowały nad barierą blokującą loty, dość wysoko, by uniknąć czujników rozmieszczonych w ziemi.

Gdy minęły ogrodzenie, nie rozległ się żaden alarm – bezszelestnie opadały w stronę dachu Zbrojowni.

Może to jednak będzie łatwe. Minęły dwa stulecia od ostatniego poważnego konfliktu między miastami i nikt nie wierzył, że ludzkość znów mogłaby wyruszyć na wojnę. Poza tym automatyczne systemy obronne Zbrojowni miały odeprzeć poważny atak, nie tylko parę złodziejek szukających narzędzia do przecinania.

Poczuła, jak jej usta wyginają się w kolejnym uśmiechu. Po raz pierwszy Nacinacze odważyli się na numer przeciw miastu. Zupełnie jak za dawnych brzydkich czasów.

Dach pędził ku niej i Tally uniosła nad głowę deskę, zwisając z niej jak ze spadochronu. Parę sekund przed lądowaniem wirniki ożyły, zatrzymując ją gwałtownie. Wylądowała miękko, równie łatwo, jakby zeskakiwała z ruchomego chodnika.

Deska wyłączyła się i osiadła w jej rękach. Tally położyła ją ostrożnie na dachu. Od tej pory nie mogły czynić żadnego hałasu: musiały porozumiewać się wyłącznie gestami i za pomocą kontaktu strojów.

Parę metrów dalej Shay uniosła oba kciuki.

Stawiając ostrożne ciche kroki, ruszyły do drzwi pośrodku dachu, którymi wlatywały i wylatywały lotowozy. Tally ujrzała cienką linię oznaczającą miejsce otwarcia.

Dotknęła koniuszkami palców Shay, pozwalając, by kostiumy przeniosły szept.

– Możemy to przeciąć?

Shay pokręciła głową.

– Cały budynek zbudowano z orbitalnego stopu, Tally. Gdybyśmy mogły go przeciąć, bez problemów uwolniłybyśmy Zane'a.

Tally przebiegła wzrokiem powierzchnię dachu; nie zauważyła żadnego innego wejścia.

– Czyli pozostaje nam twój plan.

Shay dobyła noża.

– Padnij.

Tally rozpłaszczyła się na dachu, czując, jak łuski kostiumu przesuwają się, dopasowują do jego wzoru.

Shay cisnęła mocno nożem, po czym sama przypadła do ziemi. Klinga poszybowała poza krawędź budynku, wirując w ciemności – prosto w stronę pełnej czujników trawy.

Kilka sekund później ze wszystkich stron odezwały się rozdzierające syreny alarmów. Metalowa powierzchnia pod nimi podskoczyła, drzwi rozstąpiły się z zardzewiałym zgrzytem. Ze szczeliny wzniosło się tornado kurzu i brudu, pośród którego pojawiła się potworna maszyna.

Była niewiele większa od pary związanych ze sobą desek, lecz sprawiała wrażenie ciężkiej – cztery wirniki wyły z wysiłku, unosząc ją w powietrzu. Gdy się wyłoniła, zaczęła rosnąć – rozłożyła skrzydła i szpony, dygocząc gwałtownie niczym przychodzący na świat olbrzymi metalowy owad. Jej pękate ciało naszpikowano bronią i czujnikami.

Tally przywykła do robotów; w Mieście Nowych Ślicznych roiło się od urządzeń sprzątających i pielęgnujących ogrody. One jednak wyglądały jak sympatyczne zabawki. Tymczasem maszyna nad nimi – wraz z jej szarpanymi ruchami, czarną zbroją, wyjącymi śmigłami wirników – wydawała się nieludzka, niebezpieczna i okrutna.

Przez jedną przerażającą chwilę wisiała w powietrzu. Tally już sądziła, że je zauważyła, potem jednak wirniki przekręciły się pod ostrym kątem i robot pomknął w stronę, w którą Shay rzuciła nożem.

Tally odwróciła się i ujrzała Shay wskakującą w szczelinę wciąż otwartych drzwi. Podążyła za nią, wślizgując się w ciemność w momencie, gdy zaczęły się zamykać.

Poczuła, że spada, leci bezwładnie w głąb pozbawionego świateł szybu. Podczerwień zmieniła jedynie czerń w niezrozumiałą plątaninę kształtów i kolorów.

Przycisnęła stopy i dłonie do gładkiej metalowej ściany, próbując spowolnić upadek. Nadal jednak się zsuwała, aż w końcu jeden antypoślizgowy palec natrafił na szczelinę. Tally zatrzymała się na moment.

Szukając uchwytów, czuła jedynie śliski metal. Powoli przechylała się do tyłu, palec u nogi tracił oparcie.

Szyb był niewiele szerszy od jej wzrostu – Tally wyciągnęła ręce nad głowę, rozczapierzając palce, obie jej dłonie uderzyły o ściany naprzeciwko. Tarcie rękawic do wspinaczki zatrzymało ją twarzą ku górze, rozpiętą wewnątrz szybu.

Plecy miała wygięte, ciało rozciągnięte niczym struna między dwoma palcami. Zraniona dłoń zapulsowała tępym bólem.

Tally przekręciła głowę, próbując dojrzeć Shay. W dole widziała tylko czerń, w szybie unosiła się woń stęchłego powietrza i rdzy.

Wytężyła wzrok: Shay musiała być blisko, a ona nie usłyszała, by cokolwiek uderzało o dno szybu. Nie potrafiła jednak ocenić perspektywy, otaczała ją splątana sieć bezsensownych kształtów w podczerwieni.

Miała wrażenie, że za moment trzaśnie jej kręgosłup.

Nagle jej pleców dotknęły palce.

– Spokojnie. – Kombinezon poniósł ze sobą szept Shay. – Hałasujesz.

Tally westchnęła. Shay była tuż pod nią w ciemności, niewidzialna w stroju maskującym.

– Przepraszam – wyszeptała.

Dłoń cofnęła się na sekundę, po czym dotyk powrócił.

– W porządku, wyhamowałam. Zacznij spadać.

Tally zawahała się.

– No dalej, tchórzofretko, złapię cię.

Tally odetchnęła, zacisnęła powieki i puściła. Po sekundzie lotu wylądowała w ramionach Shay, która zachichotała.

– Ciężkie z ciebie dzieciątko, Tally-wa.

– Na czym ty stoisz? Nic nie widzę.

– Spróbuj teraz.

Shay wysłała jej przez kombinezon nakładkę wzrokową i otaczająca Tally plątanina nagle się zmieniła. Częstotliwości podczerwieni wyrównały się przed jej oczami i lśniące sylwetki zaczęły nabierać sensu.

W ścianach szybu tkwiły przycupnięte w zatoczkach lotowozy, kształtem przypominające ten, który widziały na zewnątrz. Były ich dziesiątki, w najróżniejszych rozmiarach i rodzajach, istny rój śmiercionośnych maszyn. Tally wyobraziła sobie, jak ożywają jednocześnie i siekają je na kawałki.

Z wahaniem postawiła stopę na jednej z maszyn i wyślizgnęła się z objęć Shay, przytrzymując się autodziała pojazdu. Towarzyszka dotknęła jej ramienia.

– Co powiesz na taką siłę ognia? – wyszeptała. – Mroźne, co?

– Tak, super. Mam nadzieję, że ich nie obudzimy.

– Mamy podczerwień podkręconą na maksa i nadal niewiele widać, więc wszystko tu musi być dość chłodne. Niektóre nawet zardzewiały. – Na poplątanym tle Tally ujrzała, jak Shay spogląda w górę. – Ale ten na zewnątrz jest całkiem żwawy. Powinnyśmy ruszać, zanim wróci.

– Dobra, szefowo. Którędy?

– Nie w dół, musimy zostać blisko desek.

Shay podciągnęła się w górę, chwytając się kolejnych elementów uzbrojenia, nóg i skrzydeł jak uchwytów na sali gimnastycznej.

Ten kierunek bardzo odpowiadał Tally, a teraz, gdy widziała najeżone bronią sylwetki śpiących lotowozów, wspinaczka była dziecinnie prosta. Owszem, nieco denerwowała się, wisząc na lufach – czuła się wówczas, jakby zakradła się do paszczy uśpionego drapieżnika, mijając ostre jak brzytwa zęby. Unikała szponów, śmigieł i wszystkiego, co wydawało się ostre. Nawet najlżejsze uszkodzenie stroju pozostawiłoby komórki martwej skóry i ujawniło jej tożsamość niczym odcisk palca.

Mniej więcej w połowie drogi Shay sięgnęła ku niej z góry.

– Mam właz.

Tally usłyszała metaliczny stukot i szyb zalało oślepiające światło padające na dwa lotowozy. Teraz wydawały się mniej groźne – zakurzone, źle utrzymane, niczym wypchani drapieżcy w starym muzeum historii naturalnej.

Shay prześliznęła się przez właz, Tally podążyła za nią, zeskakując w głąb wąskiego korytarza. Jej wzrok przystosował się do pomarańczowych świateł roboczych, strój przybrał jasną barwę ścian.

Korytarz był za wąski dla ludzi – niewiele węższy od ramion Tally – a podłogę pokrywały kody paskowe wskazujące drogę maszynom. Zastanawiała się, jakie paskudne wynalazki krążą tymi tunelami w poszukiwaniu intruzów.

Shay ruszyła naprzód. Skinęła palcem, wzywając do siebie Tally.

Korytarz wkrótce doprowadził je do pomieszczenia olbrzymich rozmiarów – większego niż boisko piłkarskie. Pełno w nim było nieruchomych pojazdów wznoszących się nad nimi niczym zastygłe dinozaury. Ich koła dorównywały wysokością Tally, a wygięte żurawie szyje sięgały wysokiego sklepienia. Szpony, uchwyty i olbrzymie ostrza połyskiwały w blasku pomarańczowych lamp.

Zastanawiała się, po co miasto zachowało te konstrukcje Rdzawców. Stare maszyny nadawały się wyłącznie do budowy poza miejską siecią magnetyczną, w miejscach, gdzie nie działają lotki i wsporniki. Szpony i łyżki koparek służyły do atakowania natury, a nie do utrzymywania miasta.

W sali nie było drzwi, lecz Shay gestem wskazała serię metalowych szczebli w ścianie – drabinę wiodącą w górę i w dół.

Piętro wyżej znalazły się w niewielkim zatłoczonym pomieszczeniu. Sięgające od podłogi do sufitu regały wypełniały najróżniejsze przedmioty – aparaty do nurkowania i gogle noktowizyjne, kanistry przeciwpożarowe i osobiste pancerze – a także mnóstwo rzeczy, których nie rozpoznała.

Shay grzebała już pośród sprzętu, wsuwając niektóre przedmioty do kieszeni stroju maskującego. Odwróciła się i rzuciła coś Tally. Przypominało nieco maskę halloweenową o wielkich, wyłupiastych oczach i nosie jak trąba słonia. Tally, mrużąc oczy, odczytała napis na przyczepionej do niej maleńkiej etykiecie.

Ok.21.w.

Przez moment nie mogła zrozumieć, potem jednak przypomniała sobie dawny system datowania. Maska pochodziła z dwudziestego pierwszego wieku Rdzawców, czyli miała nieco ponad trzysta lat.

Ta część Zbrojowni nie była magazynem, tylko muzeum. Ale co to za przedmiot? Tally odwróciła etykietę.

Maska z wojny biologicznej, używana.

Wojny biologicznej? Używana? Tally szybko odłożyła maskę na najbliższą półkę. Zobaczyła, że Shay obserwuje ją, jej ramiona poruszały się lekko.

„Bardzo śmieszne, Shay-la" – pomyślała.

Wojna biologiczna stanowiła jeden z najgenialniejszych pomysłów Rdzawców: tworzone w laboratoriach bakterie i wirusy zabijające innych ludzi. Była to chyba najgłupsza broń, jaką wymyślono, bo kiedy zarazki skończyły z przeciwnikiem, zabierały się do ciebie. W istocie całą kulturę Rdzawców zniszczyła jedna sztucznie wyhodowana pożerająca ropę bakteria.

Tally miała nadzieję, że osoby kierujące tym muzeum nie pozostawiły w nim żadnych morderczych zarazków.

Podeszła do Shay i chwyciła ją za ramię.

– Słodkie – syknęła.

– Tak, trzeba było widzieć twoją twarz. Czy raczej ja powinnam była widzieć twoją twarz. Durnowate stroje maskujące.

– Znalazłaś coś?

Shay uniosła błyszczącą tulejkę.

– To powinno wystarczyć. Według opisu działa – powiedziała i wsunęła przedmiot do jednej z kieszeni.

– Po co ci zatem inne rzeczy?

– Żeby ich zmylić. Gdybyśmy ukradły tylko jedno, mogliby zgadnąć, co planujemy.

– Och – szepnęła Tally.

Shay robiła głupie dowcipy, lecz jej umysł pozostał mroźny.

– Weź to. – Wepchnęła jej w ręce stos przedmiotów i powróciła do oglądania półek.

Tally przyjrzała się zgromadzonym sprzętom, zastanawiając się, czy któryś z nich nie jest przypadkiem zakażony zabijającymi bakteriami. Wsunęła kilka najmniejszych rzeczy do kieszeni kombinezonu.

Największy przedmiot przypominał nieco karabin, miał grubą lufę i dodatkowy system optyczny. Tally zerknęła w lunetkę i ujrzała miniaturową sylwetkę Shay. Krzyżujące się linie wskazywały, gdzie trafiłyby pociski, gdyby nacisnęła spust. Poczuła nagły niesmak. Broń zaprojektowano tak, by z każdego przeciętnego człowieka mogła zrobić maszynę do zabijania, a życie i śmierć to całkiem sporo, by powierzać je niepewnemu palcowi jakiegoś losowca.

Nerwy miała napięte jak postronki. Shay znalazła już to, czego potrzebowały, czas znikać. I nagle zrozumiała, co ją tak niepokoi. Przez filtr kombinezonu poczuła coś nowego, coś ludzkiego. Postąpiła krok w stronę Shay...

Światła nad ich głowami zaczęły migotać, jaskrawa biel zastąpiła pomarańczowy blask. Na drabinie zadźwięczały kroki. Ktoś schodził do muzeum.

Shay przykucnęła i wepchnęła się na najniższą półkę, na leżące tam narzędzia. Tally rozejrzała się gorączkowo, szukając kryjówki. W końcu wcisnęła się w kąt, w miejsce gdzie dwa regały nie do końca się stykały. Karabin ukryła za plecami. Łuski stroju maskującego poruszyły się gwałtownie, próbując wtopić się w cień.

Po drugiej stronie sali kombinezon Shay wypuszczał z siebie pokrzywione linie, by zniekształcić jej sylwetkę. Zanim światło przestało mrugać, stała się niemal niewidzialna.

Ale nie Tally. Spojrzała na siebie. Stroje maskujące zaprojektowano do ukrywania się w złożonym otoczeniu – dżunglach, lasach, ogarniętych bitwą miastach, a nie w kątach jasno oświetlonych pomieszczeń.

Było już jednak zbyt późno na szukanie lepszego miejsca.

Z drabiny właśnie schodził człowiek.

WYJŚCIE

Nie był wcale taki straszny.

Wyglądał na przeciętnego późnego ślicznego, miał takie same siwe włosy i pomarszczone dłonie jak pradziadkowie Tally. Dostrzegła normalne oznaki kuracji przedłużającej życie: pomarszczoną skórę wokół oczu, żylaste dłonie.

Tally nie wydał się jednak wcale spokojny i mądry jak inni starycy, nim została Wyjątkową – lecz wyłącznie stary. Uświadomiła sobie, że w razie konieczności ogłuszyłaby go bez cienia wyrzutów sumienia.

Bardziej niepokojące od staryka były trzy małe lotokamery unoszące się nad jego głową. Podążały za nim, gdy nieświadom niczego mijał Tally, maszerując w stronę regału. Sięgnął po coś i kamery poruszyły się gwałtownie, najeżdżając na przedmiot niczym zafascynowana widownia obserwująca każdy ruch magika, cały czas skupiona na jego dłoniach. Mężczyzna nie zwracał na nie uwagi, jakby przywykł do ich towarzystwa.

„Oczywiście – pomyślała Tally – kamery stanowiły część zabezpieczeń budynku. Nie szukały jednak intruzów, zaprojektowano je do śledzenia personelu, pilnowania, by nikt nie wykradł stąd żadnej straszliwej broni. Szybowały mu gładko nad głową, obserwując wszystko, co ów historyk – albo kurator czy kim tam był – robił tu, w Zbrojowni".

Odprężyła się lekko. Jakiś jajogłowy staryk, sam pozostający pod strażą, był znacznie mniej groźny od oddziału Wyjątkowych, którego się spodziewała.

Delikatnie dotykał przedmiotów i ostrożność, z jaką to czynił, wzbudziła w niej niesmak. Zupełnie jakby widział w nich cenne dzieła sztuki, a nie maszyny do zabijania.

Nagle staryk zamarł, na jego twarzy dostrzegła grymas. Zerknął do lśniącego palmbooka w dłoni, po czym zaczął kolejno sprawdzać przedmioty.

Zauważył, że czegoś brakuje.

Tally zastanawiała się, czy chodzi o karabin wbijający jej się w plecy. Ale nie: Shay zabrała broń z drugiej strony muzeum.

Potem podniósł maskę z wojny biologicznej. Tally przełknęła ślinę – odłożyła ją na niewłaściwe miejsce.

Powoli rozejrzał się po sali.

Jakimś cudem nie zobaczył Tally wciśniętej w róg: strój maskujący musiał dopasować jej sylwetkę do cieni na ścianie, jak u owada na pniu drzewa.

Mężczyzna zaniósł maskę w miejsce, gdzie ukrywała się Shay, jego kolana znalazły się parę centymetrów od jej twarzy. Tally była pewna, iż zauważy brak wszystkich zabranych przedmiotów. Kiedy jednak odłożył maskę na właściwe miejsce, pokiwał głową i odwrócił się z zadowoloną miną.

Tally powoli odetchnęła z ulgą.

I ujrzała wpatrującą się w nią kamerę.

Urządzenie nadal unosiło się tuż nad głową staryka, lecz jego obiektyw już go nie obserwował. Albo Tally to sobie wyobraziła, albo też celował w nią, powoli dostrajając ostrość.

Staryk wrócił na poprzednie miejsce, lecz kamera pozostała. Już jej nie interesował. Podpłynęła bliżej Tally, cofając się i skacząc naprzód, jak koliber, niepewny, czy wybrał właściwy kwiat. Stary mężczyzna nie dostrzegł jej nerwowego tańca, lecz serce Tally tłukło się w piersi. Świat zamazał jej się przed oczami, z całych sił próbowała nie oddychać.

Kamera podleciała jeszcze bliżej i tuż ponad jej jaśniejącym okiem Tally dostrzegła, że Shay się zmienia. Ona również zauważyła lotokamerę. Wkrótce miało się zrobić naprawdę ciekawie.

Kamera przyglądała się Tally, nadal niepewna. Czy była na tyle mądra, by rozpoznać strój maskujący? Czy też uzna ją za plamę na obiektywie?

Najwyraźniej Shay nie zamierzała czekać. Kamuflaż zniknął, zastąpiony przez gładką czerń pancerza. Bezszelestnie przemknęła naprzód, wskazała kamerę i przesunęła palcem w poprzek gardła. Tally wiedziała, co musi zrobić.

Jednym szybkim gestem wyciągnęła zza pleców karabin, który z donośnym trzaskiem trafił w kamerę, posyłając ją na drugą stronę pomieszczenia, ponad głową zdumionego staryka. Małe urządzenie rąbnęło o ścianę i upadło na podłogę, martwe.

Natychmiast rozległ się przeszywający alarm.

Shay ruszyła do akcji, mknąc w stronę drabiny. Tally wydostała się z kąta i śmignęła za nią, nie zważając na zdumione krzyki staryka. Lecz w chwili, gdy Shay skoczyła na drabinę, tę otoczył metalowy kokon. Shay odbiła się z głuchym brzękiem, siła uderzenia sprawiła, że kombinezon zamigotał całą gamą kolorów.

Tally rozejrzała się po muzeum. Innego wyjścia nie było. Jedna z dwóch pozostałych kamer podleciała jej tuż przed twarz, Tally rozwaliła ją kolejnym uderzeniem kolby. Zamachnęła się na drugą, ta jednak umknęła w kąt pod sufitem niczym nerwowa mucha próbująca uniknąć packi.

– Co wy tu robicie? – krzyknął staryk.

Shay nie zwracała na niego uwagi, wskazała gestem ostatnią kamerę.

– Zabij ją – poleciła zniekształconym przez maskę głosem, po czym obróciła się w stronę półek, grzebiąc na nich pospiesznie.

Tally chwyciła najcięższy przedmiot w pobliżu – jakiś elektryczny młot – i wycelowała. Kamera miotała się w panice, zwracając obiektyw to w jedną, to w drugą stronę, próbując pilnować jednocześnie jej i Shay. Tally odetchnęła głęboko, przez moment obserwując jej poruszenia, licząc w myślach...

Następnym razem, gdy obiektyw zwrócił się w stronę Shay, rzuciła.

Młot trafił w sam środek kamery, która runęła na ziemię, drgając niczym umierający ptak. Staryk odskoczył od niej, zupełnie jakby ranna kamera stanowiła najniebezpieczniejszą rzecz w muzeum pełnym grozy.

– Ostrożnie! – wrzasnął. – Nie wiecie, gdzie jesteście? To miejsce jest śmiertelnie niebezpieczne!

– Poważnie? – zadrwiła Tally.

Spojrzała na karabin. Czy był dość potężny, by przebić metal? Wycelowała w kokon okrywający drabinę, napięła się i nacisnęła przycisk.

Usłyszała cichy szczęk.

„Pustogłowa – pomyślała Tally. – Nikt nie trzymałby w muzeum naładowanej broni". Zastanawiała się, ile mają czasu, zanim kokon zniknie, odsłaniając jedną z potwornych machin z szybu, całkowicie przebudzoną i gotową do zabijania.

Shay uklękła pośrodku muzeum, w dłoniach ściskała niewielką ceramiczną butelkę. Ustawiła ją na podłodze i wyrwała Tally karabin, unosząc go nad głowę.

– Nie! – wrzasnął staryk, w chwili gdy kolba opadła, uderzając w butelkę z głuchym trzaskiem. Shay ponownie zamachnęła się bronią. – Oszaleliście? – ryknął staryk. – Nie wiecie, co to jest?

– Prawdę mówiąc, wiem – odparła Shay i Tally usłyszała w jej głosie złośliwe rozbawienie.

Butelka popiskiwała, czerwone światełko mrugało jak szalone.

Staryk odwrócił się i zaczął się wspinać na regały, zrzucając starożytną broń, by zrobić sobie miejsce.

Tally odwróciła się do Shay, pamiętając, by nie wymówić głośno jej imienia.

– Czemu ten gość włazi na ściany?

Shay nie odpowiedziała, lecz po następnym uderzeniu Tally uzyskała odpowiedź.

Butelka pękła i wypełniający ją srebrzysty płyn rozlał się po podłodze. Ciecz utworzyła liczne strumyczki rozpełzające się wokół niczym stunogi pająk po długiej drzemce.

Shay odskoczyła od plamy i Tally także cofnęła się o kilka kroków, niezdolna oderwać wzroku od fascynującego widoku.

Staryk spojrzał w dół i zawył przeraźliwie.

– Wypuściliście to? Oszaleliście?

Ciecz zaczęła syczeć, salę wypełnił swąd palonego plastiku.

Alarm zmienił ton i w kącie pokoju otworzyły się małe drzwiczki, wpuszczając do środka dwa niewielkie lotoboty. Shay skoczyła ku nim i rąbnęła jednego kolbą karabinu, posyłając go prosto w ścianę. Drugi uskoczył i wypuścił w kierunku srebrzystej kałuży strugę czarnej piany.

Następne uderzenie Shay zatamowało potok piany. Przeskoczyła nad rosnącym srebrnym pająkiem na podłodze.

– Szykuj się do skoku.

– Ale dokąd?

– W dół.

Tally znów spojrzała na podłogę i przekonała się, że rozlany płyn się zapada. Srebrzysty pająk przegryzał się przez ceramiczną posadzkę.

Nawet wewnątrz chłodzonego stroju maskującego Tally poczuła gorąco towarzyszące gwałtownym reakcjom chemicznym. Smród palonego plastiku i zwęglonego materiału ceramicznego stawał się nie do zniesienia.

Cofnęła się jeszcze o krok.

– Co to jest?

– To głód w wersji nano, pożera praktycznie wszystko i cały czas się namnaża.

Tally znów się cofnęła.

– Jak go zatrzymać?

– Masz mnie za historyka? – Shay wytarła stopy o plamę czarnej piany. – To powinno pomóc. Ktokolwiek kieruje tym miejscem, miał zapewne plan awaryjny.

Tally spojrzała na staryka, który dotarł na najwyższą półkę, rozglądając się wielkimi wystraszonymi oczami. Miała nadzieję, że wdrapywanie się po ścianach i panika to nie cały plan.

Podłoga zajęczała pod ich ciężarem, po czym pękła, środek srebrzystego pająka zniknął im z oczu. Tally gapiła się przez moment wstrząśnięta odkryciem, że nano przegryzły się przez podłogę w niecałą minutę. Część srebrnych macek pozostała. Wciąż sięgały na wszystkie strony, nadal głodne.

– Na dół! – zawołała Shay. Stanęła ostrożnie na skraju dziury, zerknęła w dół, po czym śmignęła do środka. Tally postąpiła krok naprzód.

– Zaczekaj! – zawołał staryk. – Nie zostawiaj mnie!

Obejrzała się – jedna z macek dosięgła regału, na którym tkwił, i błyskawicznie pochłaniała kolejne eksponaty, starożytną broń i sprzęt. Tally westchnęła i wskoczyła na regał obok niego.

– Uratuję cię – wyszeptała mu do ucha. – Ale jeśli zaczniesz coś kombinować, wrzucę cię w to.

System zniekształcający głos, który ukrywał jej tożsamość, zamienił owe słowa w potworny warkot i mężczyzna jedynie zaskomlił cicho. Oderwała jego palce od półki, zarzuciła ciężar na ramiona i zeskoczyła na nietkniętą część muzealnej podłogi.

Pomieszczenie wypełniały kłęby duszącego dymu, staryk kasłał gwałtownie. Było gorąco jak w saunie, wewnątrz stroju maskującego Tally ociekała potem. Spociła się po raz pierwszy od zamiany w Wyjątkową.

Kolejny fragment podłogi runął w dół, pozostawiając po sobie potężną dziurę. Srebrzyste wstążki wiły się w olbrzymiej hali maszyn w dole, zdążyły już pochłonąć do połowy jeden z olbrzymich pojazdów.

Zbrojownia ruszyła do walki z wygłodniałymi nano. Powietrze wypełniały małe pojazdy latające, gorączkowo pryskające czarną pianą. Shay przeskakiwała od maszyny do maszyny, rozwalając je karabinem, pomagając mazi rozszerzać się coraz dalej.

Tally musiała skakać z wysoka, ale nie miała wyboru. Regały zaczynały się już przechylać, to nano pożerały ich podstawy.

Odetchnęła głęboko i wyprysnęła naprzód. Stary mężczyzna na jej ramionach wrzeszczał przez całą drogę w dół.

Lądując na jednej z maszyn, sapnęła pod ciężarem staryka, po czym ześliznęła się na nietkniętą część posadzki. Głodna srebrna maź była blisko, Tally jednak zdążyła wyhamować. Jej antypoślizgowe buty piszczały niczym spanikowane myszy.

Shay przerwała na moment swą bitwę z robotami i pokazała coś nad jej głową.

– Uważaj.

Nim Tally zdążyła zerknąć w górę, usłyszała trzask towarzyszący kolejnym pęknięciom. Odskoczyła, unikając srebrnych strużek i płatów na oko śliskiej czarnej piany. Przypominało to ulubioną zabawę w klasy maluchów, tyle że skutki błędu mogły być śmiertelne.

Dotarłszy na drugi koniec pomieszczenia, Tally usłyszała za sobą huk walącego się sufitu. Zawartość muzealnych regałów sypała się na maszyny budowlane, z których dwie zamieniły się już w kipiące masy srebra. Roboty usiłowały pokryć je czarną pianą.

Tally bezceremonialnie zrzuciła staryka na podłogę i sprawdziła sufit nad głową. Nie byli już pod muzeum, lecz srebrna maź przenikała także przez ściany. Czy pochłonie cały budynek?

Może taki był plan Shay? Piana najwyraźniej działała, lecz Shay przeskakiwała z jednego bezpiecznego miejsca w drugie, zanosząc się śmiechem, wymierzając ciosy małym robotom i nie pozwalając im opanować kryzysu.

Alarm znów zmienił ton, teraz nawoływał do ewakuacji.

Tally uznała, że to dobry pomysł.

Odwróciła się do staryka.

– Jak się stąd wydostaniemy?

Zakasłał w zwiniętą dłoń, dym wypełniał nawet tę gigantyczną salę.

– Pociągi.

– Pociągi?

Wskazał w dół.

– Metro, tuż pod poziomem ziemi. Jak się tu dostaliście? I kim w ogóle jesteście?

Tally jęknęła. Podziemne pociągi? Ich deski zostały na dachu, lecz jedyna droga do nich prowadziła przez tunel lotowozów pełen śmiercionośnych maszyn, które do tej pory już na dobre ocknęły się ze snu.

Tkwiły w pułapce.

Nagle jeden z olbrzymich pojazdów ożył.

Wyglądał jak stara maszyna rolnicza. Ostre metalowe cepy z przodu zaczynały powoli wirować. Pojazd obracał się z trudem w ciasnej przestrzeni.

– Hej! – zawołała Tally. – Musimy stąd znikać.

Nim Shay zdążyła odpowiedzieć, budynek zadygotał. Jedna z maszyn budowlanych, zamieniona całkowicie w srebrną maź, zaczęła się zapadać w podłogę.

– Uwaga na dole – powiedziała cicho Tally.

– Tędy! – krzyknęła Shay ledwie słyszalna w zamęcie.

Tally odwróciła się, żeby zabrać staryka.

– Nie dotykaj mnie! – zawołał. – One mnie uratują. Po prostu się do mnie nie zbliżaj.

Zawahała się i nagle dostrzegła dwa małe roboty unoszące się troskliwie nad jego głową.

Tally pomknęła przez hangar z nadzieją, że podłoga wytrzyma. Shay czekała na nią, wymachując karabinem, by ochronić rosnącą siatkę srebra na ścianie.

– Możemy wydostać się tędy, potem przez następny mur. Wcześniej czy później dotrzemy na zewnątrz, prawda?

– Jasne – odparła Tally. – Chyba że to coś nas zmiażdży.

Maszyna rolnicza wciąż próbowała uwolnić się ze swego miejsca. Na ich oczach stojący obok buldożer ożył i odtoczył się na bok. Większa machina ruszyła w ich stronę.

Shay zerknęła na ścianę.

– Prawie wystarczy.

Dziura rozrastała się bardzo szybko, srebrne krawędzie jarzyły się z gorąca. Shay wyciągnęła coś z kieszeni stroju maskującego i cisnęła przez otwór.

– Padnij!

– Co to było? – krzyknęła Tally, kucając szybko.

– Stary granat. Mam tylko nadzieję, że wciąż...

Za dziurą coś błysnęło i huknęło ogłuszająco.

– ...działa. Chodź. – Shay pobiegła parę kroków w stronę potężnej maszyny rolniczej, zatrzymała się w poślizgu i spojrzała na dziurę.

– Ale nie jest dość duża... – rzuciła Tally.

Shay nie słuchała, tylko skoczyła naprzód. Tally przełknęła ślinę. Jeśli spadła na nią choć kropla srebra...

I miała pójść za Shay?

Łoskot maszyny rolniczej uświadomił jej, że i tak nie ma wyboru. Wyminęła zapadające się zakażone pojazdy i mając przed sobą wolną drogę, rozpędzała się z każdą sekundą. Zanim pokrywająca jedno z kół srebrna maź pożre pojazd, ten już dawno zdąży zmiażdżyć Tally.

Cofnęła się o dwa kroki, złączyła dłonie niczym nurek przed skokiem i rzuciła się przez dziurę.

Po drugiej stronie przeturlała się i zerwała na nogi. Podłoga dygotała. Maszyna rolnicza uderzyła o ścianę i nagle jaśniejąca dziura za ich plecami stała się znacznie większa.

Przez nią Tally dostrzegła olbrzymi pojazd cofający się przed kolejnym atakiem.

– Chodź – rzuciła Shay. – To coś dostanie się tu bardzo szybko.

– Ale ja... – Tally wyciągnęła szyję, próbując przyjrzeć się własnym plecom, ramionom i stopom.

– Spokojnie, nie masz na sobie ani śladu tego srebrnego paskudztwa. Ja też nie. – Shay wetknęła kolbę karabinu w plamę srebrnej mazi, po czym złapała Tally i pociągnęła ją przez salę. Podłogę pokrywały zwęglone szczątki spryskiwaczy i robotów ochrony zniszczonych w wybuchu granatu. – Budynek nie może być chyba dużo większy – rzekła przy następnej ścianie i przytknęła do niej na wpół pożarty karabin. – Przynajmniej taką mam nadzieję.

Kula srebra już zaczynała rosnąć...

Podłoga znów zadygotała z ogłuszającym hukiem i Tally obróciła się gwałtownie, dokładnie w chwili, gdy maszyna rolnicza wycofywała się z dziury. Otwór był już tak duży, że dałoby się przezeń przejść. Ściana nie zdoła długo się oprzeć połączonym wysiłkom wygłodniałej mazi i walącego w nią pojazdu.

Infekcja ogarnęła już całą maszynę, nitki pokrywały cepy niczym błyskawice. Zastanawiała się, czy nano pochłoną ją, zanim zdąży się przebić. Jednak w tym momencie zjawiła się para spryskiwaczy i zaczęła zalewać pojazd czarną pianą.

– To miejsce naprawdę chce nas zabić, co? – mruknęła Tally.

– Tak przypuszczam – odparła Shay. – Oczywiście, jeśli wolisz, możesz spróbować się poddać.

– Hm. – Ziemia zadrżała i na oczach Tally zawalił się kolejny fragment ściany. Dziura była już na tyle duża, by przepuścić olbrzymią maszynę. – Masz jeszcze granaty?

– Tak, ale je oszczędzam.

– Niby po co?

– Po to.

Tally odwróciła się w stronę rosnącej srebrnej sieci. Pośrodku widać już było nocne niebo i Tally ujrzała światła lotowozu.

– Już nie żyjemy – powiedziała cicho.

– Jeszcze nie. – Shay na chwilę przyłożyła granat do srebrnych nano, patrzyła, jak się rozrastają, po czym cisnęła od dołu przez dziurę, pociągając Tally na ziemię.

Huk eksplozji rozdarł im uszy.

Po drugiej stronie pomieszczenia żniwiarka po raz ostatni uderzyła o mur, który zawalił się w błyszczący, srebrny gruz. Maszyna powoli turlała się naprzód, chwiejąc się na częściowo pożartych kołach, pokryta czarną pianą i migotliwym srebrem.

Przez dziurę za plecami Tally dostrzegła kolejne lotowozy, więcej, niż umiała zliczyć.

– Jeśli wyjdziemy, zabiją nas – rzekła.

– Padnij – warknęła Shay. – Lada moment maź wpadnie w wirnik.

– W co?

Dokładnie w tej samej sekundzie z zewnątrz dobiegł straszliwy dźwięk przypominający zgrzyt uszkodzonej przerzutki roweru. Shay znów pociągnęła Tally na podłogę. Budynkiem wstrząsnęła kolejna eksplozja, przez dziurę do środka wleciał deszcz srebrnych kropel.

– Och – mruknęła cicho Tally.

Nano z granatu Shay trafiły w wirniki pechowych lotowozów, które rozbryznęły się w śmiercionośną mżawkę. Do tej pory wszystkie czekające na zewnątrz maszyny zostały zakażone.

– Przywołaj swoją deskę!

Tally włączyła bransoletę. Shay przygotowywała się do lotu, przeskakując między rosnącymi plamami srebra pochłaniającymi pomieszczenie. Postąpiła trzy ostrożne kroki naprzód, po czym rzuciła się przez dziurę.

Tally cofnęła się o krok – na tyle starczyło jej miejsca. Olbrzymia żniwiarka była tak blisko, że czuła promieniujące z niej gorąco. Odetchnęła głęboko i zanurkowała...

UCIECZKA

Tally poleciała w ciemność.

Spowiła ją nocna cisza i przez moment po prostu pozwoliła swemu ciału spadać. Może otarła się po drodze o złowrogą srebrną maź albo może lada chwila wybuch zdmuchnie ją z nieba, albo też na dole czeka śmierć. Lecz przynajmniej tu było chłodno i cicho.

Potem poczuła szarpnięcie przegubu i z ciemności wyłonił się znajomy kształt deski. Tally obróciła się w powietrzu, lądując w idealnej pozycji.

Shay pędziła już w stronę najbliższych budynków.

Skręcając w ślad za nią, Tally uruchomiła wirniki; pomruk pod jej stopami błyskawicznie narastał do krzyku.

Niebo wypełniały jaśniejące kształty, wszystkie zmierzały w przeciwną stronę. Każdy lotowóz próbował oddalić się od innych, żaden nie wiedział, który został zbryzgany srebrną mazią, a który nie. Te skażone lądowały w strefie zakazu lotów, unieruchamiając śmigła, nim zdążą zakazić resztę.

Tally i Shay zyskały parę minut przewagi. Potem armada znów się zorganizuje.

Wyobrażając sobie ukłucia gorąca na rękach i ramionach, Tally zerknęła w tył, sprawdzając, czy nie ma na sobie rosnących srebrnych plam. Zastanawiała się, czy spryskiwacze zdołały opanować wygłodniałe nano, czy też cały budynek zapadnie się pod ziemię.

Jeśli kierownictwo Zbrojowni przechowywało srebrną maź w muzeum, to jak wyglądała „poważna" broń trzymana głęboko pod ziemią? Oczywiście zniszczenie jednego budynku to niewiele jak na standardy Rdzawców. Oni jedną bombą zabijali całe miasta, ich trucizny i promieniowanie osłabiały całe pokolenia. W porównaniu z tym srebrna maź faktycznie nadawała się tylko do muzeum.

Za jej plecami z miasta przybywały lotowozy przeciwpożarowe, spryskując wielkimi chmurami czarnej piany całą Zbrojownię.

Tally odwróciła się od panującego tam chaosu i pomknęła za Shay po ciemnym niebie, stwierdziwszy z ulgą, że do gładkiej czarnej powierzchni kombinezonu przyjaciółki nie przywarła ani jedna srebrna kropelka.

– Jesteś czysta! – zawołała.

Shay błyskawicznie okrążyła Tally.

– Ty też. Mówiłam ci, że Wyjątkowi to szczęściarze!

Tally przełknęła ślinę, oglądając się przez ramię. Kilka wciąż sprawnych lotowozów opuszczało pandemonium wokół Zbrojowni, ruszając w pościg. Owszem, w swych strojach były z Shay niewidzialne, lecz ich deski nadal jarzyły się jasnym światłem.

– Jeszcze nie nazwałabym tego szczęściem! – zawołała przez pustkę.

– Nie martw się, Tally-wa. Jeśli chcą się bawić, mam więcej granatów.

Gdy dotarły na skraj Starykowa, Shay opadła na poziom dachów, by lepiej wykorzystać moc siatki magnetycznej.

Tally podążyła za nią, odetchnąwszy powoli. Myśl o Shay dysponującej granatami dodawała jej otuchy, co dobitnie świadczyło o tym, jak szalona była ta noc.

Teraz słyszała już narastający ryk lotowozów, najwyraźniej maź nie dopadła wszystkich.

– Zbliżają się.

– Są szybsi od nas, ale nie zaczepią nas nad miastem. Nie chcieliby zabić niewinnych przechodniów.

„Nas to jednak nie dotyczy" – pomyślała Tally.

– To jak uciekniemy?

– Jeśli znajdziemy rzekę za miastem, możemy skoczyć.

– Skoczyć?

– Oni nas nie widzą, Tally, tylko nasze deski. Spadając w strojach maskujących, będziemy całkowicie niewidzialne. – Zaczęła majstrować przy jednym z granatów. – Po prostu znajdź mi rzekę.

Tally przywołała przed oczy mapę.

– Ich broń rozwali deski na kawałki – ciągnęła Shay. – Nie będą mieli dość, by... – Jej głos ucichł.

Lotowozy nagle zniknęły, pozostawiając po sobie puste nocne niebo.

Tally zaczęła sprawdzać kolejne siatki podczerwieni, nic jednak nie widziała.

– Shay?

– Musieli wyłączyć swoje wirniki. Poruszają się wyłącznie na silnikach magnetycznych.

– Ale po co? Wiemy, że wciąż za nami lecą.

– Może nie chcą wystraszyć staryków? – podsunęła Shay. – Dotrzymują nam kroku, otaczają, czekając, aż opuścimy miasto. Wtedy będą mogli zacząć strzelać.

Tally przełknęła ślinę. W chwilowej ciszy jej poziom adrenaliny opadł i w końcu dotarło do niej, co właściwie zrobiły. Przez nie do akcji włączyło się wojsko, uznawszy zapewne, że ktoś atakuje miasto. Przez chwilę zimny urok towarzyszący byciu Wyjątkowym zniknął.

– Shay, jeśli coś pójdzie nie tak, dzięki, że próbowałaś pomóc Zane'owi.

– Cii, Tally-wa – syknęła Shay. – Po prostu znajdź mi rzekę.

***

Tally odliczała sekundy. Od granic miasta dzieliła je niecała minuta.

Przypomniała sobie inną noc, emocje towarzyszące pościgowi za Dymiarzami aż na skraj głuszy. Teraz jednak to ona była zwierzyną, a przeciwnik dysponował przewagą liczebną i uzbrojenia.

– Zaczyna się – ostrzegła Shay.

Gdy przemknęły nad ciemną granicą miasta, wokół nich zajaśniały znajome sylwetki. Najpierw Tally usłyszała ryk budzących się do życia wirników, potem po niebie zaczęły przemykać jaskrawe lance gorąca.

– Nie ułatwiaj im! – zawołała Shay.

Tally zaczęła skręcać, lecąc slalomem wokół łuków kreślonych przez pociski. Smuga ognia z działa przemknęła tuż obok, gorąca niczym pustynny wiatr, i rozszczepiła drzewa w dole niczym zapałki. Tally skręciła i zaczęła się wznosić, o włos unikając kolejnej salwy z przeciwnej strony.

Shay wyrzuciła w powietrze granat. Parę sekund później eksplodował za nimi i fala uderzeniowa trafiła Tally niczym pięść, chybocząc deską. Usłyszała żałosny skowyt uszkodzonych wirników – Shay, nawet nie celując, trafiła w jeden z lotowozów.

To oczywiście dowodziło tylko tego, jak wiele ich było.

Dwie kolejne smugi ognia przecięły ścieżkę Tally, rozpalając powietrze. Skręciła ostro, by ich uniknąć, ledwie utrzymując się na desce.

W oddali przed nimi połyskiwała smuga odbitego księżycowego blasku.

– Rzeka!

– Widzę! – zawołała Shay. – Ustaw deskę tak, by po skoku leciała dalej, prosto i równo.

Tally znów zarzuciła deską, mijając kolejną serię pocisków. Zaczęła naciskać kontrolki bransolet, każąc desce lecieć dalej bez niej.

– Postaraj się nie narobić plusku! – zawołała Shay. – Trzy... dwa...

Tally skoczyła.

Ciemna rzeka jaśniała pod nią, gdy spadała – kręte, czarne zwierciadło odbijające chaos na niebie. Oddychała głęboko, zbierając zapasy tlenu. Złączyła dłonie, by gładko wejść pod wodę.

Powierzchnia rzeki uderzyła ją mocno, a potem wodny ryk zagłuszył skowyt strzałów i śmigieł. Tally zanurzyła się głęboko w ciemność, spowiły ją chłód i cisza.

Zataczała rękami kręgi, nie pozwalając ciału zbyt szybko wypłynąć na powierzchnię. Pozostawała w dole, dopóki płuca nie zaczęły protestować. Gdy w końcu wypłynęła, przebiegła wzrokiem niebo. Dostrzegła jednak tylko migotanie na ciemnym horyzoncie kilka kilometrów dalej. Prąd rzeki unosił ją szybko i gładko.

Uciekły.

– Tally! – dobiegło znad wody.

– Tutaj – odparła cicho, płynąc w stronę głosu.

Shay dotarła do niej kilkoma potężnymi ruchami rąk.

– Wszystko w porządku, Tally-wa?

– Tak. – Tally szybko dokonała diagnostyki kości i mięśni. – Niczego nie złamałam.

– Ja też nie. – Shay uśmiechała się ze znużeniem. – Ruszajmy do brzegu, czeka nas długa wędrówka.

Kiedy płynęły do brzegu, Tally zerkała w niebo – miała dość walki z siłami zbrojnymi miasta jak na jedną noc.

– To było naprawdę mroźne, Tally-wa – powiedziała Shay, gdy wyczołgały się na błotnisty rzeczny brzeg. Wyciągnęła narzędzie znalezione w muzeum. – Jutro o tej porze Zane wyruszy już w drogę, w głuszę. My zaś będziemy tuż za nim.

Tally spojrzała na przecinacz stopu, nie mogąc uwierzyć, że o mało nie zginęły przez coś mniejszego od palca.

– Ale czy po wszystkim, co tam zrobiłyśmy, ktokolwiek uwierzy, że to dzieło bandy Krimów?

– Może nie. – Shay wzruszyła ramionami i zachichotała. – Jednak nim powstrzymają tę srebrną maź, zostanie im niewiele dowodów. I nieważne, czy uznają, że to Krimowie, Dymiarze czy też oddział Wyjątkowych komandosów z innego miasta. Będą wiedzieli, że Zane-la ma zarąbistych przyjaciół.

Tally zmarszczyła brwi. Miały jedynie sprawić, by Zane stał się pyszny, a nie wplątywać go w poważny atak.

– Oczywiście przy takim zagrożeniu doktor Cable zapewne zechce jak najszybciej wybrać kolejnych Wyjątkowych. A Zane będzie oczywistym kandydatem.

Uśmiechnęła się.

– On naprawdę ma zarąbistych przyjaciół, Shay-la. Ma ciebie i mnie.

Shay roześmiała się, gdy ruszały w głąb lasu; stroje maskujące zmieniły barwę, dostrajając się do nocnego poszycia.

– Bez dwóch zdań, Tally-wa. Facet nawet nie wie, jakim jest szczęściarzem.

Część II

TROPIENIE ZANE'A

Gdy wszyscy ludzie tego świata uczą się postrzegać piękno jako piękno,
Pojawia się świadomość brzydoty.
Gdy wszyscy poznają dobro jako dobro,
Pojawia się świadomość zła.
Lao-tsy, Wielka Księga Tao

OSWOBODZONY

Następnego wieczoru Zane i niewielka grupka Krimów czekali na nie w cieniu tamy ujarzmiającej rzekę przed opłynięciem Miasta Nowych Ślicznych. Plusk spadającej wody i zapachy zdenerwowanych Krimów pobudziły zmysły Tally, tatuaże na jej rękach zaczęły wirować jak kołowrotki.

Po ostatniej przygodzie jej dawne losowe ciało byłoby śmiertelnie zmęczone. Wraz z Shay przeszły pieszo całą drogę do miasta. Dopiero wtedy wezwały Tachsa, by sprowadził nowe deski. Po takiej wędrówce normalny człowiek byłby załatwiony na kilka dni. Parę godzin snu wystarczyło jednak, by ciało Tally odzyskało siły, a ich wyczyny w Zbrojowni wydawały się teraz zwykłym dowcipem – który być może wymknął się nieco spod kontroli...

Jej skórtena odbierała miejskie sygnały alarmowe: strażnicy i zwykli Wyjątkowi ruszyli do akcji, w wiadomościach otwarcie zastanawiano się, czy nie był to atak na miasto. Połowa Starykowa widziała ogniste piekło na horyzoncie, a zresztą i tak trudno byłoby wyjaśnić olbrzymią kupę czarnej piany w miejscu, gdzie jeszcze niedawno stała Zbrojownia.

Wojskowe lotowozy wisiały nad centrum miasta, chroniąc siedzibę władz przed kolejnymi atakami. Odwołano też nocne pokazy fajerwerków i niebo nad Miastem Nowych Ślicznych pozostawało dziwnie ciemne.

Nawet Nacinacze zostali wezwani do kwatery głównej, gdzie polecono im szukać wszelkich powiązań między Dymiarzami a zniszczeniem Zbrojowni. Tally i Shay uznały to za bardzo zabawne.

*
**

Podniecenie i poruszenie dodały Tally energii. Wszystko wydawało jej się cudownie mroźne jak w czasach, kiedy odwoływano lekcje z powodu śnieżycy bądź pożaru. Mimo obolałych mięśni była gotowa wędrować z Zane'em w głuszy całymi tygodniami, a nawet miesiącami – ile tylko trzeba.

Mimo to, kiedy jej deska dotknęła ziemi, Tally bardzo uważała, żeby przypadkiem nie spojrzeć w owe wodniste oczy. Nie chciała, by opuściło ją mroźne uczucie, by zniszczyło je kalectwo Zane'a. Powiodła zatem wzrokiem po reszcie Krimów.

W sumie było ich ośmioro, a wśród nich Peris, którego wielkie oczy rozszerzyły się na widok nowej twarzy Tally. W dłoni trzymał pęk baloników, niczym klaun na urodzinowym przyjęciu u maluchów.

– Nie mów mi, że ty też chcesz pójść – parsknęła.

Spojrzał jej w oczy bez mrugnięcia.

– Wiem, że poprzednio stchórzyłem, Tally. Ale teraz jestem pyszniejszy.

Tally przyjrzała się pełnym wargom Perisa, które mimo miękkości usiłowały przybrać wyzywający wyraz. Zastanawiała się, czy tę swoją nową odwagę zawdzięcza pigułkom Maddy.

– Po co ci te baloniki? Na wypadek, gdybyś zleciał z deski? – spytała.

– Przekonasz się – odparł, zmuszając się do uśmiechu.

– Hej, pustogłowi, lepiej nastawcie się na długą podróż – rzuciła Shay. – Dymiarze mogą trochę odczekać, nim się do was zgłoszą. Obyście mieli w tych plecakach niezbędne rzeczy, a nie szampana.

– Jesteśmy gotowi – odrzekł Zane. – Oczyszczacze wody i sześćdziesięciodniowy zapas samogrzejących posiłków. Mnóstwo SpagBolu.

Tally wzdrygnęła się. Od pierwszej wyprawy w głuszę sama myśl o SpagBolu wystarczyła, by ścisnął jej się żołądek. Na szczęście Wyjątkowi sami znajdowali w głuszy jedzenie. Ich zrekonstruowane żołądki potrafiły wydobyć składniki odżywcze ze wszystkiego, co rosło na swobodzie. Paru Nacinaczy zabawiało się nawet polowaniem, ale Tally wolała dzikie rośliny – zjadła już swoją działkę martwych zwierząt, gdy mieszkała w Dymie.

Krimowie zaczęli zakładać plecaki. Miny mieli uroczyste, starali się zachować powagę. „Oby tylko nie stchórzyli w głuszy – pomyślała – i nie zostawili Zane'a samego". Już teraz wydawał się roztrzęsiony, choć jego deska wciąż leżała na ziemi.

Paru innych Krimów przyglądało się jej i Shay. Wcześniej zapewne nie widzieli nawet zwykłego Wyjątkowego, a co dopiero pokrytego bliznami i szalonymi tatuażami Nacinacza. Nie bali się jednak jak zwykli pustogłowi, obserwowali je z ciekawością.

Oczywiście nano Maddy od dłuższego czasu krążyły po mieście, a Krimowie jako pierwsi wypróbowywali wszystko, co mogło sprawić, że poczują się pyszniejsi.

Jak kierowałoby się miastem, gdyby wszyscy zamienili się w Krimów? Zamiast z przestrzegającymi przepisów obywatelami władze musiałyby radzić sobie z niezliczonymi kradzieżami i różnymi numerami. Czy w końcu nie pojawiłyby się prawdziwe przestępstwa kryminalne – przypadki przemocy, a nawet morderstw – jak w czasach Rdzawców?

– No dobra – rzuciła Shay. – Szykujcie się do drogi.

Wyciągnęła przecinacz stopu.

Krimowie zsunęli z palców obrączki interfejsowe i przywiązali je do sznurków dyndających z baloników, które rozdał Peris.

– Sprytne – mruknęła Tally.

Peris odpowiedział promiennym uśmiechem.

Po wypuszczeniu baloników z obrączkami interfejs miejski uzna, że Krimowie wybrali się razem na powolną przejażdżkę na deskach, pozwalając nieść się wiatrowi. Typowe zachowanie pustogłowych.

Shay ruszyła w stronę Zane'a, on jednak uniósł rękę.

– Nie. Chcę, żeby to Tally mnie uwolniła.

Shay zaśmiała się krótko, drapieżnie i rzuciła Tally narzędzie.

– Twój chłopak chce ciebie.

Tally odetchnęła głęboko. Podeszła do Zane'a, przysięgając sobie w duchu, że nie pozwoli, by przez niego jej umysł znów stał się losowy. Gdy jednak sięgnęła do metalowego łańcuszka, opuszkami palców musnęła odsłoniętą szyję Zane'a i poczuła na plecach dreszcz. Nadal wbijała wzrok w naszyjnik, lecz gdy stała tak blisko, z ręką zaledwie centymetry od jego ciała, w jej głowie pojawiły się dawne oszałamiające wspomnienia.

Potem jednak dostrzegła drżące dłonie Zane'a i ponownie wezbrała w niej odraza. Wojna toczącą się w jej mózgu nie dobiegnie końca, póki Zane nie stanie się Wyjątkowy i nie zyska ciała równie doskonałego jak jej własne.

– Nie ruszaj się – ostrzegła. – Będzie gorąco.

Przyciemniła swój wzrok, gdy narzędzie ożyło, wypluwając w ciemności białoniebieską tęczę. Fala gorąca uderzyła ją w twarz, jak po otwarciu piekarnika. Powietrze wypełniła woń palonego plastiku.

Jej ręce także się trzęsły.

– Nie martw się, Tally. Ufam ci.

Przełknęła ślinę, wciąż nie patrząc mu w oczy. Nie chciała oglądać ich wodnistego koloru ani myśli Zane'a tak jasno odbitych na twarzy. Pragnęła jedynie, by ruszył w głuszę, spotkał się z Dymiarzami, został schwytany i w końcu przeistoczony.

Gdy jaskrawy łuk dotknął metalu, Tally poczuła w ciele alarmowy ping. Standardowa procedura miejska: naszyjnik zaprojektowano tak, by w razie uszkodzenia wysyłał sygnał. Wszyscy opiekunowie w okolicy także go usłyszą.

– Lepiej puszczajcie te balony – uprzedziła Shay. – Wkrótce się tu zjawią.

Łuk przeciął ostatnich parę milimetrów łańcucha i Tally uniosła go oburącz, uważając, by rozpalone końcówki nie dotknęły ciała Zane'a.

Wciąż otaczała go ramionami, gdy Zane delikatnie ujął ją za przeguby.

– Spróbuj odmienić swój umysł, Tally.

Cofnęła się. Jego uchwyt był słaby jak pajęcza nić.

– Mój umysł już jest doskonały.

Przesunął palcami po jej ręce, muskając krawędzie blizn po nacinaniu.

– To po co to robisz?

Spojrzała na jego dłonie, wciąż bojąc się popatrzeć mu w oczy.

– To czyni nas mroźnymi. Coś jak pyszni, tylko znacznie lepsze.

– Czego nie czujesz, skoro musisz robić coś takiego?

Zmarszczyła brwi, nie umiejąc odpowiedzieć na pytanie. Nie rozumiał nacinania, bo sam nigdy tego nie robił. Poza tym jej skórtena przekazywała każde słowo Shay...

– Znów możesz się odtworzyć, Tally – ciągnął. – To, że zrobili z ciebie Wyjątkową, oznacza, że możesz się zmienić.

Tally wpatrywała się we wciąż połyskującą końcówkę narzędzia do przecinania, przypominając sobie, przez co przeszły, żeby je zdobyć.

– Już i tak zrobiłam więcej, niż przypuszczasz.

– Świetnie. W takim razie wybierz, po czyjej jesteś stronie.

W końcu spojrzała mu w oczy.

– Tu nie chodzi o żadne strony, Zane. Nie robię tego dla nikogo prócz nas.

Uśmiechnął się.

– Ja też nie. Pamiętaj o tym, Tally.

– Co chcesz...? – Tally spuściła wzrok i pokręciła głową. – Musisz już ruszać, Zane. Nie będziesz wyglądał zbyt pysznie, jeśli opiekunowie znajdą cię tu, zanim jeszcze ruszysz w drogę.

– A skoro mowa o znajdowaniu – wyszeptała Shay, wręczając Zane'owi lokalizator. – Kiedy dotrzesz do Dymu, przekręć to, a my zjawimy się, i to szybko. Zadziała także, jeśli ciśniesz go w ogień. Prawda, Tally-wa?

Zane spojrzał na lokalizator, po czym wsunął go do kieszeni. Wszyscy troje wiedzieli, że go nie użyje.

Tally jeszcze raz odważyła się zerknąć mu w oczy. Może i nie był Wyjątkowy, lecz jego skupiona mina nie przypominała pustogłowych.

– Staraj się zmieniać dalej, Tally – rzekł miękko.

– Idź już!

Odwróciła się i odeszła parę kroków, wyrywając Perisowi ostatnich kilka balonów i okręcając ich sznurki wokół wciąż połyskującego naszyjnika. Gdy je wypuściła, baloniki z początku opadły pod ciężarem łańcuszka, lecz potem powiew wiatru dodał im sił.

Kiedy znów obejrzała się na Zane'a, jego deska już się wznosiła. Wyciągał niepewnie ręce, niczym maluch na równoważni. Po obu jego stronach lecieli gotowi do pomocy Krimowie.

Shay westchnęła.

– To będzie aż za łatwe.

Tally nie odpowiedziała. Nie spuszczała wzroku z Zane'a, póki ten nie zniknął w ciemności.

– Lepiej już ruszajmy – rzekła Shay.

Tally przytaknęła. Kiedy zjawią się opiekunowie, mogą uznać za dość przegięty fakt, że w miejscu, gdzie ostatnio przebywał Zane, teraz kręci się dwójka Wyjątkowych.

Łuski jej kombinezonu zadrżały w znajomym już tańcu. Tally założyła rękawice i naciągnęła kaptur na twarz.

Po paru sekundach obie stały się równie czarne jak nocne niebo nad ich głowami.

– Chodź, szefowo – powiedziała Tally. – Znajdźmy ten Dym.

POZA MIASTEM

Ucieczka Zane'a poszła znacznie łatwiej, niż Tally się spodziewała.

Reszta Krimów i ich ślicznych sprzymierzeńców musiała wiedzieć, co się święci – setki osób w tym samym czasie przywiązały swe obrączki do baloników, przepełniając powietrze fałszywymi sygnałami. Kolejna setka brzydkich zrobiła to samo. Kanał opiekunów aż kipiał od pełnych irytacji rozmów, gdy zbierali latające obrączki i udaremniali dziesiątki psot. Po wczorajszym ataku władze nie były w nastroju do żartów.

W końcu Shay i Tally wyłączyły gadaninę opiekunów.

– Jak dotąd idzie całkiem mroźnie – mruknęła Shay. – Twój chłopak będzie świetnym Nacinaczem.

Tally uśmiechnęła się. Ulżyło jej, że nie musi już patrzeć na trzęsące się ciało Zane'a. Zaczynał się naprawdę podniecający pościg.

Podążały za grupką Krimów w odległości kilometra. W podczerwieni widziały osiem postaci na tyle wyraźnie, że Tally potrafiła odróżnić Zane'a od reszty. Zauważyła, że cały czas ktoś z nich trzymał się obok niego gotów pomóc.

Uciekinierzy nie mknęli nad rzeką w stronę Rdzawych Ruin, lecz niespiesznie podążali w kierunku południowego krańca miasta. Kiedy sieć się skończyła, wylądowali w lesie i ruszyli pieszo, niosąc deski. Ich cel stanowiła ta sama rzeka, do której Shay i Tally wskoczyły poprzedniej nocy.

– Całkiem pysznie z ich strony – zauważyła Shay. – Wybrali nietypową drogę.

– Ale Zane'owi z pewnością nie jest łatwo – odparła Tally. Bez sieci magnetycznej lotodeska stanowiła całkiem solidne brzemię.

– Jeśli będziesz zamartwiać się o niego całą drogę, Tally-wa, to czeka nas potwornie nudna podróż.

– Przepraszam, szefowo.

– Spokojnie, Tally, nie pozwolimy, by cokolwiek złego spotkało twojego chłopaka.

Shay opadła między sosny. Tally jeszcze chwilę pozostawała w górze, obserwując powolne postępy małej grupki. Minie co najmniej godzina, nim dotrą do rzeki i znów będą mogli wsiąść na deski. Nie chciała jednak tracić ich z oczu w głuszy.

– Trochę za wcześnie, by przegrzewać wirniki, nie sądzisz? – Głos Shay dobiegał z dołu. Brzmiał bardzo blisko dzięki skórtenie.

Tally westchnęła cicho i zaczęła opadać.

Godzinę później siedziały na brzegu rzeki, czekając, aż dogonią je Krimowie.

– Jedenaście – oznajmiła Shay, rzucając kamieniem.

Wirując szaleńczo w powietrzu, zaczął odbijać się od powierzchni wody. Shay liczyła głośno, czekając, aż w końcu zatonie. Stało się to po jedenastym odbiciu.

– Ha! Znów wygrywam – oznajmiła.

– Nikt inny nie gra, Shay-la.

– Ja przeciw naturze. Dwanaście.

Shay znowu rzuciła i kamyk zaczął odbijać się rytmicznie pośrodku rzeki, opadając na dno po dokładnie dwunastu razach.

– Moje jest zwycięstwo! No dalej, spróbuj.

– Nie, dzięki, szefowo. Nie powinnyśmy znów sprawdzić, co z nimi?

Shay jęknęła.

– Niedługo tu będą, Tally. Gdy ostatnio sprawdziłaś, dotarli już niemal do rzeki. A było to zaledwie pięć minut temu.

– To czemu jeszcze ich tu nie ma?

– Bo odpoczywają, Tally. Są zmęczeni dźwiganiem swoich żałosnych desek przez las – uśmiechnęła się. – Albo może gotują sobie wspaniałą ucztę ze SpagBoli.

Tally skrzywiła się. Pożałowała, że obie poleciały naprzód. W całym tym numerze chodziło przecież o to, by trzymać się blisko uciekinierów.

– A jeśli poszli w drugą stronę? Wiesz chyba, że rzeki mają dwa końce.

– Nie bądź taka losowa, Tally-wa. Po co mieliby się oddalać od oceanu? Za górami na setki kilometrów rozciąga się jałowa pustynia. Rdzawcy nazywali ją Doliną Śmierci, nim jeszcze pojawiło się zielsko.

– A jeśli umówili się z Dymiarzami właśnie tam? Nie wiemy, jak częste kontakty ze światem zewnętrznym utrzymują Krimowie.

Shay westchnęła.

– No dobra, idź i sprawdź. – Kopnęła ziemię między stopami, szukając kolejnego płaskiego kamienia. – Tylko nie siedź tam zbyt długo. Mogą mieć podczerwień.

– Dzięki, szefowo. – Tally wstała i pstryknięciem przywołała deskę.

– Trzynaście – odparła Shay i rzuciła.

Z góry Tally widziała uciekinierów. Tak jak podejrzewała Shay, siedzieli na brzegu bez ruchu, pewnie odpoczywali. Jednak zastanawiając się, który z nich to Zane, Tally zmarszczyła brwi.

Nagle pojęła, co jest nie tak: naliczyła dziewięć jaśniejących plam, nie osiem. Czyżby rozpalili ogień? Czy może samogrzejący posiłek oszukuje podczerwień?

Przestroiła poziom widzenia, wzmacniając obraz. Sylwetki zaczęły się wyostrzać i w końcu Tally zyskała pewność, że wszystkie są wielkości człowieka.

– Shay-la – wyszeptała. – Faktycznie się z kimś spotkali.

– Już? – odparła z dołu Shay. – Nie przypuszczałam, że Dymiarze aż tak nam to ułatwią.

– Chyba że to kolejna zasadzka – powiedziała cicho Tally.

– Niech sobie próbują. Lecę do ciebie.

– Chwileczkę, ruszają się. – Jaśniejące postaci zaczęły przesuwać się ku rzece i zmierzać z prędkością deski w stronę jej i Shay. Jedna z nich pozostała z tyłu i zagłębiła się pieszo w las. – Zbliżają się, Shay. A przynajmniej ośmioro. Ktoś poszedł w przeciwną stronę.

– Dobra, ty leć za nim, ja zostanę przy Krimach.

– Ale...

– Nie kłóć się ze mną,Tally. Nie zgubię twojego chłopaka. A teraz ruszaj i nie daj się zauważyć.

– Jasne, szefowo.

Tally opadła ku rzece, pozwalając wirnikom wystygnąć. Mknąc w stronę nadlatujących Krimów, włączyła strój maskujący i naciągnęła kaptur na twarz. Potem skręciła bliżej splątanych roślin na brzegu, zwalniając niemal zupełnie.

Po minucie Krimowie przemknęli obok nieświadomi jej obecności. Tally rozpoznała drżącą sylwetkę Zane'a.

– Mam ich – oznajmiła chwilę później Shay, jej głos już cichł. – Jeśli oddalimy się od rzeki, zostawię dla ciebie sygnalizator.

– Dobra, szefowo. – Tally pochyliła się do przodu, zmierzając w stronę tajemniczej dziewiątej postaci.

– Bądź ostrożna, Tally-wa, nie chcę stracić dwojga Nacinaczy w jednym tygodniu.

– Nie ma sprawy. – Tally chciała jak najszybciej powrócić do śledzenia Zane'a. Nie zamierzała dać się schwytać. – Do zobaczenia wkrótce.

– Już tęsknię – odparła Shay i jej sygnał ucichł.

Tally wytężała zmysły, badając las po obu stronach rzeki. Ciemne drzewa na brzegach otaczały widma w podczerwieni, małe zwierzęta i ptaki w gniazdach rozbłyskiwały jasnymi plamami. Nie dostrzegła jednak niczego rozmiarów człowieka.

Gdy zbliżyła się do miejsca, w którym Krimowie spotkali się z tajemniczym przyjacielem, zwolniła, kucając na desce. Uśmiechnęła się: znów czuła znajome mroźne podniecenie. Jeśli to kolejna zasadzka, Dymiarze odkryją, że nie tylko oni potrafią stać się niewidzialni.

Zatrzymała się na błotnistym brzegu, zeszła z deski i posłała ją wysoko w górę.

W miejscu, w którym stali Krimowie, pozostały liczne ślady stóp. W powietrzu wciąż unosiła się woń niemytego ludzkiego ciała, kogoś, kto przez wiele dni obywał się bez kąpieli. To nie mógł być jeden z Krimów, którzy nadal pachnieli recyklingowanymi ubraniami i nerwami.

Tally starannie zagłębiła się między drzewa, podążając śladem zapachu.

Człowiek, którego śledziła, umiał poruszać się w lesie. Nie zostawiał za sobą złamanych gałęzi świadczących o niezgrabnym przedzieraniu się przez zarośla, a w poszyciu nie dostrzegła żadnych śladów stóp. Z czasem jednak woń stawała się coraz silniejsza, tak mocna, że Tally zmarszczyła nos. Nawet pozbawieni bieżącej wody Dymiarze nie śmierdzieli tak bardzo.

Pomiędzy drzewami błysnęło światełko w podczerwieni – ludzka postać przed nią. Tally przystanęła na moment, nasłuchując, lecz w lesie nie rozlegał się żaden dźwięk: ktokolwiek to był, umiał poruszać się równie cicho jak David.

Tally powoli skradała się naprzód, wbijając wzrok w ziemię w poszukiwaniu najmniejszych znaków świadczących o czyimś przejściu. Parę sekund później je znalazła – niemal niewidzialny prześwit wiodący pomiędzy gęstymi drzewami, ścieżkę, którą podążała postać.

Shay uprzedziła ją, by była ostrożna. Z kimkolwiek miała do czynienia, Dymiarzem czy nie, niełatwo będzie się doń podkraść. Lecz może na jedną zasadzkę odpowiedzieć drugą...

Tally skręciła ze szlaku, zagłębiając się w las. Cicho i lekko przemykała przez miękkie poszycie, zataczając powolny łuk wokół ofiary, aż w końcu znów znalazła szlak. Wówczas zaczęła przekradać się naprzód, wyprzedzając niewidocznego człowieka. W końcu wypatrzyła wysoki konar wznoszący się dokładnie nad ścieżką.

Idealne miejsce.

Kiedy się wspinała, łuski stroju maskującego pokryła szorstka faktura kory oświetlonej promieniami księżyca. Tally przywarła do gałęzi, niewidzialna. Czekała, czując, jak przyspiesza jej serce.

Jasna postać wyłoniła się spomiędzy drzew w absolutnej ciszy. Woni niemytego człowieka nie towarzyszyły żadne zapachy syntetyczne: ani śladu plastrów przeciwsłonecznych, odstraszaczy owadów, mydła czy szamponu. Tally zaczęła przerzucać kanały wizji, nie wykryła jednak najmniejszych oznak elektryczności ani podgrzewanej kurtki. Jej uszy nie wychwyciły cichego pomruku noktowizyjnych gogli.

Sprzęt nie pomógłby w czymkolwiek jej ofierze. Całkowicie nieruchomej, odzianej w strój maskujący, ledwie oddychającej Tally nie wykryłoby nawet najlepsze urządzenie.

Jednak w chwili gdy postać przechodziła pod nią, zwolniła kroku, przekrzywiła głowę i zaczęła nasłuchiwać.

Tally wstrzymała oddech. Wiedziała, że jest niewidzialna, lecz jej serce zabiło szybciej, zmysły wzmocniły otaczające ją leśne odgłosy. Czy był tam ktoś jeszcze? Ktoś, kto zauważył, jak wspina się na drzewo? W kącikach oczu wirowały widma, jej ciało łaknęło działania, nie chciało ukrywać się pośród liści i gałęzi.

Postać długą chwilę trwała bez ruchu, potem bardzo powoli odchyliła głowę, patrząc w górę.

Tally nie wahała się – skoczyła, przełączając łuski stroju tak, by utworzyły czarny jak noc pancerz. Oburącz chwyciła nieznajomego, przyciskając mu ręce do boków i ciągnąc na ziemię. Z bliska smród potu był niemal nie do zniesienia.

– Nie chcę cię skrzywdzić – syknęła przez maskę. – Ale zrobię to, jeśli będę musiała.

Młody mężczyzna szarpał się przez chwilę i Tally dostrzegła błysk metalowego noża w jego dłoni. Chwyciła mocniej, wyciskając mu powietrze z płuc, aż żebra zatrzeszczały i nóż wyśliznął się z palców.

– Wyjohowy – syknął.

Tally zadrżała, rozpoznając ów akcent. „Wyjohowy"? Pamiętała to dziwne słowo. Wyłączyła podczerwień, pociągnęła mężczyznę na równe nogi i pchnęła do tyłu, przyglądając się jego twarzy w zbłąkanym promieniu księżyca.

Był brudny i brodaty, ubrany w pasma zwierzęcych skór zszytych niezgrabnie ze sobą.

– Ja cię znam... – powiedziała cicho.

Gdy jej odpowiedział, Tally ściągnęła kaptur, pokazując mu swoją twarz.

– Młoda Krwi – rzekł z uśmiechem. – Zmieniłaś się.

BARBARZYŃCA

Nazywał się Andrew Simpson Smith i Tally już go poznała.

Kiedy uciekła z miasta w czasach, gdy była śliczną, trafiła do miejsca w rodzaju rezerwatu, gdzie naukowcy z miasta przeprowadzali doświadczenia. Zamknięci w rezerwacie ludzie żyli jak Przedrdzawcy, odziani w skóry i używający jedynie narzędzi z epoki kamienia – pałek, kijów i ognia. Mieszkali w małych wioskach toczących ze sobą nieustanne wojny, a naukowcy badali niekończący się błędny krąg motywowanych zemstą zabójstw niczym oczyszczoną esencję ludzkiej przemocy umieszczoną między szkiełkami szalki Petriego.

Wieśniacy nie wiedzieli o istnieniu reszty świata ani o tym, że problemy, z którymi się zmagają – choroby, głód, rozlew krwi – ludzkość rozwiązała już kilka stuleci wcześniej. To znaczy nie wiedzieli, póki Tally nie natknęła się na jeden z ich oddziałów, nie została wzięta za boga i nie opowiedziała o wszystkim świętemu mężowi Andrew Simpsonowi Smithowi.

– Jak się wydostałeś? – spytała.

Uśmiechnął się z dumą.

– Wyszedłem poza koniec świata, Młoda Krwi.

Tally uniosła brew. Rezerwat otaczali „mali ludzie", lalki rozwieszone na drzewach i uzbrojone w zagłuszacze neuronowe sprawiające straszliwy ból każdemu, kto zanadto się do nich zbliżył. Wieśniacy byli stanowczo zbyt niebezpieczni, by wypuszczać ich w prawdziwą głuszę, toteż miasto otoczyło ich świat nieprzekraczalną barierą.

– Jak ci się to udało?

Andrew Simpson Smith zachichotał. Schylił się po nóż i Tally z trudem zwalczyła ogromne pragnienie, by odrzucić broń kopniakiem. Nazwał ją Wyjohowym, którym to słowem wieśniacy określali znienawidzonych Wyjątkowych. Oczywiście teraz, gdy ujrzał jej twarz, przypomniał sobie, że była jego przyjaciółką, sojuszniczką w walce z bogami z miasta. Nie miał pojęcia, co oznacza nowa siatka błyskotatuaży, nie pojmował, że sama stała się jednym ze złowieszczych agentów bogów.

– Po tym jak opowiedziałaś mi, jak wiele leży poza końcem świata, Młoda Krwi, zacząłem się zastanawiać, czy „mali ludzie" czegokolwiek się boją.

– Boją?

– Tak. Próbowałem ich wystraszyć na wiele sposobów. Zaklęciami, pieśniami, czaszkami niedźwiedzi.

– Uhm, to nie są prawdziwi ludzie, Andrew, tylko maszyny. One nie czują strachu.

Jego twarz spoważniała.

– I ogniem, Młoda Krwi. Odkryłem, że boją się ognia.

– Ognia? – Tally przełknęła ślinę. – Andrew? Czy to był przypadkiem wielki ogień?

Uśmiech powrócił na jego usta.

– Pochłonął wiele drzew. Kiedy zgasł, „mali ludzie" uciekli.

Jęknęła.

– Myślę, że „mali ludzie" się spalili, Andrew. Mówisz zatem, że wywołałeś pożar lasu?

– Pożar lasu. – Zastanowił się przez chwilę. – To dobre słowa.

– Prawdę mówiąc, Andrew, to bardzo złe słowa. Masz szczęście, że nie zrobiłeś tego latem, inaczej pożar pochłonąłby cały twój świat.

Andrew uśmiechnął się.

– Teraz mój świat jest większy, Młoda Krwi.

– Tak, ale mimo wszystko... nie to miałam na myśli.

Tally westchnęła. Próby wyjaśnienia Andrew prawdy o świecie nie skończyły się oświeceniem, lecz ogromnymi zniszczeniami, a jego pożar zapewne uwolnił kilka wiosek pełnych niebezpiecznych barbarzyńców obecnie poruszających się swobodnie w głuszy. Tymczasem w lesie krążyli Dymiarze, uciekinierzy, a nawet obozowicze z miasta.

– Jak dawno temu to się stało?

– Dwadzieścia siedem dni. – Pokręcił głową. – Ale „mali ludzie" wrócili. Nowi, którzy nie boją się ognia. Od tego czasu pozostaję poza moim dawnym światem.

– Ale znalazłeś nowych przyjaciół, prawda? Przyjaciół z miasta.

Przez chwilę przyglądał się Tally podejrzliwie. Zapewne zrozumiał, że skoro widziała go z Krimami, to znaczy, że ich śledziła.

– Młoda Krwi – rzekł ostrożnie – jakiż to los sprawia, że się spotykamy?

Tally nie odpowiedziała natychmiast. W wiosce Andrew pojęcie czegoś takiego jak kłamstwo praktycznie nie istniało, przynajmniej dopóki Tally nie wyjaśniła, że oni sami żyją w jednym wielkim kłamstwie. Ale do tej pory z pewnością nauczył się ostrożności w kontaktach z ludźmi z miasta. Postanowiła z rozmysłem dobierać słowa.

– Wśród bogów, z którymi się spotkałeś, są też moi przyjaciele.

– To nie bogowie, Tally. Ty mnie tego nauczyłaś.

– Zgadza się, brawo, Andrew. – Zastanowiła się, co jeszcze zaczął rozumieć. Oswoił się z miejskim językiem, jakby dużo ćwiczył. – Ale skąd wiedziałeś, że się zjawią? Nie wpadłeś na nich przypadkiem, prawda?

Przez chwilę przyglądał się jej czujnie, po czym pokręcił głową.

– Nie, uciekają przed Wyjohowymi, a ja zaproponowałem pomoc. To twoi przyjaciele?

Zagryzła wargi.

– Jeden z nich był... to znaczy właściwie jest... moim chłopakiem.

Na twarzy Andrew dostrzegła nagłe zrozumienie. Zaśmiał się cicho. Wyciągnął rękę i mocno poklepał ją po ramieniu.

– Teraz rozumiem, to dlatego idziesz za nimi niewidzialna jak Wyjohowi. Chłopak.

Tally starała się nie przewrócić oczami. Jeśli Andrew Simpson Smith chciał sądzić, że jest odrzuconą kochanką podążającą tropem uciekinierów, to i tak lepsze niż próby wyjaśniania prawdy.

– Skąd więc wiedziałeś, że ich tu spotkasz?

– Kiedy odkryłem, że nie mogę wrócić do domu, ruszyłem na poszukiwania ciebie, Młoda Krwi.

– Mnie? – zdziwiła się Tally.

– Próbowałaś dotrzeć do Rdzawych Ruin. Powiedziałaś mi, jak są daleko i w którą stronę.

– I poszedłeś tam?

Oczy Andrew rozszerzyły się. Przytaknął i jego ciałem wstrząsnął dreszcz zgrozy.

– Wielka wioska pełna umarłych.

– I spotkałeś tam Dymiarzy, prawda?

– Nowy Dym żyje – odrzekł z powagą.

– Tak, na pewno. A teraz pomagasz w ich imieniu uciekinierom?

– Nie tylko ja. Dymiarze umieją przelecieć nad „małymi ludźmi". Dołączyli do nas inni z mojej wioski. Pewnego dnia wszyscy będziemy wolni.

– To wspaniałe wieści – mruknęła Tally.

Dymiarze naprawdę oszaleli. Jak mogli wypuścić w głuszę bandę śmiercionośnych dzikusów? Oczywiście, wieśniacy byli użytecznymi sojusznikami – znali się na życiu w lesie lepiej niż jakikolwiek dzieciak z miasta, pewnie nawet lepiej niż najstarsi Dymiarze. Umieli zbierać pożywienie na szlaku i szyć stroje z naturalnych materiałów, które to umiejętności zatracili mieszkańcy miasta. Po pokoleniach walk międzyplemiennych byli również ekspertami w dziedzinie zasadzek.

Andrew Simpson Smith w jakiś sposób wyczuł obecność Tally mimo stroju maskującego. Taki instynkt wymaga całego życia spędzonego w głuszy.

– W jaki sposób pomogłeś tym uciekinierom?

Uśmiechnął się z dumą.

– Przekazałem im drogę do Nowego Dymu.

– Świetnie. Bo widzisz, ja sama straciłam z nimi kontakt i miałam nadzieję, że też mi pomożesz.

Przytaknął.

– Oczywiście, Młoda Krwi, wypowiedz tylko magiczne słowo.

Tally zamrugała. Magiczne słowo?

– Magiczne słowo? Andrew, to ja. Może nie znam żadnych magicznych słów, ale próbowałam dotrzeć do Dymu, odkąd mnie poznałeś.

– To prawda, ale złożyłem obietnicę. – Przestąpił z zakłopotaniem z nogi na nogę. – Co się z tobą stało, Młoda Krwi, po tym jak odeszłaś? Kiedy dotarłem do ruin, opowiedziałem Dymiarzom, jak się u nas zjawiłaś. Powiedzieli, że miasto znów cię zabrało, coś z tobą zrobiło. – Gestem wskazał jej twarz. – Czy to kolejna modna ozdoba?

Tally westchnęła, patrząc mu w oczy. Był tylko losowcem, i to niezwykle losowym losowcem. Miał nierówne zęby i pryszczatą, nigdy niemytą skórę. Lecz z jakichś powodów nie chciała okłamywać Andrew Simpsona Smitha. Po pierwsze, byłoby to zbyt łatwe – oszukać kogoś, kto nawet nie umie czytać, kto niemal całe życie spędził uwięziony w eksperymentalnym środowisku.

– Twoje serce bije szybko, Młoda Krwi.

Dłoń Tally uniosła się ku twarzy; tatuaże bez wątpienia wirowały. Andrew nie zapomniał, że zdradzają podniecenie i niepokój. Może kłamstwa nie mają sensu? Nie można nie doceniać instynktu, dzięki któremu wykrywa się człowieka w stroju maskującym.

Postanowiła powiedzieć prawdę. Poza tym było to dla niej ważne.

– Pozwól, że coś ci pokażę, Andrew. – Ściągnęła prawą rękawiczkę. Uniosła dłoń: uszkodzone tatuaże pulsowały w promieniach księżyca w rytm jej serca. – Widzisz te dwie blizny? To oznaki mojej miłości... do Zane'a.

Przez chwilę przyglądał jej się oszołomiony, po czym powoli skinął głową.

– Nigdy jeszcze nie widziałem u was blizn. Wasza skóra jest zawsze doskonała.

– Tak. Mamy blizny tylko, jeśli tego chcemy, toteż zawsze coś znaczą. Te oznaczają, że kocham Zane'a. To ten, który wydawał się chory, trochę roztrzęsiony. Muszę pójść za nim, by mieć pewność, że nic mu się nie stanie.

Andrew przytaknął powoli.

– A on jest zbyt dumny, żeby przyjąć pomoc kobiety?

Tally wzruszyła ramionami. Wieśniacy także w kwestiach płci wciąż żyli w epoce kamienia.

– Powiedzmy po prostu, że w tej chwili nie życzy sobie mojej pomocy.

– Ja nie byłem zbyt dumny, gdy nauczyłaś mnie o świecie. – Uśmiechnął się. – Może jestem mądrzejszy od Zane'a?

– Może i jesteś. – Zacisnęła gołą dłoń w pięść; krawędzie blizny na dłoni wciąż wydawały się sztywne. – Proszę, byś złamał obietnicę, Andrew, i powiedział mi, dokąd zmierzają. Myślę, że zdołam wyleczyć Zane'a, i martwię się o to, jak sobie poradzi z grupką dzieciaków z miasta. Oni nie rozumieją głuszy tak jak ty czy ja.

Mężczyzna wciąż wpatrywał się w jej dłoń, myślał gorączkowo. W końcu uniósł wzrok i spojrzał jej prosto w oczy.

– Bez ciebie nadal byłbym uwięziony w fałszywym świecie. Chcę ci zaufać, Młoda Krwi.

Tally zmusiła się do uśmiechu.

– I powiesz mi, gdzie jest Nowy Dym?

– Nie wiem, to dla mnie zbyt wielka tajemnica. Ale mogę pokazać ci drogę. – Sięgnął do sakiewki u pasa i wyjął garść małych czipów.

– Pozycjomierze – rzekła cicho Tally. – Z zaprogramowaną trasą?

– Tak. Ten doprowadził mnie tu, na spotkanie młodych uciekinierów. A ten zaprowadzi cię do Nowego Dymu. Wiesz, jak działa? – Pokryty odciskami brudny palec wskazujący Andrew unosił się nad przyciskiem jednego z pozycjomierzy, na jego twarzy Tally dostrzegła zapał.

– Tak, nie ma sprawy, już takich używałam. – Uśmiechnęła się do niego, sięgając po urządzenie.

Cofnął rękę. Spojrzała na niego z nadzieją, że nie będzie musiała odebrać mu go siłą.

Nadal zaciskał pięść.

– Czy wciąż rzucasz wyzwanie bogom, Młoda Krwi?

Tally zmarszczyła brwi. Andrew wiedział, że się zmieniła, ale jak bardzo?

– Odpowiedz mi. – Jego oczy błysnęły w blasku księżyca.

Tally zastanawiała się chwilę. Andrew Simpson Smith nie przypominał niewyjątkowych z miasta, pustookiej masy brzydkich i ślicznych. Życie w głuszy upodobniło go do niej samej: był myśliwym, wojownikiem, śmiałkiem, który wiele przeżył. Z bliznami po dziesiątkach walk i wypadków wyglądał niemal jak Nacinacz.

Z jakiegoś powodu Andrew nie był Tally do końca obojętny. Nie wiedziała, czy zdoła go oszukać, czy nie, ale nagle zrozumiała, że nie chce.

– Czy wciąż rzucam wyzwanie bogom?

Pomyślała o tym, co zrobiły poprzedniej nocy z Shay. Włamały się do najpilniej strzeżonego budynku w mieście i właściwie go przy tym zniszczyły. Ruszyły w drogę, nie uprzedzając doktor Cable o swoich prawdziwych planach. A celem całej tej wyprawy, przynajmniej dla Tally, nie było zwycięstwo w wojnie miasta z Dymem, lecz ocalenie Zane'a.

Owszem, Nacinacze byli Wyjątkowymi, lecz przez ostatnich kilka dni Tally Youngblood odzyskała swą prawdziwą naturę: Krimki z krwi i kości.

– Tak, nadal rzucam im wyzwanie – odparła cicho, pojmując, że to prawda.

– Świetnie. – Uśmiechnął się z ulgą i wręczył jej pozycjomierz. – Idź zatem za swoim chłopakiem i powiedz w Nowym Dymie, że Andrew Simpson Smith bardzo ci pomógł.

ROZSTANIE

Tally maszerowała z powrotem w stronę rzeki, ściskając w naznaczonej bliznami dłoni pozycjomierz i rozmyślając gorączkowo.

Gdy opowie Shay o spotkaniu z Andrew Simpsonem Smithem, ich plan się zmieni. Dzięki pozycjomierzowi będą mogły wyprzedzić powolnych uciekinierów i dotrzeć do Nowego Dymu na długo przed Zane'em i jego ekipą. Gdy zjawią się tam Krimowie, ich cel będzie już obozem Wyjątkowych Okoliczności pełnym uwięzionych Dymiarzy i na powrót schwytanych uciekinierów. Zjawiając się po stłumieniu buntu, Zane nie będzie wyglądał zbyt pysznie.

Co gorsza, przez resztę wyprawy pozostanie w głuszy sam, tylko ze swymi przyjaciółmi Krimami. A jeśli coś pójdzie nie tak? Jeden poważny upadek z deski wystarczy, by Zane nie dożył dotarcia do Nowego Dymu.

Ale co z tego obchodziło Shay? Naprawdę zależało jej na odnalezieniu Nowego Dymu, ocaleniu Fausta i zemście na Davidzie i pozostałych. Opieka nad Zane'em nie miała dla niej znaczenia.

Tally zwolniła, zatrzymując się. Nagle pożałowała, że w ogóle natknęła się na Andrew Simpsona Smitha.

Oczywiście Shay nie wiedziała jeszcze o pozycjomierzu. Może wcale nie musi wiedzieć? A gdyby pozostały przy pierwotnym planie i nadal tropiły Krimów? Tally mogłaby zachować pozycjomierz na wszelki wypadek, gdyby straciły ich ślad...

Rozprostowała palce, patrząc na pozycjomierz i własne blizny. Nagle zatęskniła za jasnością, którą czuła poprzedniej nocy. Miała ochotę dobyć noża, ale przypomniała sobie wyraz twarzy Zane'a, gdy przyglądał się jej bliznom.

W końcu nie musiała się nacinać.

Zamknęła oczy, nakazując umysłowi pracować jasno.

W dawnych brzydkich czasach Tally cofała się przed podobnymi decyzjami, wolała unikać wszelkich konfrontacji. Dlatego właśnie zdradziła przypadkiem Stary Dym – za bardzo się bała powiedzieć komukolwiek o lokalizatorze. Przez to właśnie straciła Davida, nie mówiąc mu, że jest szpiegiem.

Gdyby teraz okłamała Shay, zachowałaby się tak samo jak dawna Tally.

Odetchnęła głęboko. Teraz była Wyjątkowa, silna, jasno myśląca. Tym razem powie Shay prawdę.

Zaciskając pięść, posłała naprzód swą deskę.

Dziesięć kilometrów w górę rzeki jej skórtena z pingiem odebrała sygnał Shay.

– Zaczynałam się o ciebie martwić, Tally-wa.

– Przepraszam cię, szefowo. Wpadłam przypadkiem na starego znajomego.

– Naprawdę? Znam go?

– Nigdy go nie spotkałaś. Pamiętasz moje historie przy ognisku o Zamkniętym Obszarze Eksperymentalnym? Dymiarze zaczęli uwalniać wieśniaków i szkolić ich do pomocy uciekinierom.

– To wariactwo. – Shay umilkła. – Ale chwileczkę, ty go znałaś? Pochodził z tej samej wioski, do której trafiłaś?

– Tak. I obawiam się, że to nie przypadek, Shay-la. To święty człowiek, który mi pomógł, pamiętasz? Powiedziałam mu, gdzie leżą Rdzawe Ruiny. Uciekł jako pierwszy i został honorowym Dymiarzem.

Shay zagwizdała ze zdumienia.

– Bardzo losowe, Tally. Ale jak pomaga Krimom? Uczy ich obdzierać ze skóry króliki?

– Jest kimś w rodzaju przewodnika. Uciekinierzy przekazują mu umówione słowo, a on daje im pozycjomierze wskazujące drogę do Dymu. – Odetchnęła głęboko. – I przez wzgląd na dawne czasy mnie też dał taki.

⁂

Nim Tally dogoniła Shay, Krimowie rozbili obóz.

Tally patrzyła w ciemności, jak kolejno podchodzą do rzeki i zanurzają swoje oczyszczacze w zamulonej wodzie. Wraz z Shay ukryły się po zawietrznej. Ich nozdrza wypełniły wonie samogrzejących się posiłków. Niesione z wiatrem zapachy MakCurry, PadThai i znienawidzonego SpagBolu przywołały w umyśle Tally żywe wspomnienia smaków i faktur z jej dni spędzonych w głuszy. Uszy wyłapywały urywki podnieconych rozmów Krimów, szykujących się do przespania dnia.

– Nieźle go przygotowali, nie chce mi podać ostatecznego celu. – Shay majstrowała przy pozycjomierzu. – Wymienia tylko kolejne punkty orientacyjne i czeka, aż do nich dotrzesz, by przekazać następny. Będziemy musiały przejść całą trasę, by dowiedzieć się, dokąd prowadzi – parsknęła. – Prawdopodobnie po drodze pokażą nam wszystkie co ciekawsze widoki.

Tally odchrząknęła.

– Nie my, Shay-la.

Shay uniosła wzrok.

– Co ty mówisz, Tally?

– Ja zostaję z Krimami. Z Zane'em.

– Tally... to strata czasu. Same możemy się poruszać dwa razy szybciej od nich.

– Wiem. – Odwróciła się i spojrzała na Shay. – Ale nie zostawię tu Zane'a z bandą dzieciaków z miasta. Nie w jego stanie.

Shay jęknęła.

– Tally-wa, jesteś doprawdy żałosna. W ogóle w niego nie wierzysz? Czy to nie ty wciąż mi powtarzasz, jaki jest Wyjątkowy?

– Tu nie chodzi o wyjątkowość. To jest głusza, Shay-la, tu wszystko może się zdarzyć: wypadki, niebezpieczne zwierzęta, nagłe pogorszenie zdrowia. Ty ruszaj sama albo wezwij resztę Nacinaczy – w końcu nie musisz się już martwić o to, czy ktoś cię zobaczy. Ja zostanę blisko Zane'a.

Oczy Shay zwęziły się.

– Tally... wybór nie należy do ciebie. Wydaję ci rozkaz.

– Po tym, co zrobiłyśmy zeszłej nocy? – Tally wydała z siebie zduszony śmiech. – Już trochę za późno na wykłady o hierarchii dowodzenia, Shay-la.

– Tu nie chodzi o hierarchię dowodzenia, Tally! – krzyknęła Shay. – Tu chodzi o Nacinaczy. O Fausta. A ty wybierasz tych pustogłowych? Nie nas?

Tally pokręciła głową.

– Wybieram Zane'a.

– Ale przecież musisz pójść ze mną. Obiecałaś, że przestaniesz sprawiać problemy.

– Shay, obiecałam, że jeśli zrobią z Zane'a Wyjątkowego, przestanę próbować cokolwiek zmieniać. I dotrzymam słowa, kiedy zostanie Nacinaczem. Ale do tego czasu... – Spróbowała się uśmiechnąć. – Co niby zrobisz? Poskarżysz się na mnie doktor Cable?

Shay syknęła przeciągle, jej dłonie uniosły się w pozycji do walki. Odsłoniła spiczaste zęby. Szarpnięciem brody wskazała uciekinierów.

– Chcesz wiedzieć, co zrobię, Tally-wa? Pójdę tam i powiem Zane'owi, że jest żałosnym durniem, idiotą i że go oszukałaś – śmiałaś się z niego. Niech wraca sobie do domu z podkulonym ogonem, podczas gdy my raz na zawsze skończymy z Dymem. Przekonamy się, czy wtedy kiedykolwiek trafi do Wyjątkowych!

Tally także zacisnęła pięści, wytrzymując spojrzenie Shay. Zane już i tak dosyć zapłacił za jej brak odwagi, tym razem nie wolno jej ustąpić. Myśli wirowały, szukając odpowiedzi na groźbę Shay.

Chwilę później znalazła ją i pokręciła głową.

– Nie możesz tego zrobić, Shay-la. Nie wiesz, dokąd zaprowadzi cię pozycjomierz. Możliwe, że czeka tam kolejna próba – nie jakiś barbarzyńca, lecz Dymiarz, który od razu cię rozpozna i nie poda następnych wskazówek. – Tally wskazała gestem uciekinierów. – Jedna z nas musi z nimi zostać. Na wszelki wypadek.

Shay splunęła na ziemię.

– W ogóle nie obchodzi cię Fausto, prawda? Pewnie w tej chwili przeprowadzają na nim eksperymenty, a ty chcesz tracić czas, tropiąc tych pustogłowych!

– Wiem, że Fausto cię potrzebuje, Shay. Nie proszę, żebyś ze mną została. – Tally rozłożyła ręce. – Jedna z nas musi pójść przodem, a druga zostać z Krimami. To jest jedyny sposób.

Shay znów syknęła i odeszła na brzeg rzeki. Wyszarpnęła z mułu płaski kamień i zważyła w dłoni, gotowa go rzucić.

– Shay-la, mogą cię zauważyć – wyszeptała Tally. Shay zawahała się, wciąż unosząc rękę. – Posłuchaj, naprawdę bardzo mi przykro, ale nie zachowuję się przecież całkiem losowo, prawda?

W odpowiedzi Shay przez chwilę wbijała wzrok w kamień, po czym upuściła go w błoto i dobyła noża. Zaczęła podwijać rękaw stroju maskującego.

Tally odwróciła się. Miała nadzieję, że gdy umysł Shay się przeczyści, przyjaciółka zrozumie.

Obserwowała obóz uciekinierów. Krimowie jedli ostrożnie – najwyraźniej odkryli już, że samogrzejące się potrawy mogą poparzyć język.

Była to pierwsza lekcja odbywana w głuszy: niczemu nie można ufać, nawet własnemu obiadowi. Nie jak w mieście, gdzie każdy ostry kant został zaokrąglony, każdy balkon wyposażony w pole siłowe, na wypadek gdyby ktoś spadł, i gdzie jedzenie nigdy nie bywało wrzące.

Nie mogła zostawić tu Zane'a samego, nawet jeśli Shay ją za to znienawidzi.

Chwilę później Tally usłyszała, jak przyjaciółka wstaje, i obróciła się ku niej. Ręka Shay krwawiła, jej błyskotatuaże wirowały szaleńczo i gdy się zbliżyła, Tally dostrzegła znajomą ostrość w jej spojrzeniu.

– Zgoda, rozdzielamy się – rzekła.

Tally próbowała się uśmiechnąć, lecz Shay pokręciła głową.

– Nie waż się z tego cieszyć, Tally-wa. Sądziłam, że kiedy staniesz się Wyjątkowa, to cię zmieni. Myślałam, że jeśli ujrzysz świat jasno, będziesz trochę mniej myślała o sobie, że będzie się liczyło coś więcej niż tylko ty i twój najnowszy chłopak. Sądziłam, że od czasu do czasu przejmiesz się kimś jeszcze.

– Przejmuję się Nacinaczami, Shay. Naprawdę mi zależy. I zależy mi na tobie.

– Zależało, dopóki nie pojawił się Zane. Teraz nie liczy się nic innego. – Shay z niesmakiem pokręciła głową. – A ja tak bardzo starałam się ciebie zadowolić, ułatwić ci wszystko. Ale to nie ma sensu.

Tally przełknęła ślinę.

– Musimy się rozdzielić. To jedyny bezpieczny sposób.

– Wiem, Tally-wa, dostrzegam twoją logikę. – Shay spojrzała na uciekinierów, jej szaleńczo wirującą twarz wykrzywił grymas niesmaku. – Ale odpowiedz mi na jedno pytanie: czy przemyślałaś to wszystko i potem uświadomiłaś sobie, że musimy się rozdzielić? Czy też już wcześniej postanowiłaś zostać z Zane'em, niezależnie od tego, co się stanie?

Tally otworzyła usta i zamknęła je szybko.

– Nawet nie próbuj kłamać, Tally-wa. Obie znamy odpowiedź. – Shay parsknęła, odwróciła się i pstryknęła palcami, wzywając deskę. – Naprawdę myślałam, że się zmieniłaś, ale wciąż jesteś tą samą egoistyczną małą brzydką, którą zawsze byłaś. To jest w tobie zdumiewające, Tally – nawet doktor Cable i jej chirurdzy nie mają szans w starciu z twoim ego.

Tally poczuła, jak drżą jej ręce. Spodziewała się kłótni, ale nie tego.

– Shay...

– Nie sprawdziłaś się nawet jako Wyjątkowa. Cały czas o wszystko się zamartwiałaś. Czemu nie możesz być po prostu mroźna?

– Zawsze starałam się robić to, czego...

– No to możesz już przestać. – Shay sięgnęła do schowka w desce i wyciągnęła sprej medyczny. Spsikała nim obficie krwawiącą rękę. Potem wyjęła jeszcze kilka zapieczętowanych opakowań i cisnęła je w błoto u stóp Tally. – Tu masz inteligentny plastik, na wypadek gdybyś musiała działać w przebraniu. Parę nadajników skórtenowych i wzmacniacz satelitarny. – Zaśmiała się gorzko, w jej głosie wciąż dźwięczała pogarda. – Dam ci nawet jeden z granatów, które mi zostały, na wypadek gdyby coś wielkiego stanęło między tobą a roztrzęsionym kochasiem.

Granat wylądował na ziemi z łupnięciem; Tally wzdrygnęła się.

– Shay, czemu tak się...

– Przestań się do mnie odzywać! – rozkaz uciszył Tally, która jedynie patrzyła, jak Shay zsuwa podwinięty rękaw stroju maskującego i naciąga kaptur na twarz. Wściekła mina zniknęła pod maską nocnej ciemności. Ze środka dobiegł zniekształcony głos. – Nie będę dłużej czekać. Odpowiadam za Fausta, nie za to stado pustogłowych.

Tally przełknęła ślinę.

– Mam nadzieję, że nic mu nie jest.

– Tak, na pewno. – Shay wskoczyła na deskę. – Ale mnie nie obchodzą już twoje poglądy ani nadzieje, Tally-wa. I nie będą obchodzić. Już nigdy.

Tally próbowała coś powiedzieć, lecz ostatnie słowo Shay zabrzmiało tak zimno, że nie zdołała.

Shay wzleciała w niebo, ledwie widoczna na tle ciemnych drzew porastających przeciwległy brzeg. Skręciła nad rzekę, a potem pomknęła w noc, znikając natychmiast, jakby nigdy nie istniała.

Tally wciąż słyszała jej oddech przez skórtenę: brzmiał ostro i gniewnie, zupełnie jakby Shay nadal odsłaniała zęby w grymasie nienawiści i obrzydzenia. Próbowała wymyślić, co jeszcze mogłaby powiedzieć, coś, co wyjaśniłoby, dlaczego musi to zrobić. Zostanie z Zane'em było ważniejsze niż bycie Nacinaczką, ważniejsze niż jakakolwiek złożona kiedyś obietnica.

W tej decyzji chodziło o to, kim Tally Youngblood jest wewnątrz, nieważne, czy była brzydka, śliczna czy Wyjątkowa... Chwilę później Shay znalazła się poza zasięgiem, a Tally wciąż milczała. Zrozumiała, że jest sama, i w ukryciu czekała, aż Krimowie zasną.

NIEPORADNOŚĆ

Krimowie próbowali rozpalić ognisko, jednak bez powodzenia.

Zdołali tylko podpalić kilka mokrych gałęzi, które dymiły, sycząc gniewnie i tak głośno, że Tally słyszała je ze swojej kryjówki. Ogień tak naprawdę nie zapłonął i kiedy zaczęło świtać, stos wciąż syczał i jarzył się słabo. Wówczas to Krimowie dostrzegli ciemną kolumnę dymu wznoszącą się w jaśniejące niebo i spróbowali zgasić ogień. W końcu zarzucili go garściami mokrego błota. Kiedy zdołali opanować ognisko, ich miejskie stroje wyglądały, jakby od tygodnia sypiali w nich na gołej ziemi.

Tally westchnęła, wyobrażając sobie chichot Shay rozbawionej zmaganiem uciekinierów z nawet najprostszymi rzeczami. Przynajmniej zorientowali się już, że mądrzej jest sypiać za dnia i podróżować nocą.

Kiedy w końcu zakopali się w śpiwory, pozwoliła sobie zapaść w lekką półdrzemkę. Wyjątkowi nie potrzebowali zbyt wiele snu, nadal jednak czuła w mięśniach włamanie do Zbrojowni i długą wędrówkę do domu. Po pierwszej nocy w głuszy Krimowie zapewne byli wykończeni, toteż uznała, że to najlepsza pora na to, by trochę odpocząć. Bez Shay, z którą mogły wymieniać się wartami, być może będzie musiała pozostać czujna przez wiele dni.

Usiadła, krzyżując nogi, twarzą zwrócona do obozu uciekinierów, i ustawiła wewnętrzne oprogramowanie tak, by wysyłało ping co dziesięć minut. Sen nie przyszedł łatwo. Oczy piekły ją od nieprzelanych łez po kłótni z Shay. W głowie wciąż dźwięczały oskarżenia sprawiające, że świat wydawał się odległy i niewyraźny. Oddychała powoli, głęboko, aż w końcu jej powieki opadły...

Ping. Dziesięć minut.

Tally sprawdziła, co u Krimów – nie ruszyli się – po czym spróbowała znów zasnąć.

Wyjątkowych zaprojektowano właśnie do takiego snu, lecz budzenie co dziesięć minut wciąż sprawiało, że czas zdawał się płynąć dziwnie. Zupełnie jakby Tally oglądała przyspieszony film. Słońce wschodziło szybko na niebie, cienie przesuwały się wokół niej niczym żywe istoty. Ciche odgłosy rzeki zlewały się w jeden monotonny szum, a jej myśli krążyły niespokojnie pomiędzy troską o Zane'a a poczuciem odrzucenia po kłótni. Wyglądało na to, że niezależnie, co się stanie, Shay zawsze będzie jej nienawidzić. A może Shay miała rację i Tally Youngblood ma talent do zdradzania przyjaciół...

Gdy słońce wisiało niemal w zenicie, Tally ocknęła się – nie z powodu pinga, lecz oślepiającego błysku na powiekach. Wyprostowała się gwałtownie, unosząc ręce do walki.

Światło dochodziło z obozu Krimów. Kiedy wstała, znów zgasło.

Odprężyła się: to były tylko zasilane energią słoneczną deski uciekinierów rozłożone do ładowania na brzegu rzeki. Poruszające się na niebie słońce odbiło się od jasnej powierzchni dokładnie pod takim kątem, by zaświecić jej w oczy.

Przyglądając się błyszczącym deskom, Tally poczuła niepokój. Po zaledwie kilku godzinach lotu uciekinierzy nie musieli jeszcze ich doładowywać – bardziej powinni się martwić tym, by pozostać niewidzialni.

Osłaniając oczy, spojrzała w niebo. Dla każdego przelatującego lotowozu rozwinięte deski stanowiłyby idealny punkt naprowadzający. Czy Krimowie nie zdawali sobie sprawy z tego, jak blisko miasta przebywają? Kilka godzin na deskach prawdopodobnie wydawało im się wiecznością, lecz w istocie wciąż jeszcze byli na progu cywilizacji.

Tally poczuła kolejną falę wstydu. Nie posłuchała rozkazów Shay i zdradziła Fausta po to, by opiekować się tymi pustogłowymi?

Otworzyła swą skórtenę, podłączając się do oficjalnych kanałów miasta, i natychmiast usłyszała gadaninę dobiegającą z wozu opiekunów patrolującego leniwie tereny wzdłuż rzeki. Do tej pory miasto zorientowało się już, że nocne psoty miały jedynie odwrócić uwagę od kolejnej ucieczki. Wszystkie oczywiste trasy wychodzące z miasta – rzeki i stare linie kolejowe – będą pod obserwacją. Jeśli opiekunowie zauważą rozwinięte deski, ucieczka Zane'a dobiegnie niesławnego końca i Tally na próżno sprzeciwi się Shay.

Zastanawiała się, jak zwrócić uwagę Krimów, nie ujawniając swojej obecności. Mogła rzucić paroma kamieniami z nadzieją, że ów przekonująco przypadkowy dźwięk któregoś obudzi, ale pewnie i tak nie mieli ze sobą radia działającego na częstotliwości miejskiej. Uciekinierzy nie zorientowaliby się w grożącym im niebezpieczeństwie – po prostu znów by zasnęli.

Tally westchnęła. Będzie musiała załatwić to sama.

Naciągnąwszy kaptur na twarz, pokonała kilka kroków dzielących ją od brzegu i wśliznęła się do wody. Łuski stroju maskującego zaczęły falować, naśladując otaczające ją zmarszczki na rzece i odbijając światło podobnie jak powolny, szklisty nurt.

Gdy zbliżyła się do obozu, jej nozdrza wypełniła woń zgaszonego ogniska i wyrzuconych opakowań po jedzeniu. Tally odetchnęła głęboko, po czym zanurzyła się całkowicie, płynąc pod wodą aż do brzegu.

Wyczołgała się na brzuchu, powoli unosząc głowę i pozwalając strojowi przystosować się do każdej kolejnej zmiany. Teraz był brązowy i miękki, jego łuski zagłębiały się w błocie i popychały ją naprzód niczym ślimaka.

Krimowie spali, lecz krążące wokół muchy i lekkie porywy wiatru sprawiały, że mamrotali cicho. Nowi śliczni mieli sporą wprawę w sypianiu do południa, ale na twardej ziemi mógł ich obudzić nawet najlżejszy hałas.

Pokryte maskującymi cętkami śpiwory byłyby rzeczywiście zupełnie niewidoczne z powietrza. Lecz rozwinięte deski świeciły jeszcze jaśniej, w miarę jak słońce wznosiło się na niebie. Osiem z nich leżało na brzegu, wiatr szarpał ich krawędzie przyciśnięte kamieniami i bryłami błota, przez co błyskały niczym fajerwerki.

Aby doładować deskę, wystarczyło ją rozłożyć niczym papierową lalkę, wystawiając na słońce jak największą powierzchnię. W pełni rozłożone były cienkie i lekkie jak plastikowe latawce, nawet poryw wiatru mógł unieść je między drzewa. A przynajmniej jeśli Krimowie obudzą się i znajdą swoje deski w lesie, może uwierzą, że tak właśnie się stało.

Tally podczołgała się do najbliższej i zaczęła przesuwać kamienie. Wstała powoli i zawlokła deskę w cień. Po paru minutach pracy zaklinowała ją bezpiecznie pomiędzy dwoma pniami w sposób, który – miała nadzieję – wyglądał losowo, lecz jednocześnie uczyniła to na tyle mocno, by wiatr całkiem jej nie porwał.

Zostało jeszcze siedem.

Praca była morderczo powolna, Tally musiała starannie wyliczać każdy krok pomiędzy uśpionymi ciałami, a każdy przypadkowy dźwięk sprawiał, że serce zaczynało trzepotać jej w piersi. Cały czas nasłuchiwała też przez skórtenę, czy nie zbliża się przypadkiem wóz opiekunów.

W końcu ostatnia z ośmiu desek została starannie zawleczona w cień. Leżały splecione razem niczym parasolki po wichurze, jasne baterie słoneczne ukryte w krzakach.

Przed powrotem do rzeki Tally zatrzymała się na moment, obserwując Zane'a. Uśpiony bardziej przypominał dawnego siebie; we śnie nie nękały go drgawki. Bez myśli widocznych na twarzy wyglądał na inteligentniejszego, niemalże Wyjątkowego. Wyobraziła sobie jego oczy wyostrzone jak u Okrutnych Ślicznych, w myślach nałożyła na rysy koronkową sieć błyskotatuaży. Uśmiechnęła się i odwróciła, ruszając w stronę rzeki. I wtedy usłyszała dźwięk i zamarła.

Było to ciche, nagłe sapnięcie, odgłos zaskoczenia. Czekała bez ruchu w nadziei, iż wywołał go jakiś koszmar i że oddech z powrotem powróci do sennego rytmu. Lecz zmysły mówiły jej, że ktoś się obudził.

W końcu boleśnie powoli odwróciła głowę i obejrzała się przez ramię.

To był Zane.

Oczy miał otwarte, zaspane i zmrużone w blasku słońca. Patrzył wprost na nią, oszołomiony i półprzytomny, niepewny, czy jest prawdziwa.

Tally stała absolutnie bez ruchu, jednak jej strój maskujący nie miał zbyt wielkiego pola do popisu. Mógł na przykład pokazać rozmazaną wersję wody za jej plecami, ale w jasnym świetle dnia Zane nadal będzie widział przejrzystą ludzką postać, przypominającą szklany pomnik ustawiony w połowie drogi pomiędzy nim a rzeką. Co gorsza, część stroju wciąż oblepiało zaschnięte błoto, brązowe bryłki na czarnym tle.

Zane przetarł oczy i rozejrzał się po pustym brzegu, dostrzegając zniknięcie desek. Potem znów na nią spojrzał; jego twarz nadal miała niepewny, pytający wyraz.

Tally pozostała bez ruchu z nadzieją, iż Zane uzna, że to tylko dziwny sen.

– Hej – powiedział cicho.

Jego głos był nieco chrapliwy, odchrząknął, by móc mówić głośniej.

Tally nie dała mu na to czasu. Zrobiła trzy szybkie kroki w błocie, zdarła rękawiczkę i wypuściła igłę z obrączki.

W chwili gdy igła wbijała mu się w gardło, Zane zdołał wydać z siebie cichy, zdumiony krzyk. Potem jednak przewrócił oczami i opadł na ziemię pogrążony w głębokim śnie. Zaczął cicho pochrapywać.

– To tylko sen – wyszeptała mu do ucha Tally.

Następnie położyła się na brzuchu i wśliznęła się do rzeki.

Pół godziny później nad obozem przeleciał lotowóz opiekunów, kołysząc się z boku na bok niczym leniwy wąż. Nie zauważył Krimów, ani na moment nie zatrzymując się na niebie.

***

Tally trzymała się blisko obozu, ukryta na drzewie dziesięć metrów od Zane'a. Jej strój najeżył się, imitując sosnowe szpilki.

Popołudnie upływało i Krimowie zaczynali się budzić. Nikt nie przejmował się zbytnio porwanymi przez wiatr deskami, po prostu zaciągnęli je z powrotem na słońce i zajęli się zwijaniem obozu.

Tally patrzyła, jak uciekinierzy odchodzą między drzewa, by się załatwić, gotują sobie obiad i kąpią się szybko w zimnej rzece, próbując zmyć z siebie błoto i pot podróżny, a także zwykły brud.

Zane pozostał nieprzytomny dłużej niż cała reszta: narkotyki powoli opuszczały organizm. Obudził się dopiero o zachodzie słońca, gdy Peris pochylił się w końcu nad nim i potrząsnął mocno.

Zane usiadł powoli, trzymając oburącz głowę. Idealny obrazek ślicznego, nękanego ciężkim kacem. Tally zastanawiała się, co pamięta. Jak dotąd Peris i pozostali uważali, że to wiatr przesunął deski. Wysłuchawszy opisu snu Zane'a, mogliby zmienić zdanie.

Peris i Zane jakiś czas siedzieli razem. Tally prześliznęła się powoli wokół drzewa, w miejsce, z którego mogła niemal czytać z ruchu ich warg. Peris najwyraźniej pytał, czy Zane dobrze się czuje. Nowi śliczni bardzo rzadko chorowali – operacja obdarzała ich zdrowiem i odpornością na zwykłe infekcje – lecz biorąc pod uwagę jego stan...

Zane pokręcił głową i wskazał gestem brzeg rzeki, na którym deski chłonęły ostatnie promienie słońca. Peris wskazał miejsce, w którym Tally je ułożyła. Obaj podeszli do niego, niepokojąco zbliżając się do jej kryjówki. Twarz Zane'a zdradzała wątpliwości. Wiedział, że co najmniej jedna część snu – zaginione deski – jest prawdziwa.

Po kilku długich, pełnych napięcia minutach Peris powrócił do pakowania rzeczy. Zane pozostał w miejscu, powoli wodząc wzrokiem po horyzoncie. Nawet niewidzialna w stroju maskującym Tally wzdrygnęła się, gdy omiótł spojrzeniem pień jej drzewa.

Nie miał pewności, lecz podejrzewał, że to, co widział, było czymś więcej niż snem.

Od tej pory Tally będzie musiała zachowywać najwyższą ostrożność.

NIEWIDZIALNA

Przez następnych kilka dni obserwacja Krimów nabrała stałego, miarowego rytmu.

Uciekinierzy każdej nocy kładli się później, ich losowe ciała powoli przywykały do podróżowania w ciemności i sypiania za dnia. Wkrótce potrafili już lecieć całą noc i rozbijali obóz dopiero, gdy na horyzoncie pojawiały się pierwsze łuny poranka.

Pozycjomierz Andrew prowadził ich na południe. Podążali za rzeką do oceanu, po czym przeskoczyli nad rdzewiejące szyny starej szybkiej kolei. Tally zauważyła, że ktoś przystosował tory do bezpiecznego latania, uzupełniając przerwy w polu magnetycznym. W miejscach zerwania linii zakopane w ziemi przewody ratowały Krimów przed katastrofą. Ani na chwilę nie musieli schodzić z desek.

Zastanawiała się, ilu jeszcze uciekinierów korzystało z tej trasy i w ilu miastach David i jego sojusznicy przeprowadzają rekrutację.

Nowy Dym leżał zdecydowanie dalej, niż przypuszczała. Rodzice Davida pochodzili pierwotnie z miasta Tally, a on sam zawsze ukrywał się w odległości najwyżej kilku dni od domu. Jednak pozycjomierz Andrew poprowadził Krimów przez połowę południowego kontynentu, gdzie dni stawały się wyraźnie dłuższe, a noce coraz cieplejsze.

W końcu wybrzeże zaczęło unosić się w serii wysokich klifów, fale rozbijały się w dole z głuchym rykiem, a wysoka trawa zarastała starożytne tory. W oddali w słońcu lśniły wielkie pola białego zielska. Były to orchidee stworzone przez naukowca Rdzawców. Rosły wszędzie, wysysając z ziemi wszelkie substancje odżywcze i niszcząc na swej drodze całe lasy. Lecz coś w oceanie, może unoszące się nad nim słone powietrze, nie dopuszczało ich do samego brzegu.

Krimowie najwyraźniej także przywykli do stałego rytmu podróży. Latali coraz lepiej, lecz śledzenie ich nadal pozostawało łatwizną. Ciągłe ćwiczenia nie zaszkodziły koordynacji Zane'a, ale w porównaniu z innymi wciąż niezbyt pewnie trzymał się na desce.

Shay oddalała się od nich z każdą godziną. Tally zastanawiała się, czy dołączyła do niej reszta Nacinaczy. A może po prostu z ostrożności podróżuje sama, czekając z wezwaniem posiłków do chwili, aż znajdzie Nowy Dym?

Każdego dnia, kiedy Krimowie nadal nie docierali do celu, rosło prawdopodobieństwo, że Wyjątkowe Okoliczności już tam są i że cała ich podróż to jedynie okrutny żart, tak jak powiedziała Shay.

Samotne podróżowanie stwarzało warunki do rozmyślań i przez większość czasu Tally zastanawiała się, czy naprawdę jest samolubnym potworem, którego opisała Shay. Nie zabrzmiało to sprawiedliwie. Kiedy w ogóle miała szansę zachować się samolubnie? Odkąd doktor Cable ją wybrała, inni ludzie podejmowali za nią większość decyzji. Ktoś zawsze zmuszał ją do dołączenia do którejś ze stron konfliktu między Dymiarzami a miastem. Jak dotąd jej jedyne samodzielne decyzje to pozostanie brzydką w Starym Dymie (co kompletnie nic nie dało), ucieczka z Miasta Nowych Ślicznych z Zane'em (jak wyżej) i rozdzielenie się z Shay, by chronić Zane'a (jak dotąd nie wyglądało to najlepiej). Wszystko inne działo się z powodu gróźb, przypadków, skaz w mózgu i operacji zmieniającej jej umysł.

Trudno to nazwać jej winą.

A jednak ona i Shay zawsze w końcu lądowały po przeciwnych stronach. Przypadek? A może coś w nich dwóch sprawiało, że było im przeznaczone z przyjaciółek stawać się wrogami. Może były jak dwa gatunki zwierząt – jak jastrzębie i króliki – i nigdy nie będą mogły współpracować.

„Która z nich zatem to jastrząb?" – zastanawiała się Tally.

Tu, w głuszy, samotna, czuła, jak znów się zmienia. W jakiś sposób dzika przyroda sprawiała, że Tally czuła się mniej Wyjątkowa. Nadal dostrzegała mroźne piękno świata, lecz czegoś w nim brakowało: otaczających ją głosów pozostałych Nacinaczy, bliskości ich oddechów w sieci skórten. Zaczęła zdawać sobie sprawę, iż Wyjątkowość to nie tylko siła i szybkość, ale też bycie częścią grupy, ekipy. W obozie Tally czuła się złączona z pozostałymi – cały czas pamiętała o ich sile i przywilejach, o obrazach i zapachach wyczuwanych wyłącznie ich nadludzkimi zmysłami.

Wśród Nacinaczy Tally zawsze czuła się Wyjątkowa. Teraz jednak, gdy samotnie wędrowała w głuszy, doskonały wzrok sprawiał jedynie, iż sama sobie wydawała się maleńka. Natura w swej cudownej złożoności zdawała się wystarczająco wielka, by pochłonąć ją całą.

Odległa grupka uciekinierów nie reagowała szokiem ani zgrozą na jej wilcze rysy i ostre jak brzytwa paznokcie. Jak mogli, skoro w ogóle jej nie widywali? Była niewidzialną banitką, samotnym wyrzutkiem.

Niemal z ulgą przyjęła dzień, gdy Krimowie popełnili swój drugi błąd.

***

Zatrzymali się, by rozbić obóz na wysokim, skalnym przylądku osłoniętym przed wiatrem znad oceanu. Zielska rosły niedaleko, połyskując jasno w promieniach wschodzącego słońca. Porośnięte nimi wzgórza były białe jak wydmy.

Krimowie rozłożyli deski i obciążyli je, całkiem sprawnie rozpalili ogień i zjedli posiłek. Tally patrzyła, jak bardzo szybko zasypiają wyczerpani po długim dniu lotu.

Tak daleko od miasta nie musiała się już przejmować tym, że ktoś zauważy deski. Jej skórtena od wielu dni nie odebrała sygnałów opiekunów. Lecz szykując się do długiego dnia oczekiwania, Tally zauważyła, że jedna z desek – ta należąca do Zane'a – łopocze lekko na ziemi w powiewach wiatru.

Deska zatrzepotała, a jeden z obciążających ją kamieni sturlał się na bok.

Tally westchnęła – po tygodniu na szlaku uciekinierzy nadal nie nauczyli się robić pewnych rzeczy jak należy – lecz wewnątrz poczuła nagły zapał. Teraz przynajmniej będzie mogła coś zrobić. Może dzięki temu poczuje się odrobinę ważniejsza. Przez tych kilka chwil nie będzie całkiem sama, usłyszy oddechy śpiących Krimów i przyjrzy się bliżej Zane'owi. Widok chłopaka leżącego w uśpieniu bez ruchu i bez drgawek zawsze przypominał Tally o tym, dlaczego podjęła taką, a nie inną decyzję.

Podczołgała się w stronę obozu, strój maskujący przybrał barwę ziemi. Za jej plecami wschodziło słońce, wiedziała jednak, że tym razem pójdzie jej znacznie łatwiej niż wtedy na brzegu rzeki, kiedy musiała zająć się wszystkimi ośmioma deskami. Deska Zane'a wciąż trzepotała, kolejny narożnik uwolnił się spod kamienia. Szczęśliwie jeszcze nie uniosła się w powietrze. Może napęd magnetyczny wyczuł coś w pobliżu, jakieś podziemne złoże żelaza, i trzymał się swego miejsca.

Gdy Tally dotarła do deski, ta trzepotała niczym zraniony ptak. Wietrzyk niósł ze sobą zapach wodorostów i soli. Dziwne, lecz ktoś zostawił obok deski starą, oprawną w skórę książkę, której przewracane przez wiatr strony szeleściły głośno.

Tally zmrużyła oczy. To wyglądało zupełnie jak książka, którą czytał Zane w dniu, kiedy spotkali się po raz pierwszy od jego wyjścia ze szpitala.

Kolejny narożnik deski wysunął się spod kamienia. Tally uniosła rękę, by ją złapać, nim zadziała wiatr.

Deska jednak nie odfrunęła.

Coś tu było nie tak...

Wtedy Tally przekonała się, czemu deska się nie rusza. Czwarty narożnik przywiązano do palika zabezpieczonego przed wiatrem, jakby ktoś, kto ją tu umieścił, wiedział, że kamienie nie wytrzymają.

Nagle usłyszała coś oprócz szelestu stronic książki – durnej, hałaśliwej książki, którą bez wątpienia zostawiono tu po to, żeby zagłuszała inne dźwięki. Jeden z Krimów oddychał mniej miarowo niż pozostali... Ktoś nie spał.

Odwróciła się i zobaczyła Zane'a. Obserwował ją.

Tally jednym ruchem zerwała się na nogi, zdarła rękawiczkę i przygotowała igłę. Lecz Zane uniósł dłoń. Trzymał w niej garść metalowych palików i zapalarek. Nawet gdyby Tally udało się przebiec pięć metrów i go ukłuć, metal posypałby się na ziemię, budząc pozostałych.

Dlaczego po prostu nie krzyknął? Spięła się, czekając, by wszczął alarm. Zamiast tego powoli uniósł palec do ust.

Jego przebiegła mina mówiła jasno: „Nie powiem nikomu, jeśli i ty nie powiesz".

Tally przełknęła ślinę, przyglądając się w ciemności pozostałym Krimom. Żaden z nich nie obserwował ich spod zmrużonych powiek. Wszyscy głęboko spali. Zane chciał porozmawiać z nią sam.

Skinęła głową, serce biło jej bardzo szybko.

*
**

We dwójkę wykradli się z obozu za skałę, w miejsce, w którym szum wiatru i huk fal zagłuszą ich słowa. Teraz, gdy Zane się poruszał, dygotanie i drgawki powróciły. Kiedy usiadł obok niej na skąpej trawie, Tally nie patrzyła mu w twarz. I tak czuła już wzbierającą wewnątrz odrazę.

– Pozostali o mnie wiedzą?

– Nie, sam nie byłem pewien. Myślałem, że sobie wyobraziłem. – Dotknął jej ramienia. – Cieszę się, że jest inaczej.

– Nie mogę uwierzyć, że dałam się nabrać na tę durną sztuczkę.

Zachichotał.

– Wybacz, że wykorzystałem twoją naturalną dobroć.

– Moją co?

Kątem oka Tally dostrzegła, że Zane się uśmiecha.

– Chroniłaś nas przecież od pierwszego dnia, prawda? Schowałaś nasze deski.

– Tak, opiekun o mało was nie wypatrzył. Pustogłowi.

– Tak też przypuszczałem. Dlatego pomyślałem, że znów pomożesz. Nasza osobista strażniczka.

Tally przełknęła ślinę.

– Tak, super. Miło, gdy człowieka doceniają.

– Czyli jesteś tu sama?

– Tak, zupełnie sama.

Owszem, teraz było to prawdą.

– I nie powinno cię tu być, prawda?

– Pytasz, czy złamałam rozkazy? Obawiam się, że tak.

Zane przytaknął.

– Wiedziałem, że kiedy wypuściłyście mnie z Shay, miałyście w zanadrzu jakiś plan. Nie sądziłyście przecież, że użyję lokalizatora – wziął ją za rękę, jasne palce odcinały się od matowej szarości stroju maskującego. – Ale w jaki sposób nas śledzisz, Tally? To nie coś wewnątrz mnie, prawda?

– Nie, Zane. Jesteś czysty. Po prostu trzymam się blisko, obserwuję was nieustannie. Ósemka dzieciaków z miasta w głuszy raczej się wyróżnia. – Wzruszyła ramionami, wciąż zapatrzona w załamujące się fale. – I czuję też wasz zapach.

– Och. – Roześmiał się. – Mam nadzieję, że nie jest zbyt okropny.

Pokręciła głową.

– Byłam już wcześniej w głuszy, Zane, i gorzej śmierdziałam. Ale dlaczego nie... – zwróciła się ku niemu, lecz spuściła wzrok, koncentrując się na suwaku jego kurtki. – Przygotowałeś na mnie zasadzkę, ale czemu nie wspomniałeś o tym innym Krimom?

– Nie chciałem wywoływać paniki. – Zane wzruszył ramionami. – Gdyby śledził nas cały oddział Wyjątkowych, niewiele byśmy zdziałali. Nie chciałem też, by wiedzieli, na wypadek gdybyś była tu sama. Nie zrozumieliby.

– Nie zrozumieli czego? – spytała miękko Tally.

– Że ta cała podróż to nie pułapka – podjął. – Że ty tylko nas chronisz.

Przełknęła ślinę. Oczywiście, pierwotnie to była pułapka. Ale teraz? Żałosny dowcip? Bezsensowna strata czasu? Shay, doktor Cable i reszta Wyjątkowych Okoliczności prawdopodobnie czekają już na nich w Dymie.

Zane uścisnął jej ramię.

– Znów cię zmienia, prawda?

– Co?

– Głusza. Zawsze to powtarzałaś – że to pierwsza podróż do Dymu zrobiła z ciebie osobę, którą jesteś.

Tally odwróciła wzrok, patrząc w milczeniu w ocean, czując w ustach smak soli. Zane w istocie miał rację – głusza znowu ją zmieniała. Za każdym razem, kiedy przeprawiała się przez nią, zaczynała dostrzegać kłamstwa wpojone jej w mieście. Jednak tym razem jej odkrycia niespecjalnie ją uszczęśliwiły.

– Sama do końca nie wiem, czym jestem, Zane. Czasami myślę, że niczym, tylko tym, co zrobili ze mną inni ludzie – efektem prania mózgu, operacji i leków – zerknęła na blizny na dłoni, tatuaże migające nierówno na skórze. – A także wszystkich błędów, które popełniłam. Wszystkich zawodów, które ludziom sprawiłam.

Zane przesunął drżącym palcem wzdłuż blizny. Tally zacisnęła dłoń i odwróciła wzrok.

– Gdyby naprawdę tak było, Tally, nie znalazłabyś się tutaj. Nie złamałabyś rozkazów.

– No cóż, łamanie rozkazów przychodzi mi z łatwością.

– Spójrz na mnie, Tally.

– Zane, nie jestem pewna, czy to dobry pomysł. – Przełknęła ślinę. – Bo widzisz...

– Wiem, tamtego wieczoru widziałem twoją twarz; zauważyłem, że na mnie nie patrzyłaś. To całkiem sensowne, że doktor Cable wykombinowała coś podobnego. Wyjątkowi uważają, że wszyscy inni nie są ich godni. Tak?

Tally wzruszyła ramionami, nie chcąc tłumaczyć, że z Zane'em wygląda to gorzej niż z kimkolwiek innym. Częściowo z powodu tego, co wcześniej do niego czuła, kontrastu pomiędzy „przedtem" a „teraz". A częściowo... z powodu czegoś innego.

– Spróbuj, Tally – poprosił.

Odwróciła głowę. Przez moment niemal pożałowała, że jest Wyjątkowa, że jej oczy są tak doskonałe, iż wychwytują każdy szczegół jego kalectwa. Że jej mózg został zwrócony przeciw wszystkiemu, co losowe, przeciętne i kalekie.

– Nie mogę, Zane.

– Owszem, możesz.

– Tak? Kiedy to stałeś się specjalistą od Wyjątkowych?

– Nigdy. Ale pamiętasz Davida?

– Davida? – Spojrzała gniewnie w morze. – A czemu?

– Nie powiedział ci kiedyś, że jesteś piękna?

Przeszedł ją dreszcz.

– Tak, jeszcze w czasach, gdy byłam brzydka. Ale skąd ty... – Wtedy Tally przypomniała sobie ich ostatnią ucieczkę i to, że Zane dotarł do Rdzawych Ruin tydzień przed nią. Nim w końcu się tam zjawiła, mieli z Davidem dość czasu, by się poznać. – On ci o tym powiedział?

Zane wzruszył ramionami.

– Widział, jaki jestem śliczny, i pewnie miał nadzieję, że wciąż dostrzeżesz w nim to co wówczas w Starym Dymie.

Tally zadrżała. Dawne wspomnienia nagle powróciły: owa noc dwie operacje temu, gdy David spojrzał w jej brzydką twarz – wąskie wargi, kręcone włosy, płaski nos – i powiedział, że jest piękna. Próbowała mu wyjaśnić, że to nieprawda, że biologia nie pozwala, by była to prawda...

Mimo to on wciąż nazywał ją piękną, choć wówczas była brzydka.

Właśnie w tamtej chwili cały świat Tally zaczął się walić. To wtedy po raz pierwszy przeszła na drugą stronę.

Poczuła niespodziewane ukłucie żalu na myśl o biednym Davidzie o losowej twarzy. Wychowany w Dymie nie przeszedł operacji, w tamtych czasach nigdy nawet nie widział ślicznych z miasta. Oczywiście zatem mógł sądzić, że brzydka Tally Youngblood jest całkiem ładna.

Jednak po zamianie w śliczną Tally poddała się doktor Cable tylko po to, by zostać z Zane'em, i odtrąciła Davida.

– Nie dlatego ciebie wybrałam, Zane, nie z powodu twojej twarzy. Sprawiło to to, co zrobiliśmy razem, ty i ja, to, jak się uwolniliśmy. Wiesz o tym, prawda?

– Oczywiście. Co zatem jest z tobą nie tak?

– Co masz na myśli?

– Posłuchaj, Tally, kiedy David ujrzał, jaka jesteś piękna, rzucił wyzwanie pięciu milionom lat ewolucji. Zobaczył coś więcej niż niedoskonałą skórę, asymetrię i wszystko inne, przeciw czemu buntują się nasze geny. – Zane wyciągnął rękę.

– A ty nie możesz teraz na mnie spojrzeć tylko dlatego, że trochę się trzęsę?

Wbiła wzrok w jego obrzydliwie drżące palce.

– To coś gorszego niż bycie pustogłowym, Zane. Pustogłowi są po prostu głupi, ale Wyjątkowi potrafią, nie zważając na nic, zdążać do celu. Ale przynajmniej próbuję naprawić sytuację. Jak myślisz, czemu idę za wami?

– Chcesz mnie zabrać z powrotem do miasta, prawda?

Jęknęła.

– A jaka jest alternatywa? Pozwolić, by Maddy wypróbowała na tobie kolejne kiepskie lekarstwo?

– Alternatywa kryje się wewnątrz ciebie, Tally. Tu nie chodzi o uszkodzenie mojego mózgu, lecz twojego. – Przysunął się bliżej i Tally zamknęła oczy. – Już raz się uwolniłaś, pokonałaś skazy ślicznych. Z początku wystarczył tylko pocałunek.

Czuła ciepło bijące z jego ciała, zapach dymu na jego skórze. Odwróciła głowę, nadal zaciskając powieki.

– Ale bycie Wyjątkowym to coś zupełnie innego. To nie tylko kwestia niewielkiego fragmentu mózgu, lecz moje całe ciało. To, jak postrzegam świat.

– Jasne, jesteś tak Wyjątkowa, że nikt nie może cię dotknąć.

– Zane...

– Jesteś tak Wyjątkowa, że musisz się kaleczyć, by cokolwiek poczuć.

Pokręciła głową.

– Już tego nie robię.

– A zatem możesz się zmienić.

– Ale to nie znaczy... – Otworzyła oczy.

Twarz Zane'a dzieliły od niej zaledwie centymetry. Patrzył na nią z napięciem. W jakiś sposób głusza i jego odmieniła – jego oczy nie wydawały się już wodniste i przeciętne. Patrzył niemal mroźnie.

Niemal jak Wyjątkowy.

Pochyliła się bliżej... i ich wargi zetknęły się, ciepłe w cieniu skały. Ryk fal wypełnił jej uszy, zagłuszając nerwowe bicie serca.

Przysunęła się bliżej, wciskając dłonie pod jego ubranie. Chciała się uwolnić ze stroju maskującego, nie być już sama, niewidzialna. Oplotła go ramionami i objęła mocniej; usłyszała, jak zachłysnął się lekko, czując ucisk śmiercionośnych dłoni. Jej zmysły wychwytywały wszystko: miękkie pulsowanie serca w gardle, smak w jego ustach, zapach niemytego ciała i soli na skórze.

Potem jednak musnął palcami jej policzek i Tally poczuła, jak drżą.

„Nie" – jęknęła w duchu.

Drżenie było leciutkie, niemal niewyczuwalne, słabe jak echa deszczu padającego kilometr dalej. Ale czuła je wszędzie: na skórze jego twarzy, w mięśniach obejmujących ją rąk, w wargach całujących jej usta – jego całe ciało dygotało jak maluch na mrozie. I nagle Tally wejrzała w głąb niego i zobaczyła uszkodzony układ nerwowy, przerwane połączenia pomiędzy ciałem a mózgiem.

Próbowała wymazać ten obraz z umysłu, on jednak stawał się coraz wyraźniejszy. Zaprojektowano ją do wykrywania słabości, wykorzystywania niedoskonałości losowców. Nie ich ignorowania.

Tally próbowała się cofnąć, lecz Zane objął ją mocniej, jakby sądził, że zdoła ją zatrzymać. Przerwała pocałunek i otworzyła oczy, patrząc gniewnie na ściskające ją blade palce. Nagle w jej wnętrzu wezbrała gwałtowna, niepowstrzymana fala gniewu.

– Tally, zaczekaj – rzekł Zane. – Możemy...

Ale jej nie puścił. Przepełniła ją furia i obrzydzenie i Tally nakazała swemu strojowi maskującemu wypuścić z powierzchni ostre jak brzytwa kolce. Zane krzyknął i odskoczył z krwawiącymi rękami.

Przeturlała się na bok, zerwała na równe nogi i puściła biegiem naprzód. Pocałowała go, pozwoliła mu się dotknąć – komuś niewyjątkowemu, ledwie przeciętnemu. Kalece...

W jej gardle wezbrała żółć, jakby wspomnienie pocałunku próbowało wyrwać się z ciała. Tally potknęła się i upadła na kolano. Żołądek ściskał się jej gwałtownie, świat wokół wirował.

– Tally! – Zane ruszył za nią.

– Nie! – Uniosła rękę, nie ważąc się na niego spojrzeć.

Wciągała w płuca zimne czyste morskie powietrze i atak mdłości zaczął mijać. Gdyby jednak się zbliżył...

– Dobrze się czujesz?

– A wyglądam, jakbym dobrze się czuła? – Zalała ją fala wstydu. Co ona zrobiła? – Po prostu nie mogę, Zane.

Podniosła się i pobiegła w stronę oceanu, byle dalej od niego. Przylądek kończył się kredowym urwiskiem, lecz Tally nie zwolniła.

Skoczyła, ledwie mijając skały w dole, uderzyła o wodę z pluśnięciem i zapadła się w lodowate objęcia morza. Wzburzone fale uniosły ją i o mało nie rzuciły na skalisty brzeg. Tally kilkoma mocnymi uderzeniami rąk zanurzyła się głębiej, aż w końcu jej palce musnęły ciemne, piaszczyste dno. Wezbrana woda zaczęła opadać, Tally poczuła cofający się prąd. Pociągnął ją dalej, przepełniając uszy rykiem, zagłuszając myśli.

Wstrzymywała oddech, dając się porwać oceanowi.

***

Minutę później wypłynęła, głośno chwytając powietrze. Była pół kilometra dalej, a prąd unosił ją w głąb morza.

Zane stał nad przepaścią, rozglądając się w poszukiwaniu Tally. Krwawiące ręce owinął kurtką. Po tym, co zrobiła, nie mogła stawić mu czoła, nie chciała nawet, by ją widział. Pragnęła zniknąć.

Naciągnęła kaptur i pozwoliła, by kombinezon przybrał barwę falującej, srebrzystej wody. Prąd unosił ją coraz dalej.

W końcu, gdy Zane wrócił do obozu, Tally popłynęła do brzegu.

SZCZĄTKI

Po tym wydarzeniu podróż zdawała się trwać wiecznie.

Bywały dni, gdy Tally podejrzewała, że pozycjomierz to jedynie dowcip Dymiarzy mający na zawsze wodzić ich po głuszy: kalekiego Zane'a, z trudem znoszącego kolejne długie noce podróży, i psychopatkę Tally, zamkniętą samotnie w stroju maskującym, niewidzialną, obcą. Każde z nich tkwiło w swoim piekle.

Zastanawiała się, co teraz myśli o niej Zane. Po tym, co się stało, musiał pojąć, jaka naprawdę jest słaba: straszliwa maszyna bojowa doktor Cable dała się zniszczyć jednemu pocałunkowi, osłabić jednej zwykłej drżącej ręce.

Na to wspomnienie Tally miała ochotę się zranić, kroić własne ciało, aż w końcu stanie się czymś innym wewnątrz. Czymś mniej Wyjątkowym, bardziej ludzkim. Nie zamierzała jednak wracać do nacinania, nie po tym, jak oznajmiła Zane'owi, że z tym skończyła. To byłoby jak złamanie złożonej obietnicy.

Zastanawiała się, czy powiedział o niej pozostałym Krimom. Czy coś zaplanowali – zasadzkę mającą schwytać Talły i przekazać ją Dymiarzom? A może spróbują uciec i zostawić ją tutaj, na zawsze samotną w głuszy?

Wyobraziła sobie, że znów zakrada się do obozu, gdy inni śpią, i mówi Zane'owi, jak jej źle z tym, co zrobiła. Ale nie mogła znieść myśli o spotkaniu. Tym razem posunęła się za daleko, o mało nie zwymiotowała mu w twarz, nie mówiąc już o tym, że pokaleczyła ręce.

Shay już z niej zrezygnowała. A co, jeśli Zane także uznał, że ma dosyć Tally Youngblood?

⁂

Pod koniec drugiego tygodnia Krimowie dotarli do miejsca na urwisku wznoszącym się wysoko nad morzem.

Tally spojrzała w gwiazdy. Do świtu zostało jeszcze sporo czasu, a tory kolejowe nadal ciągnęły się przed nimi. Lecz uciekinierzy zeskoczyli z desek i zebrali się wokół Zane'a, patrząc na coś w jego ręce.

Pozycjomierz.

Tally czekała, unosząc się tuż pod krawędzią skały; wirniki utrzymywały ją nad wzburzonym morzem. Po paru długich minutach ujrzała dym ogniska. Najwyraźniej Krimowie nigdzie się już nie wybierali. Poszybowała bliżej i wciągnęła się na skały.

Pełznąc w wysokiej trawie, zbliżyła się do obozu. Dostrzegła rozbłyski w podczerwieni: to Krimowie przygotowywali posiłek.

W końcu dotarła do miejsca, gdzie wiatr unosił zapachy miejskiego jedzenia.

– Co zrobimy, jeśli nikt nie przyjdzie? – pytała właśnie jedna z dziewczyn.

– Przyjdą – odparł głos Zane'a.

– Ale kiedy?

– Nie wiem. I tak nic innego nie możemy zrobić.

Dziewczyna zaczęła mówić o zapasach wody i o tym, że od dwóch dni nie widzieli rzeki.

Tally z ulgą opadła w trawę – pozycjomierz kazał im się tu zatrzymać. Oczywiście to nie był Nowy Dym, ale być może koszmarna podróż wreszcie dobiegła końca.

Rozejrzała się, węsząc w powietrzu, zastanawiając się, co jest tak wyjątkowego w tym miejscu. Wśród woni samogrzejących się posiłków Tally wyczuła coś, od czego przebiegł ją dreszcz... Coś gnijącego.

Zaczęła pełznąć ku źródłu zapachu w wysokiej trawie, wbijając wzrok w ziemię. Smród stawał się coraz silniejszy, aż w końcu niemal zwymiotowała. Sto metrów od obozowiska znalazła jego źródło: stos martwych ryb, głów, ogonów i oczyszczonych ości, wśród których pełzały robaki i muchy.

Tally przełknęła ślinę, nakazując sobie pozostać mroźną, i zaczęła przeszukiwać teren wokół stosu. Na małej polanie odkryła resztki starego ogniska, zwęglone drewno było zimne, wiatr porwał popiół. Ktoś tu obozował. Nawet więcej niż ktoś, wiele osób.

Martwe ognisko kryło się w głębokim dole zabezpieczonym przed nadmorskim wiatrem i zbudowanym tak, by jak najlepiej rozpraszać ciepło. Jak wszyscy miejscy śliczni Krimowie, rozpalając ogień, dbali zawsze o światło, nie o ciepło, szafując zebranym drewnem. Lecz to ognisko rozpaliły fachowe ręce.

Tally dostrzegła wśród popiołów coś białego. Sięgnęła i wyciągnęła to ostrożnie.

To była kość, długa jak jej dłoń. Tally nie potrafiła określić, do jakiego gatunku należała, dostrzegła jednak na powierzchni niewielkie zagłębienia w miejscach, gdzie ludzkie zęby wbiły się w szpik. Nie potrafiła sobie wyobrazić miejskich dzieciaków jedzących mięso po zaledwie paru tygodniach w głuszy. Nawet Dymiarze rzadko polowali – hodowali króliki i kury, nic na tyle dużego, by mogła z niego pochodzić znaleziona kość. Poza tym zęby pozostawiły nierówne ślady: ten, do kogo należały, nie bywał u dentysty. Zatem ognisko rozpalił zapewne jeden z ludzi Andrew.

Wstrząsnął nią dreszcz. Wieśniacy, których spotkała, uważali przybyszów z zewnątrz za wrogów i polowali na nich jak na zwierzęta. A śliczni nie byli już dla nich bogami. Tally zastanawiała się, co czuli wieśniacy, odkrywszy, że całe swe życie przeżyli wewnątrz eksperymentu i że ich piękni bogowie to jedynie zwykli ludzie.

Zastanawiała się, czy jakiś rekrut Dymiarzy nie zapragnął zemścić się na miejskich ślicznych.

Pokręciła głową. Dymiarze ufali Andrew tak bardzo, że powierzyli mu zadanie kierowania tu uciekinierów. Z pewnością inni rekruci także nie byli obłąkanymi mordercami.

Co jednak, jeśli inni wieśniacy także nauczyli się uciekać od swych „małych ludzi”?

Zbliżał się świt, lecz Tally nie spała, zrezygnowała nawet ze zwyczajowej drzemki. Obserwowała niebo, jak zawsze wypatrując śladów lotowozów. Miała też oko na ścieżkę od strony lądu, podkręcając podczerwień na najwyższą moc. Nieprzyjemny ucisk w żołądku na widok stosu zepsutych ryb do końca nie zniknął.

Przybyli trzy godziny po wschodzie słońca.

NOWI PRZYBYSZE

W podczerwieni ujrzała czternaście postaci ukrytych wśród wysokich traw, powoli wspinających się na łagodne wzgórza.

Tally uruchomiła strój maskujący i poczuła, jak łuski falują niczym sierść u spłoszonego kota, naśladując trawę. Jedyna postać, którą widziała wyraźnie, należała do kobiety na czele grupy. Niewątpliwie pochodziła z wioski: odziana w skóry, w dłoni trzymała włócznię.

Tally przypadła do ziemi. Przypomniała sobie pierwsze spotkanie z wieśniakami. Zaatakowali ją w środku nocy, gotowi zabić za zbrodnię bycia obcą. O tej porze Krimowie z pewnością już twardo spali. Jeśli dojdzie do aktów przemocy, to nagłych. Tally nie będzie miała wiele czasu, by ich wszystkich ocalić. Może powinna obudzić Zane'a i uprzedzić o nadchodzącym niebezpieczeństwie...

Jednak myśl o tym, jak mógłby na nią spojrzeć, i jej własnym obrzydzeniu odbitym w jego oczach, odrzuciła ją.

Odetchnęła głęboko, nakazując sobie pozostać mroźną. Długie noce wędrówki – w samotności, gdy niewidzialna próbowała chronić kogoś, kto prawdopodobnie nie życzył sobie jej obecności – sprawiły, że zaczęła popadać w paranoję. Póki nie przyjrzy się dokładniej, nie może zakładać, iż nadchodząca grupa stanowi zagrożenie. Zaczęła pełznąć na czworakach, poruszając się szybko w wysokiej trawie i omijając szerokim łukiem stos zepsutych ryb.

Znalazłszy się nieco bliżej, Tally usłyszała wyraźny głos dźwięczący nad polami, nucący obcą melodię, w której rozbrzmiewały na pozór losowe sylaby języka wieśniaków. Piosenka nie brzmiała zbyt wojowniczo, raczej radośnie, jak coś, co śpiewamy, gdy nasza drużyna piłkarska wygra mecz.

Oczywiście dla tych ludzi przemoc była czymś takim samym jak mecz.

Gdy się zbliżyli, Tally uniosła głowę... I odetchnęła z ulgą. Tylko dwie osoby z grupy miały na sobie skóry, resztę stanowili miejscy śliczni – obdarci i zmęczeni, lecz z całą pewnością nie dzicy. Wszyscy dźwigali na ramionach bukłaki z wodą. Pustogłowi garbili się pod ich ciężarem, wieśniacy nieśli bez trudu. Tally spojrzała w kierunku, z którego przyszli, i dostrzegła błysk wody z zatoczki. Wyprawili się po zapasy.

Przypomniawszy sobie, jak Andrew ją wyczuł, nie zbliżała się do przybyszy. Była jednak na tyle blisko, żeby obejrzeć ich ubrania. Ze strojami miejskich ślicznych było coś nie tak, wydawały się całkowicie niemodne, a może pochodziły sprzed paru lat. Lecz te dzieciaki nie przebywały tu tak długo.

Wtedy Tally usłyszała, jak jeden z chłopaków, pytał, jak daleko do obozu, i dźwięk jego obcego akcentu wywołał w niej dreszcz. Pochodzili z innego miasta, tak dalekiego, że nawet mówili inaczej. Oczywiście: znajdowali się przecież w połowie drogi do równika. Dymiarze daleko ponieśli swój mały bunt.

„Co właściwie tu robili?" – zastanawiała się. Z pewnością ta niewielka skała nie była Nowym Dymem. Tally zaczęła czołgać się za grupą, nadal obserwując ich czujnie, gdy zbliżyli się do uśpionych Krimów.

Nagle zatrzymała się, bo poczuła coś w kościach – coś, co otoczyło ją ze wszystkich stron, jakby pod nią zatrzęsła się ziemia.

Z dala dobiegł dziwny odgłos, niski i rytmiczny, niczym olbrzymie palce bębniące o stół. Co chwila to stawał się głośniejszy, to przygasał.

Pozostali też go słyszeli. Wieśniaczka przewodząca niewielkiej grupce ślicznych krzyknęła, wskazując na południe, jej towarzysze wyczekująco spojrzeli w niebo. Tally już go widziała: leciał ku nim, grzmiąc ponad wzgórzami, jego silniki świeciły jasno w podczerwieni.

Podniosła się i pochylona zaczęła biec w stronę deski. Pulsujący dźwięk narastał. Przypomniała sobie swoją pierwszą wyprawę w głuszę, kiedy dziwny latający pojazd Rdzawców powiózł ją do Dymu. Strażnicy naturaliści z innego miasta używali podobnych starych urządzeń do walki z białym zielskiem.

Jak dokładnie je nazywali?

Dopiero gdy dotarła do deski, Tally przypomniała sobie ich nazwę.

***

„Helikopter" wylądował niedaleko krawędzi urwiska. Dwukrotnie większy od tego, którym Tally poleciała do Dymu, obniżył się z niesamowitą furią towarzyszącego mu wiru powietrza chłoszczącego trawę. Pojazd unosiły w górze dwa wielkie wirujące śmigła, bezlitośnie tnące powietrze, niczym wielkie wirniki. Nawet w kryjówce dźwięk ów wstrząsał Tally aż do jej ceramicznych kości. Deska podskoczyła pod nią niczym spłoszony koń podczas burzy.

Krimowie oczywiście już nie spali, ogłuszający łoskot wyrwał ich ze snu. Ktokolwiek leciał helikopterem, wypatrzył ich z góry i zaczekał z lądowaniem, aż zwiną deski. Nim maszyna usiadła na ziemi, druga grupa zdążyła dotrzeć na skały. Dwa oddziałki uciekinierów przyglądały się sobie czujnie. Tymczasem załoga helikoptera wyskoczyła na zgniecioną trawę.

Tally przypomniała sobie, że strażnicy pochodzili z miasta o innym podejściu do świata niż jej własne. Miasta, którego nie obchodziło istnienie Dymu. Ich główną troską pozostawała ochrona środowiska naturalnego przed stworzonymi sztucznie plagami pozostawionymi przez Rdzawców, a zwłaszcza białym zielskiem. Strażnicy czasami korzystali z pomocy Starego Dymu, a w zamian podrzucali do niego uciekinierów swymi latającymi machinami.

Tally spodobali się, gdy ich spotkała. Byli śliczni, ale podobnie jak strażacy i Wyjątkowi nie mieli skaz pustogłowych. Samodzielne myślenie stanowiło część ich pracy i dysponowali spokojną fachowością Dymiarzy – tyle że twarzy nie mieli brzydkich.

Śmigła helikoptera wciąż się obracały, nawet gdy stał na ziemi. Prąd powietrza szarpał deską Tally i nie pozwalał jej niczego usłyszeć. Lecz ze swego miejsca tuż poniżej krawędzi klifu widziała wyraźnie, iż Zane przedstawia siebie i pozostałych Krimów.

Strażnicy niespecjalnie się nim interesowali. Jeden słuchał, a pozostali sprawdzali starożytną, rozklekotaną maszynę. Dwójka wieśniaków zaś podejrzliwie przyglądała się przybyszom, dopóki Zane nie zademonstrował im pozycjomierza. Na jego widok kobieta wyciągnęła pałeczkę skanującą i zaczęła nią wymachiwać wokół ciała Zane'a. Tally zauważyła, że skupiła się zwłaszcza na jego zębach. Jej towarzysz skanował kolejnego Krima, razem sprawdzili całą ósemkę.

Potem zaczęli wprowadzać uciekinierów, całą dwudziestkę, do helikoptera. Był znacznie większy niż lotowóz opiekunów, lecz taki prymitywny, głośny, stary... Tally zastanawiała się, jakim cudem uniesie ich wszystkich.

Strażnicy jednak się tego nie obawiali: całkowicie skupili się na przyczepianiu desek dzieciaków z miasta do podwozia maszyny, gdzie wisiały posłuszne polu magnetycznemu.

W środku panował straszny tłok. Lot nie mógł być bardzo długi...

Problem w tym, iż Tally nie miała pewności, czy zdoła dotrzymać im kroku. Helikopter, którym kiedyś leciała, poruszał się szybciej i unosił znacznie wyżej niż jakakolwiek deska. Gdyby straciła ich z oczu, w żaden sposób nie zdołałaby dotrzeć za Krimami do Nowego Dymu.

Staroświeckie tropienie miało swoje wady.

Zastanawiała się, co zrobiła Shay, gdy znalazła się w tym miejscu. Tally podkręciła skórtenę, nie wyczuła jednak w pobliżu obecności żadnego Wyjątkowego ani nawet nadajnika z wiadomością.

Jednak pozycjomierz Andrew musiał doprowadzić tu też Shay. Czy przebrała się za brzydką i spróbowała oszukać wieśniaków? A może w jakiś sposób zdołała podążyć za helikopterem?

Tally znów przyjrzała się podwoziu. Pomiędzy dwiema ściśniętymi deskami zostało akurat dość miejsca dla jednego człowieka.

Może Shay poleciała na gapę...

Tally naciągnęła przyczepne rękawiczki, szykując się do działania. Uznała, że zaczeka do startu, puści się w pościg ponad wzgórzami i podleci jak najwyżej w wirze powietrza.

Poczuła, jak jej twarz rozjaśnia uśmiech. Po dwóch tygodniach skradania się za Krimami dobrze będzie stawić czoło prawdziwemu wyzwaniu, które sprawi, że znów poczuje się Wyjątkowa.

A co jeszcze lepsze, Nowy Dym musiał być blisko. Już prawie dotarła do celu.

POŚCIG

Wkrótce wszyscy śliczni siedzieli już w helikopterze, a dwójka wieśniaków cofnęła się, machając im z uśmiechem.

Tally nie czekała. Ruszyła na południe wzdłuż wybrzeża, w kierunku, z którego nadleciał helikopter, trzymając się poniżej krawędzi urwiska, by nikt jej nie zobaczył. Cała sztuka w tym, by odczekać, aż maszyna znajdzie się dość daleko od wieśniaków, i dopiero wtedy zacząć wznoszenie. Po tygodniach w ukryciu nie chciała ryzykować, że wypatrzą ją tak blisko celu.

Wirujące śmigła helikoptera zmieniły ton, skowyt narastał powoli i zamieniał się w ogłuszający łoskot. Tally z trudem zwalczyła pokusę nakazującą się obejrzeć, cały czas obserwowała nierówną i krętą skalną ścianę. Leciała obok, w odległości wyciągniętej ręki, nisko i w ukryciu.

Uszy poinformowały ją, że helikopter za jej plecami wystartował. Przyspieszyła, zastanawiając się, jaką najwyższą prędkość rozwija urządzenie Rdzawców.

Tally nigdy jeszcze nie rozpędziła deski Wyjątkowych Okoliczności do maksimum. W odróżnieniu od desek zaprojektowanych dla losowców te Nacinaczy nie miały żadnych zabezpieczeń chroniących przed głupimi pomysłami. Jeśli się im pozwoliło, wirniki działały aż do przegrzania czy czegoś jeszcze gorszego. Wiedziała ze szkolenia, że nie zawsze psuły się niepostrzeżenie – bywało, że odrywały się od deski w deszczu rozpalonego do białości metalu.

Wywołała obraz z podczerwieni i popatrzyła na wirnik znajdujący się przed lewą stopą. Jaśniał już czerwonym blaskiem żaru ogniska.

Helikopter doganiał ją, słyszała dobiegający z tyłu i z góry coraz głośniejszy huk. Opadła jeszcze niżej, rozbijające się o brzeg fale przepływały pod nią szaleńczo rozmazane. Każdy występ skalny groził oderwaniem głowy.

Zanim helikopter zrównał się z nią, od ziemi dzieliło go już aż sto metrów i nadal się wznosił. Musiała zacząć działać, i to natychmiast.

Tally odchyliła się i wyprysnęła ponad krawędź urwiska, celując w miejsce dokładnie pod helikopterem, gdzie nie da się jej dojrzeć z wypukłych okien. Za jej plecami wieśniacy zmienili się w dwie czarne kropki. Strój maskujący powlókł się błękitem i nawet jeśli wciąż obserwowali, dostrzegą tylko błysk deski.

W miarę jak wznosiła się w stronę grzmiącej maszyny, jej deska zaczynała dygotać. Wir powietrza pod helikopterem zasypywał ją gradem ciosów niewidzialnych pięści. Powietrze pulsowało wokół niczym system nagłaśniający z maksymalnie podkręconymi basami.

Nagle deska umknęła jej spod stóp i Tally zaczęła spadać. Po sekundzie jednak znów wyczuła pod nogami chwytną powierzchnię. Zerknęła w dół, sprawdzając, czy jeden z wirników nie nawalił, lecz oba wciąż się kręciły. A potem deska znów opadła i Tally uświadomiła sobie, że trafia na przypadkowe dziury niskiego ciśnienia w wirze, w których brak powietrza mogącego ją unosić.

Ugięła kolana, wznosząc się wyżej i nie zważając na rozpalone do białości wirniki i kolejne uderzenia otaczającej ją burzy. Nie miała czasu na ostrożność – helikopter wciąż się wznosił, nadal się rozpędzał i wkrótce znajdzie się poza jej zasięgiem.

Nagle wiatr i hałas ucichły – znalazła się w strefie ciszy, jak w oku cyklonu. Zerknęła w górę. Była dokładnie pod brzuchem maszyny, osłonięta przed turbulencjami wywołanymi ruchami śmigieł. Teraz miała szansę podlecieć bliżej.

Wznosiła się, wyciągając nad głowę ręce w chwytnych rękawiczkach. Bransolety ciągnęły ją w górę, wyczuwając metal pojazdu. Jeszcze jeden metr i będzie na miejscu...

Niespodziewanie świat wokół Tally jakby się przechylił, brzuch helikoptera opadł na bok, po czym oddalił się. Maszyna skręcała ostro, zmierzając w głąb lądu, pozbawiając ją osłony masywnego cielska. I nagle Tally znów znalazła się na drodze nawałnicy.

Wiatr rąbnął w nią niczym fala, zbijając ją z nóg i porywając ze sobą deskę. Usłyszała pyknięcie w uszach towarzyszące zmianie ciśnienia i przez jedną przerażającą sekundę widziała tuż obok olbrzymie ostrza śmigieł rozmazane w jedną ścianę metalu. Rozdzierający uszy łoskot wypełnił jej ciało.

Lecz zamiast posiekać Tally na kawałki, wirujące śmigła tylko ją odrzuciły. Kilka razy obróciła się w powietrzu, przed oczami miała roztańczony horyzont. Przez chwilę nawet jej wyjątkowy zmysł równowagi zawiódł i świat zamienił się w chaos.

Po paru sekundach spadania Tally poczuła szarpnięcie przegubów i gestem wezwała deskę. Ta, wyrównawszy lot, pędziła ku niej z największą możliwą szybkością, rozgrzane wirniki świeciły jaśniej niż słońce.

Tally chwyciła deskę i przegrzana powierzchnia oparzyła jej dłonie, nawet przez rękawiczki. Nozdrza zaatakował smród palonego plastiku. Temperatura była tak wysoka, że strój maskujący przełączył się na tryb pancerza, zapewniając jej ochronę.

Wciąż wirując, przez moment trzymała się deski, czekając, aż skrzydlaty kształt ją ustabilizuje. Potem wciągnęła się na górę i przybrała zwykłą pozycję.

Przełączyła strój z powrotem na błękitny i spojrzała przed siebie – helikopter znikał w dali.

Tally zawahała się. Wiedziała, że powinna zrezygnować, wrócić do miejsca spotkań i zaczekać na następną grupę uciekinierów. Z pewnością helikoptery regularnie pokonywały tę trasę.

Ale tam był Zane, a ona nie mogła go teraz porzucić. Shay i reszta Wyjątkowych Okoliczności mogli być już w drodze.

Tally przyspieszyła jeszcze na przegrzanej desce. Podczas zwrotu helikopter wytracił wysokość i prędkość i wkrótce zaczęła go doganiać.

Rozpalona powierzchnia deski zaczynała parzyć ją w podeszwy i Tally wyczuła pod stopami zmianę wibracji. Metalowe wirniki rozszerzały się z gorąca, zmieniając całą równowagę deski. Jeszcze przyspieszyła, aż w końcu ponownie zaatakowała ją otaczająca helikopter burza. Powietrze wibrowało, gdy podjęła kolejną próbę podejścia.

Tym razem jednak Tally wiedziała, czego się spodziewać: za pierwszym razem dokładnie poznała kształt niewidzialnego wiru i teraz instynkt poprowadził ją pomiędzy prądami i dziurami powietrznymi prosto w środek niewielkiego ochronnego pęcherza pod maszyną.

Jej deska skowyczała rozpaczliwie, ona jednak wciąż posyłała ją w górę, w stronę podwozia, wyciągając ręce...

Bliżej i bliżej.

Tally poczuła awarię pod stopami, nierówne wibracje deski w jednej chwili przeszły w szaleńcze dygotanie. Jej uszu dobiegł krzyk rozdzieranego metalu, gdy wirniki się rozpadły, i uświadomiła sobie, że jest już za późno. Pozostawał jej tylko jeden kierunek: w górę. Ugięła kolana i skoczyła...

W najwyższym punkcie Tally sięgnęła po coś, cokolwiek, i musnęła palcami deski uciekinierów. Złożono je jednak ciasno razem i nie znalazła żadnego uchwytu, a płozy helikoptera sterczały daleko z boku.

Zaczęła spadać...

Wcisnęła włącznik bransolet, każąc im wyczerpać akumulatory i z całych sił pociągnąć ją w stronę ton metalu w górze. Nagle jej przeguby chwyciła potężna miażdżąca siła – połączone przyciąganie dwudziestu desek wyczuwających pasażera. Bransolety pociągnęły ją w górę i przyszpiliły do powierzchni najbliższej z nich, o mało nie wyrywając jej przy tym rąk ze stawów.

W dole skowyt deski zamienił się w głośny zgrzyt, a potem ucichł. Uszy Tally wychwyciły trzask metalu rozpadającego się na kawałki, a potem otaczający helikopter wir powietrza porwał daleko szczątki.

Wisiała przylepiona do podwozia helikoptera, jej ciałem wstrząsały kolejne fale wibracji. Przez chwilę zastanawiała się, czy piloci i pasażerowie nie usłyszeli hałasu towarzyszącego zniszczeniu deski. Potem jednak przypomniała sobie własny lot helikopterem rok wcześniej. Żeby móc rozmawiać, musieli ze strażnikami przekrzykiwać ryk rotorów.

Po paru minutach wiszenia za ręce Tally wyłączyła jedną z bransolet i rozkołysała ciało, chwytając nogami bliższą płozę. Potem wyłączyła drugą, przez bardzo denerwującą chwilę wisząc głową w dół w szalonym wietrze. W końcu wcisnęła się w niewielką szczelinę między deskami uciekinierów. Z tego miejsca już spokojnie oglądała widoki.

Helikopter nadal leciał w głąb lądu. W miarę oddalania się od morza roślinność w dole stawała się coraz bujniejsza, zamieniała w las. Maszyna wznosiła się wyżej, lecąc coraz szybciej, aż w końcu drzewa zlały się w jedną zieloną plamę. Tylko w kilku miejscach Tally dostrzegła ślady białego zielska.

Uważając, by nie spaść, ściągnęła rękawiczki i obejrzała ręce. Dłonie miała poparzone, do skóry przywarły kawałki stopionego plastiku, lecz błyskotatuaże wciąż pulsowały, nawet te uszkodzone po nacinaniu. Straciła sprej medyczny wraz z deską i wszystkim innym. Pozostały jej tylko bransolety, ceremonialny nóż i strój maskujący.

Mimo to udało jej się. W końcu pozwoliła sobie na westchnienie ulgi. Obserwując krajobrazy w dole, czuła prawdziwie mroźne poczucie spełnienia.

Musnęła palcami starą metalową powłokę helikoptera. Zane'a dzieliło od niej zaledwie kilka metrów. Jemu także udał się niezły numer. Mimo skaz i uszkodzenia mózgu prawie dotarł do Nowego Dymu. Cokolwiek Shay myśli teraz o Tally, nie może zaprzeczyć, że Zane zasłużył sobie na wstąpienie do Wyjątkowych Okoliczności.

A po tym wszystkim Tally nie przyjmie odmowy.

Według wskazań wewnętrznego oprogramowania Tally minęła godzina, nim w dole pojawiły się pierwsze oznaki zbliżania się do celu.

Choć las nadal pozostawał gęsty, ujrzała kilka prostokątnych pól. Zrąbane drzewa ułożono w stosy, robiąc miejsce dla parcel budowlanych. Potem pojawiły się ślady nowych budowli: wielkie koparki rozdzierające ziemię i magnetyczne dźwigi ustawiające lotociągi. Tally zmarszczyła brwi.

Nowodymiarze chyba oszaleli, sądząc, że wycinanie drzew ujdzie im na sucho.

Potem jednak w dole pojawiły się bardziej znajome widoki. Niskie budynki pasa fabryk, następnie gęste rzędy domów na przedmieściach. Na horyzoncie dostrzegła skupisko wyższych budynków, w powietrzu zaroiło się od lotowozów. Minęli pierścień boisk piłkarskich i domów młodzieżowych wyglądający tak samo jak Brzydalowo w jej mieście.

Tally pokręciła głową. Dymiarze nie mogli zbudować tego wszystkiego.

Wtedy przypomniała sobie słowa Shay z owej nocy, gdy zakradły się do Miasta Nowych Ślicznych na spotkanie z Zane'em. O tym, że David i jego kumple znaleźli nowych tajemniczych sojuszników, którzy dostarczyli im stroje maskujące – i zrozumiała.

Nowy Dym nie był ukrytym obozowiskiem w głuszy, gdzie ludzie załatwiają się do dziur w ziemi i jedzą martwe króliki, używając drewna na opał. Nowy Dym leżał w dole rozciągnięty pod nią.

Całe miasto dołączyło do buntu.

TWARDE LĄDOWANIE

Tally musiała wysiąść przed lądowaniem.

Nie chciała, żeby znaleziono ją podczepioną do podwozia. Zane by ją zobaczył, a strażnicy pewnie zorientowaliby się, iż okrutna uroda to cecha agentki innego miasta. Kiedy jednak helikopter rozpoczął koliste podejście, zmierzając w stronę lądowiska, Tally nie dostrzegła żadnego bezpiecznego miejsca, gdzie mogłaby zeskoczyć.

W jej mieście dzielnicę nowych ślicznych okalała rzeka. Tu jednak nie widziała żadnych dogodnych zbiorników wodnych, a była zbyt wysoko, by bez ryzyka użyć bransolet bezpieczeństwa. Pancerz stroju maskującego mógłby ją ochronić, lecz lądowisko umieszczono pomiędzy dwoma wysokimi budynkami otoczonymi pierścieniem zatłoczonych chodników pełnych kruchych przechodniów.

Podczas ostatniego podejścia wypatrzyła wysokie żywopłoty otaczające lądowisko – na tyle solidne, by osłabić wiatr wzbudzany przez śmigła. Wyglądały na kłujące, ale pancerz stroju maskującego bez trudu poradzi sobie z kilkoma cierniami.

Helikopter zwolnił, zbliżając się do miejsca lądowania. Tally naciągnęła kaptur, chroniąc twarz. Gdy maszyna skręciła, hamując, Tally skoczyła, zwijając się w kłębek niczym maluch skaczący do basenu.

Jej prawe ramię z głośnym trzaskiem uderzyło w żywopłot. Gałęzie pękały w zetknięciu z pancerzem, a ona odbiła się od bariery w eksplozji liści, wirując w powietrzu. Tym razem zdołała wylądować na nogach, odkryła jednak, iż potykając się, biegnie po niepewnym gruncie... szybko poruszającym się chodniku, który widziała z góry.

Zamachała rękami, niemal odzyskała równowagę, lecz ostatni krok zaniósł ją na kolejny chodnik jadący w przeciwną stronę. Nagła zmiana kierunku obróciła ją i rzuciła na plecy.

– Auć – wymamrotała.

Wyjątkowi mieli co prawda niezniszczalne ceramiczne kości, ale pozostało im dość ciała i nerwów, by czuli ból.

Niebo nad nią przesłaniały dwa wysokie budynki, które zdawały się odpływać wdzięcznie w tył. Chodnik wciąż unosił ją w dal.

Nagle ujrzała twarz średniego ślicznego patrzącego na nią z surową miną.

– Młoda damo, nic ci nie jest?

– Chyba nie.

– Zdaję sobie sprawę, że zasady zachowania uległy zmianie. Ale za taki numer wciąż musiałabyś tłumaczyć się opiekunom!

– Och, przepraszam. – Tally podniosła się z trudem.

– Przypuszczam, że ten strój miał cię chronić – ciągnął surowo mężczyzna. – Ale czy pomyślałaś choć przez moment o nas?

Tally roztarła jedną ręką najprawdopodobniej posiniaczone plecy, drugą uniosła w obronnym geście. Jak na średniego ślicznego facet nie był zbyt wyrozumiały.

– Przecież przeprosiłam. Musiałam wysiąść z tego helikoptera.

Mężczyzna parsknął.

– Skoro nie mogłaś się doczekać lądowania, trzeba było przynajmniej założyć kamizelkę!

Tally poczuła nagłą irytację. Ten przeciętny, starzejący się średni śliczny gadał i gadał. Uznała, że znudziła ją już rozmowa, toteż ściągnęła kaptur, odsłaniając zęby.

– Może następnym razem wyceluję w ciebie.

Mężczyzna spojrzał wprost w jej czarne wilcze oczy i nie zwracając uwagi na misterną sieć tatuaży i złowieszczy uśmiech, znów parsknął.

– Albo może skręcisz sobie swój śliczny kark!

Mruknął z satysfakcją i nie oglądając się za siebie, przeszedł na szybszy pas chodnika, który poniósł go w dal.

Tally zamrugała. Nie takiej reakcji oczekiwała. W oknach mijanego budynku dostrzegła swe zniekształcone odbicie: wciąż była Wyjątkowa, jej twarz zdradzała oznaki okrutnej urody zaprojektowanej tak, by przywoływać pradawne ludzkie lęki. Ale ów mężczyzna jakby tego nie zauważył.

Pokręciła głową. Może w tym mieście agenci Wyjątkowych Okoliczności nie ukrywali się i widywał już wcześniej okrutnych ślicznych. Ale po co wyglądać przerażająco, jeśli wszyscy mogą do tego przywyknąć?

Odtworzyła w myślach rozmowę i uświadomiła sobie, jak bardzo akcent owego mężczyzny przypominał zapamiętane akcenty strażników – szybki, ostry, precyzyjny. To musiało być ich miasto.

Jeśli jednak całe miasto było w istocie Nowym Dymem, gdzie podziewała się Shay? Tally zwiększyła zasięg skórteny, nie odebrała jednak żadnego pinga. Oczywiście miasta były wielkie, być może po prostu znajdowała się poza zasięgiem. Albo może Shay wyłączyła antenę, wciąż dąsając się z powodu ostatniej zdrady Tally.

Obejrzała się na lądowisko, silniki helikoptera wciąż pracowały. Może to miasto to nie Nowy Dym, jedynie uzupełniają tu zapasy paliwa. Tally przeskoczyła na sąsiedni chodnik i ruszyła z powrotem w stronę lądowiska.

Obok przepłynęła para nowych ślicznych i Tally zauważyła, że oboje przeszli kostiumowe opki. Kobieta miała skórę znacznie bledszą niż akceptowana przez Radę Urody, a także rude włosy i piegi na twarzy, jak jeden z tych maluchów, które zawsze skarżyły się na poparzenia słoneczne. Skóra jej towarzysza była ciemna, niemal czarna, a mięśnie stanowczo zbyt rozbudowane.

Może to tłumaczyło reakcję średniego ślicznego, a raczej jej brak. Zapewne w mieście odbywała się właśnie impreza kostiumowa, na którą szykowali się wszyscy nowi śliczni. Co prawda operacje były bardziej ekstremalne, niż zezwalano na to w mieście Tally, ale przynajmniej oznaczały, że nie będzie wyróżniać się w tłumie, próbując ustalić, co się dzieje.

Oczywiście pozostawał jeszcze problem pancernej czerni stroju maskującego. Pomajstrowała nieco i przestroiła go tak, by przypominał stroje dwójki nowych ślicznych: pasiaste wzory w jaskrawych kolorach, jak u maluchów w domu. Owe krzykliwe barwy sprawiały, że czuła się jeszcze bardziej odsłonięta. Gdy jednak obok przepłynęło kilkoro kolejnych nowych ślicznych – o bladych, jaśniejących twarzach, ze zbyt dużymi nosami, ubranych w szalone stroje – Tally niemal zaczęła mieć wrażenie, że tu pasuje.

Tutejsze budynki niespecjalnie różniły się od tych, wśród których dorastała. Dwa po obu stronach lądowiska wyglądały jak typowe rządowe monolity. W istocie na bliższym z nich kamienne litery układały się w napis RATUSZ, a większość zejść z ruchomego chodnika oznakowano nazwami agencji miejskich. Przed Tally wznosiły się wyniosłe wieże imprez i apartamentowce dzielnicy, która musiała być Miastem Nowych Ślicznych. W dali widziała domy brzydkich i boiska piłkarskie.

Dziwnie się jednak czuła, odkrywszy, że Miasta Nowych Ślicznych i Brzydalowa nie oddziela od siebie rzeka. Zakradnięcie się tutaj byłoby aż nazbyt łatwe. Co to za wyzwanie? W jaki sposób nie dopuszczali do siebie nieproszonych gości?

Jak dotąd nie zauważyła ani jednego opiekuna. Czy ktokolwiek tutaj w ogóle wie, co oznacza jej okrutna uroda?

Młoda śliczna zeszła obok niej z chodnika i Tally postanowiła sprawdzić, czy zdoła udawać miejscową.

– Gdzie jest dzisiaj impreza? – spytała, starając się naśladować tutejszy akcent.

Miała nadzieję, że jej pytanie nie zabrzmi losowo.

– Impreza? Chcesz powiedzieć: przyjęcie?

Tally wzruszyła ramionami.

– Tak, jasne.

Młoda kobieta zaśmiała się.

– Wybieraj do woli, jest ich cała kopa.

– Jasne, czaję kopa. Ale na które są te wszystkie kostiumowe opki?

– Kostiumowe opki? – Dziewczyna spojrzała na Tally, jakby ta powiedziała coś totalnie losowego. – Gadasz, jakbyś dopiero wysiadła ze śmigłowca.

Tally uniosła brwi.

– Że co, helikoptera? Tak jakby.

– Z taką twarzą? – Dziewczyna zmarszczyła czoło.

Ona sama miała ciemnobrązową skórę i paznokcie ozdobione maleńkimi ekranikami wideo. Każdy z nich pokazywał inny migotliwy obraz.

Tally jedynie znów wzruszyła ramionami.

– A, rozumiem, nie mogłaś się doczekać, żeby wyglądać jak my. – Tamta znów się zaśmiała. – Posłuchaj, mała, powinnaś pokręcić się trochę wśród innych nowicjuszy, przynajmniej dopóki nie wyczujesz, jak tu jest. – Zmrużyła oczy, wykonując skomplikowany gest. – Diego mówi, że dziś wieczór wszyscy są na Szczycie.

– Diego?

– Miasto. – Dziewczyna znów się zaśmiała, jej paznokcie błyskały do wtóru dźwięków. – Rany, mała, naprawdę dopiero co wysiadłaś ze śmigłowca.

– Tak, chyba tak. Dzięki.

Tally nagle poczuła się bardzo przeciętna i bezradna, zupełnie niewyjątkowa. W tym nowym mieście jej siła i szybkość nic nie znaczyły; nawet okrutna uroda nikomu nie imponowała. Zupełnie jakby znów stała się brzydka, jakby wiedza o tym, gdzie znaleźć najlepsze imprezy i jak się ubrać, znaczyła więcej niż bycie nadczłowiekiem.

– No cóż, witaj w Diego! – zawołała młoda śliczna i weszła na najszybszy pas chodnika, machając jej na pożegnanie z lekko zakłopotaną miną kogoś, kto zostawia frajera na imprezie.

Zbliżając się do lądowiska, Tally wypatrywała czujnie uciekinierów. Zeszła z chodnika w miejscu, gdzie uszkodzony żywopłot znaczył miejsce jej lądowania, i zerknęła przez pozostawioną przez siebie wyrwę.

Uciekinierzy wysiedli już z helikoptera, ale wciąż się organizowali. Jak typowi pustogłowi mieli problem z ustaleniem, która deska do kogo należy. Zebrali się wokół strażnika, który próbował nimi pokierować. Zachowywali się jak złaknione lodów maluchy.

Zane czekał cierpliwie; miał najszczęśliwszą minę od czasu ucieczki z miasta. Paru innych Krimów zebrało się wokół, klepiąc go po plecach i gratulując sobie nawzajem.

Jeden z Krimów przyniósł Zane'owi jego deskę i cała ósemka ruszyła w stronę wielkiego budynku naprzeciwko ratusza.

Tally przekonała się, że to szpital. To miało sens. Wszystkich przybyszów z zewnątrz badano w poszukiwaniu chorób, obrażeń i zatrucia pokarmowego. A ponieważ to miasto naprawdę było Nowym Dymem, zapewne od razu usuną im też skazy.

„Oczywiście – pomyślała Tally. – Pigułki Maddy nie musiały już działać doskonale". Wszyscy uciekinierzy trafiali przecież tutaj, gdzie miejski szpital z prawdziwymi lekarzami mógł się zająć ich skazami.

Cofnęła się o krok, oddychając powoli i w końcu dopuszczając do siebie prawdę: Nowy Dym był tysiąc razy większy i potężniejszy, niż przypuszczały z Shay.

Tutejsze władze przyjmowały uciekinierów z innych miast i leczyły ich pustogłowie. Teraz, gdy Tally się nad tym zastanowiła, żadna ze spotkanych dotychczas osób nie wykazywała oznak skaz w mózgu. Wszystkie otwarcie wyrażały swoje zdanie. To przecież zupełnie niepodobne do pustogłowych.

To by wyjaśniało, czemu to miasto – kobieta nazwała je „Diego" – zrezygnowało z narzuconych przez Radę Urody standardów, pozwalając, by wszyscy wyglądali tak, jak chcą.

Zaczęto nawet wznosić nowe budowle w okolicznych lasach. Miasto rozrastało się w głuszę.

Jeśli to wszystko prawda, nic dziwnego, że Shay już tu nie ma. Pewnie wróciła do domu, żeby opowiedzieć o swoich odkryciach doktor Cable i Wyjątkowym Okolicznościom.

Ale co mogli z tym zrobić? Miasta nie wtrącają się przecież w sprawy innych miast.

Ten Nowy Dym mógł trwać wiecznie.

LOSOWE MIASTO

Tally przez cały dzień spacerowała, ze zdumieniem odkrywając, jak bardzo to miasto różni się od jej własnego.

Widziała nowych ślicznych i brzydkich trzymających się razem, przyjaciół nierozdzielonych przez operację i maluchy towarzyszące brzydkim starszym braciom i siostrom, zamiast tkwić w Starykowie z rodzicami. Te drobne zmiany zdumiewały ją niemal równie mocno jak szalone rysy twarzy, faktury skór i modyfikacje ciała. Niemal. Może z czasem przywykłaby do porastających ludzi puchatych piór, małych palców zastąpionych maleńkimi wężami, skóry we wszystkich odcieniach, od najgłębszej czerni po alabaster, i włosów wijących się niczym mackowate stwory z dna morza.

Całe ekipy miały ten sam kolor skóry albo podobne twarze, jak rodziny w czasach przed operacją. Tally z niepokojem przypomniała sobie o tym, jak w czasach Przedrdzawców ludzie łączyli się w plemiona, klany i tak zwane rasy, wyglądające mniej więcej podobnie, i nienawidzili wszystkich wyglądających inaczej. Jednak mieszkańcy tego miasta jak dotąd zdawali się dogadywać ze sobą – na każdą ekipę wyglądającą podobnie przypadała inna, pełna najdziwniejszych wariacji.

Średni śliczni z Diego nie szaleli aż tak z operacjami, większość z nich wyglądała mniej więcej jak rodzice Tally, która słyszała też, jak kilku narzekało na „nowe standardy", na to, że obecna moda to wstyd i paskudztwo. Robili to jednak w tak otwarty sposób, iż nie wątpiła, że oni także nie mają skaz.

Najbardziej jednak wstrząsnęło nią, że starykowie bardziej niż ktokolwiek wykorzystywali osiągnięcia chirurgii. Tylko nieliczni mieli mądre, spokojne, budzące zaufanie twarze wymuszane w domu przez Radę Urody. Większość natomiast wyglądała dziwnie młodo. Zazwyczaj Tally nie potrafiła określić, w jakim wieku są tutejsi ludzie. Zupełnie jakby miejscy chirurdzy postanowili połączyć wszystkie etapy życia.

Usłyszała nawet kilka osób, które, sądząc z ich rozmów, pozostały pustogłowe. Z jakichś przyczyn – nieważne, czy kierowały się swą filozofią, czy modą – postanowiły zachować skazy w mózgach.

Najwyraźniej tu człowiek mógł robić wszystko, czego tylko zapragnął. Zupełnie jakby trafiła do Losowego Miasta. Wszyscy byli tu tacy inni, że jej wyjątkowa twarz nic już nie znaczyła.

Jak to możliwe?

Nie mogło do tego dojść zbyt dawno temu. Zmiany wciąż nie ustawały, niczym kręgi na powierzchni wielkiego stawu, do którego ktoś cisnął kamień.

Gdy zdołała dostroić skórtenę do wiadomości miejskich, odkryła, że przepełniają je dyskusje o tym, czy miasto słusznie przyjmuje uciekinierów, o standardach urody i przede wszystkim o nowych budowlach na skraju miasta – i że nie wszyscy prowadzą owe dyskusje w uprzejmy, uładzony sposób, do którego przywykła. Tally nigdy wcześniej nie słyszała podobnych kłótni między dorosłymi, nawet na osobności. Zupełnie jakby wiadomości przejęła banda brzydkich. Bez skaz łagodzących charakter w społeczeństwie trwały nieustanne wojny na słowa, obrazy i idee.

To było niesamowite, niemal jak w czasach Rdzawców. Każdą kwestię omawiano publicznie, zamiast pozwolić, by rząd robił swoje.

Tally uświadomiła sobie, że zmiany, które już zaszły w Diego, to dopiero początek. Wszędzie wokół czuła wrzenie. Swobodne umysły wymieniały się opiniami i kipiały od nich, jakby miały zaraz wybuchnąć.

Tego wieczoru poszła na Szczyt.

Interfejs miejski poprowadził ją na najwyższe miejsce w mieście, do sporego parku na kredowym urwisku wznoszącym się nad centrum. Pierwsza młoda śliczna, którą spotkała, miała rację: w parku roiło się od uciekinierów, mniej więcej pół na pół brzydkich i nowych ślicznych. Większość wciąż miała swe dawne twarze, nie była jeszcze gotowa rzucić się w wir szalonej mody. Tally doskonale rozumiała, czemu nowicjusze trzymają się razem. Po jednym dniu na ulicach Diego widok staroświeckich twarzy zaprojektowanych przez Radę Urody był prawdziwą ulgą.

Miała nadzieję, że znajdzie tu Zane'a. Dziś po raz pierwszy od dnia ucieczki na tak długo straciła go z oczu i zastanawiała się, co dokładnie zrobili z nim w szpitalu miejskim. Czy usunięcie skaz sprawi, że Zane przestanie się trząść? Jak zdecyduje się zmienić, tu gdzie każdy mógł wyglądać dowolnie, gdzie nie istniała nawet możliwość zachowania przeciętności?

Może naprawią go tu lepiej niż w jej mieście. Chirurdzy z Diego, wprawieni w wariackich operacjach, mogą być niemal tak dobrzy jak doktor Cable.

Może kiedy następnym razem się pocałują, wszystko będzie inaczej.

Nawet jeśli Zane pozostanie taki sam, Tally przynajmniej zdoła mu pokazać, jak bardzo ona się zmieniła. Wędrówka przez głuszę i to, co zobaczyła w Diego, odmieniły ją wewnątrz. Może tym razem pokaże mu, co naprawdę kryje w sobie, głębiej, niż zdoła sięgnąć jakakolwiek operacja.

Tally krążyła w ciemności, poza zasięgiem lotokul, słuchając przybyszów. Muzyka nie grała zbyt głośno – w tej imprezie bardziej chodziło o poznawanie innych niż o picie i taniec – toteż Tally słyszała najróżniejsze akcenty, a nawet inne języki z dalekiego południa. Uciekinierzy opowiadali historie o tym, jak tu dotarli – o komicznych, mozolnych bądź przerażających wyprawach przez głuszę do wyznaczonych miejsc spotkań na całym kontynencie. Niektórzy przylecieli na deskach, inni przyszli pieszo, paru nawet twierdziło, że ukradli wirnikowe lotowozy opiekunów i wygodnie przylecieli na miejsce.

Tłum rósł w oczach, zupełnie jak samo Diego. Z każdą chwilą przybywali nowi uciekinierzy. Wkrótce w pobliżu urwiska Tally wypatrzyła Perisa i paru innych Krimów, ale Zane'a z nimi nie było.

Cofnęła się głębiej w cień, wodząc wzrokiem po tłumie, zastanawiając się, gdzie się podział Zane. Może powinna była pozostać blisko niego? To takie dziwne miasto. Oczywiście Zane pewnie sądził, że zgubiła helikopter i wciąż czeka w głuszy. Pewnie ulżyło mu, że się jej pozbył...

– Cześć, jestem John – powiedział głos za jej plecami.

Odwróciła się gwałtownie i ujrzała standardowego nowego ślicznego. Jego brwi uniosły się na widok okrutnej urody i tatuaży Tally, ale poza tym nie okazał zdziwienia. Przywykł już do szalonych operacji w Diego.

– Tally – odparła.

– Zabawne imię.

Tally zmarszczyła brwi. Osobiście uważała, że John brzmi bardzo losowo, chociaż chłopak przemawiał ze znajomym akcentem.

– Uciekinierka, prawda? – spytał. – Wypróbowujesz właśnie nową opkę?

– To? – Przesunęła palcami po twarzy.

Odkąd ocknęła się w kwaterze głównej Wyjątkowych Okoliczności, okrutna uroda była czymś, co ją definiowało, określało, kim jest. A ten przeciętny chłopak pytał, czy ją wypróbowuje, jak nową fryzurę?

Ale ujawnianie się nie miało sensu.

– Tak, chyba tak. Podoba ci się?

Wzruszył ramionami.

– Moi kumple mówią, że lepiej zaczekać i dobrze poznać modę. Nie chcesz przecież wyglądać jak palant z prowincji.

Tally odetchnęła powoli, próbując zachować spokój.

– Uważasz, że wyglądam jak palant?

– Co ja tam wiem? Dopiero co tu dotarłem. – Roześmiał się. – Nie jestem jeszcze pewien, co sam wybiorę, ale pewnie coś mniej, no wiesz... strasznego.

„Strasznego" – pomyślała Tally, czując wzbierający gniew. Mogła pokazać temu aroganckiemu ślicznemu, co to znaczy straszny.

– Na twoim miejscu nie zatrzymałbym tych blizn – dodał. – Są dość ponure.

Ręce Tally wystrzeliły naprzód, chwytając chłopaka za nową kurtkę w jaskrawych kolorach. Jej paznokcie rozdarły materiał, gdy uniosła go z ziemi, odsłaniając w złowieszczym uśmiechu ostre jak brzytwa zęby.

– Posłuchaj, ty ledwie niepustogłowy. To nie jest kwestia mody! Te blizny to coś, czego nigdy nie...

W jej głowie zadźwięczał cichy ping.

– Tally-wa – powiedział znajomy głos. – Postaw dzieciaka z powrotem.

Zamrugała, opuszczając ślicznego na ziemię.

Jej skórtena odebrała innego Nacinacza.

Chłopak chichotał.

– Hej, naprawdę niezła sztuczka! Nie widziałem jeszcze takich zębów.

– Cisza. – Tally wypuściła podartą kurtkę, obracając się na pięcie i przeczesując wzrokiem tłum.

– Należysz do ekipy? – paplał dalej śliczny. – Ten gość, o tam, wygląda zupełnie jak ty!

Podążyła za jego gestem i ujrzała znajomą twarz zbliżającą się w tłumie. Pokrywające ją tatuaże wirowały radośnie.

To był Fausto, uśmiechnięty i Wyjątkowy.

SPOTKANIE

– Fausto! – zawołała, po czym uświadomiła sobie, że nie musi krzyczeć, gdyż ich skórteny już się połączyły, tworząc dwuosobową sieć.

– A zatem wciąż mnie pamiętasz – zażartował, szepcząc jej wprost do uszu.

Bliskość, za którą tęskniła od tygodni – poczucie bycia Nacinaczką – wzbudziła w niej dreszcz i Tally pobiegła w stronę Fausta, zapominając o ślicznym, który ją obraził.

Chwyciła go w objęcia.

– Nic ci nie jest!

– Nawet lepiej – odparł.

Tally cofnęła się. Była tak oszołomiona, tak wyczerpana wszystkim, co jej mózg wchłonął tego dnia – a teraz stał przed nią Fausto, zdrowy, cały, bezpieczny.

– Co się z tobą działo? Jak uciekłeś?

– To długa historia.

Przytaknęła, po czym pokręciła głową.

– Nic z tego nie rozumiem, Fausto. To takie losowe miejsce. Co się tu dzieje?

– Tu, w Diego?

– Tak. Wydaje się nierzeczywiste.

– Ale jest prawdziwe.

– Jak do tego doszło? Kto na to pozwolił?

Fausto spojrzał z namysłem w stronę urwiska, na światła miasta.

– Z tego, co mi wiadomo, działo się to od bardzo dawna. To miasto nigdy nie przypominało naszego. Nie mieli tych samych barier oddzielających ślicznych od brzydkich.

Tally przytaknęła.

– Rzeki.

Zaśmiał się.

– Może to ma coś z tym wspólnego. Ale też zawsze było u nich mniej pustogłowych niż u nas.

– Tak jak strażnicy, których poznałam w zeszłym roku. Nie mieli skaz.

– Nawet nauczyciele ich nie mieli, Tally. W tutejszych szkołach nie uczą pustogłowi.

Tally zamrugała. Nic dziwnego, że rząd Diego sympatyzował z Dymem. Mała kolonia wolnomyślicieli niczym im nie zagrażała.

Fausto pochylił się bliżej.

– A wiesz, co jest najdziwniejsze, Tally? Nie mają tu żadnych Wyjątkowych Okoliczności. Gdy zatem pojawiły się pigułki, Diego nie mogło powstrzymać ich napływu. Władze straciły kontrolę.

– Chcesz powiedzieć, że Dymiarze przejęli miasto?

– Niedokładnie przejęli. – Fausto znów się zaśmiał. – Władze wciąż nim kierują. Ale zmiany zaszły znacznie szybciej niż w domu. Zaledwie miesiąc od pojawienia się pierwszych pigułek większość ludzi już się ocknęła i cały system zaczął się walić. Wygląda na to, że wciąż się wali.

Tally przytaknęła, przypominając sobie wszystko, co widziała w ciągu ostatnich dwunastu godzin.

– Masz rację, całe miasto zwariowało.

– Przywykniesz. – Uśmiechnął się szerzej.

Tally zmrużyła oczy.

– I nic z tego ci nie przeszkadza? Nie zauważyłeś, że wycinają las na skraju miasta?

– Oczywiście, Tally-wa. Zaludnienie rośnie bardzo szybko.

Słowa te uderzyły ją niczym cios pięścią w żołądek.

– Fausto... zaludnienie nigdzie nie rośnie. Nie może.

– Nie chodzi o to, że się rozmnażają, Tally. To uciekinierzy.

Wzruszył ramionami, jakby nie było to nic wielkiego, i Tally poczuła, jak coś w jej wnętrzu zaczyna wirować. Jego okrutna uroda, bliskość głosu w uszach, nawet błyskotatuaże i ostre jak brzytwa zęby nie usprawiedliwiały tego, co mówił. Tu chodziło o głuszę, połykaną i wypluwaną, żeby zrobić miejsce dla grupy zachłannych ślicznych.

– Co ci Dymiarze z tobą zrobili? – spytała nagle bardzo sucho.

– Nic, o co nie prosiłem.

Pokręciła gwałtownie głową, nie chcąc uwierzyć.

Fausto westchnął.

– Chodź ze mną, nie chcę, żeby usłyszały nas dzieciaki z miasta. Mają tu dziwaczne zasady dotyczące Wyjątkowych. – Położył dłoń na ramieniu Tally, prowadząc ją w stronę końca przyjęcia. – Pamiętasz naszą wielką ucieczkę w zeszłym roku?

– Oczywiście, że pamiętam. Wyglądam na pustogłową?

– Bynajmniej. – Uśmiechnął się. – Cóż, po tym jak pluskwa w zębie Zane'a zaczęła działać, a ty uparłaś się, żeby z nim zostać, coś się stało. Kiedy uciekaliśmy, my, Krimowie, zawarliśmy układ z Dymiarzami... – urwał, bo mijali właśnie ekipę młodych ślicznych porównujących nowe opki: skórę, która zmieniała barwy od papierowej bieli, po kruczą czerń, w rytm muzyki.

– Co to znaczy układ? – syknęła Tally, pozwalając skórtenom ponieść jej słowa.

– Dymiarze wiedzieli, że Wyjątkowe Okoliczności rekrutują nowych członków. Co dzień było więcej Wyjątkowych, a większość z nich tworzyli ci sami brzydcy, którzy uciekli do Starego Dymu.

Przytaknęła.

– Znasz zasady. Tylko numeranci zostają Wyjątkowymi.

– Jasne. Ale Dymiarze dopiero zaczynali się tego domyślać. – Niemal dotarli już do cieni zalegających poza kręgiem świateł, pod kępą wysokich drzew. – A Maddy wciąż miała dane doktor Cable. Pomyślała zatem, że spróbuje przygotować lek na bycie Wyjątkowym.

Tally zamarła, zatrzymując się.

– Lek, Tally. Ale potrzebowali kogoś, by go wypróbować. Kogoś, kto mógł udzielić świadomej zgody, tak jak ty zgodziłaś się na wyleczenie, nim dałaś się zamienić w śliczną.

Spojrzała mu w oczy, próbując wniknąć w czarną głębię. Wyglądały jakoś inaczej... Były bez życia, jak szampan bez bąbelków.

Tak jak Zane Fausto coś stracił.

– Fausto – powiedziała miękko. – Nie jesteś już Wyjątkowy.

– Udzieliłem zgody podczas ucieczki – oznajmił. – Wszyscy się zgodziliśmy. Gdyby złapali nas i zamienili w Wyjątkowych, Maddy mogła spróbować nas wyleczyć.

Dlatego zatrzymali Fausta, pozwalając uciec Shay. Świadoma zgoda – pretekst pozwalający Maddy zabawiać się ludzkimi mózgami.

– Zgodziłeś się, żeby przeprowadzała na tobie eksperymenty? Nie pamiętasz, co się stało z Zane'em?

– Ktoś musiał, Tally – uniósł iniektor. – Lek działa i jest absolutnie bezpieczny.

Jej wargi uniosły się, odsłaniając zęby. Poczuła dreszcz na myśl o nano wżerających się w jej mózg.

– Nie dotykaj mnie, Fausto. Skrzywdzę cię, jeśli będę musiała.

– Nie, nie skrzywdzisz – odparł cicho, a potem jego dłoń pomknęła ku szyi Tally.

Tally gwałtownie uniosła rękę, chwytając iniektor parę centymetrów od gardła. Przekręciła go mocno, próbując zmusić Fausta do upuszczenia leku, i usłyszała trzask jego palców. A potem druga ręka chłopaka poruszyła się i Tally uświadomiła sobie, że trzyma w niej jeszcze jeden iniektor. Opadła na ziemię, o włos unikając ciosu.

Fausto nie ustępował, obiema rękami próbując wbić w nią igłę. Tally cofała się na trawie, ledwie go unikając. Zamachnął się desperacko, ale ona odparowała kopniakiem w pierś i drugim, który trafił w brodę, odrzucając go do tyłu. Nie był już taki sam – wciąż szybszy niż losowiec, ale wolniejszy od Tally. Pozbawiono go dawnej bezwzględności, pewności siebie.

Czas jakby zwolnił i Tally dostrzegła, że kolejny przewidywalny atak dał jej szansę. Wymierzyła idealnie wycelowanego kopniaka, który wytrącił mu z ręki jeden z iniektorów.

Do tej pory strój maskujący wyczuł już adrenalinę w organizmie Tally. Łuski zafalowały, twardniejąc i tworząc pancerz. Przeturlała się i zerwała na równe nogi, po czym skoczyła wprost na Fausta. Następny cios trafił ją w łokieć, iniektor w zderzeniu z pancerzem prysł, a Tally uderzyła Fausta otwartą dłonią w policzek. Poleciał do tyłu, jego tatuaże wirowały szaleńczo.

Uszy Tally wyłapały cichy dźwięk z ciemności – coś leciało w jej stronę. Przełączyła się na podczerwień, zmysły wyostrzyły się, gdy znów przypadła do ziemi. Wśród drzew pojawił się tuzin lśniących postaci, połowa w pozycjach łuczniczych.

Nad jej głową zaszeleściły pióra – strzały z błyszczącymi igłami zamiast grotów – lecz Tally cofała się już w stronę tłumu imprezowiczów. Zaczęła się przepychać, wywracając stojących jej na drodze uciekinierów, tworząc barierę z powalonych ciał. Oblało ją piwo, zdumione okrzyki zagłuszały muzykę.

Zerwała się z ziemi i jeszcze bardziej zagłębiła w tłum. Wszędzie wokół widziała Dymiarzy, postaci poruszające się zdecydowanie wśród oszołomionych nowicjuszy. Wystarczy, by pokonać ją czystą przewagą liczebną. Oczywiście, tu na Szczycie musiały ich być dziesiątki, Diego stanowiło ich bazę. Wystarczyłoby jedno trafienie iniektora, by pościg dobiegł końca.

Była głupia, tak się odsłaniając, wędrując po mieście jak turystka. A teraz tkwiła w pułapce, uwięziona pomiędzy wrogami a urwiskiem, od którego skała wzięła swą nazwę.

Tally pobiegła w stronę ciemnej przepaści.

Gdy mknęła przez otwartą przestrzeń, w jej stronę poleciały kolejne strzały. Ona jednak uskakiwała, blokowała, turlała się po ziemi, wysilając wszystkie zmysły. Z każdym bezbłędnym ruchem zyskiwała pewność, że nie chce stać się taka jak Fausto – tylko w połowie Wyjątkowa, pusta, bez życia. Wyleczona.

Już prawie dotarła do celu.

– Tally, zaczekaj! – w sieci usłyszała głos Fausta, wydawał się zdyszany. – Nie masz kamizelki bungee!

Uśmiechnęła się.

– Nie potrzebuję jej.

– Tally!

W powietrze wzleciała kolejna seria strzał, lecz Tally uskoczyła, znów turlając się po ziemi. Dotarła już niemal na skraj przepaści. Zerwała się i skoczyła między dwoje uciekinierów patrzących na swój nowy dom, w powietrze...

– Oszalałaś? – wrzasnął Fausto.

Zaczęła spadać, patrząc na światła Diego. Obok niej przelatywała jasna skalna ściana, opleciona metalową siatką asekurującą wspinaczy. Dokładnie pod nią zalegał kolejny ciemny park, oświetlało go tylko kilka latarni. Zapewne z ziemi wyrastało mnóstwo drzew i innych rzeczy, na które mogła się nabić.

Przesuwając dłońmi, Tally obróciła się w powietrzu, by spojrzeć na prześladowców, rząd sylwetek nad przepaścią. Nikt z nich nie skoczył za nią – byli zbyt pewni siebie, by zabrać kamizelki. Oczywiście gdzieś w pobliżu musieli mieć deski, nim jednak do nich dotrą, będzie za późno.

Tally znów się obróciła, twarzą do ziemi. Przeczekała ostatnich kilka sekund lotu...

W ostatniej chwili syknęła.

– Hej, Fausto, co powiesz na to? Bransolety bezpieczeństwa...

***

Bolało jak diabli.

Nad miejską siecią bransolety były w stanie powstrzymać upadek, ale zaprojektowano je do ratowania deskarzy, nie skoczków ze skał. Nie rozprowadzały siły po całym ciele, jak zapięta kamizelka. Chwytały człowieka za przeguby, obracając nim w powietrzu aż do pełnego wyhamowania.

W brzydkich czasach Tally przeżyła kilka paskudnych wysypek – wykręcających ramiona, nadwerężających stawy upadków, po których żałowała, że kiedykolwiek stanęła na desce. Wypadków, po których miała wrażenie, jakby wrogi olbrzym próbował jej wyrwać ręce z barków.

Ale nic nigdy nie bolało jej tak jak teraz.

Bransolety włączyły się pięć metrów nad ziemią bez żadnego ostrzeżenia. Tally miała wrażenie, jakby przywiązała sobie do rąk dwie liny, na tyle długie, by zatrzymać ją w ostatniej chwili.

Przeguby i ramiona zawyły z bólu tak gwałtownego i przeraźliwego, że na moment jej umysł zalała czerń. Potem jednak podkręcony chemicznie mózg odzyskał przytomność, zmuszając Tally do znoszenia cierpień zranionego ciała.

Obracała się trzymana za przeguby, a świat wirował wokół niej, całe miasto tańczyło w dole. Po każdym obrocie ból narastał. W końcu Tally zwolniła i zatrzymała się, wytraciwszy siłę rozpędu. Bransolety powoli, boleśnie opuściły ją na ziemię.

Zachwiała się na nogach, czując pod stopami szyderczo miękką trawę. W pobliżu rosło parę drzew, usłyszała odgłosy alarmu. Ręce opadły jej na boki, dwa bezużyteczne morza bólu.

– Tally? – w uszach usłyszała głos Fausta. – Nic ci się nie stało?

– A jak myślisz? – syknęła, po czym wyłączyła skórtenę.

Stąd Dymiarze wiedzieli, gdzie ją znajdą. Skoro Fausto grał po ich stronie, mógł ją śledzić od jej przybycia do miasta.

To oznaczało, że wytropili także Shay. Czy już ją dopadli? Tally nie dostrzegła jej wśród prześladowców.

Postąpiła jeszcze parę kroków, każdy z nich wywoływał nową falę cierpienia w zranionych ramionach. Zastanawiała się, czy ceramiczne kości pękły, uszkadzając chronione monowłóknami mięśnie tak, że nie da się ich już naprawić.

Zacisnęła zęby, próbując unieść jedną rękę. Prosty ruch tak bardzo zabolał, że sapnęła głośno. Kiedy zacisnęła palce, uścisk wydał jej się żałośnie słaby. Przynajmniej ciało wciąż reagowało na jej wolę.

Nie miała jednak czasu na składanie sobie gratulacji z powodu zaciśnięcia pięści, Dymiarze wkrótce się pojawią. A jeśli któremuś z nich starczyło odwagi, by zeskoczyć ze skały na desce, musiała działać szybko.

Pobiegła w stronę pobliskich drzew, każdy krok był niczym błyskawica bólu. W ciemnych zaroślach przełączyła strój maskujący na kamuflaż. Nawet falowanie łusek na rękach i ramionach paliło niczym ogień.

Poczuła, jak naprawcze nano budzą się do życia. Skóra na rękach mrowiła ją. Wiedziała jednak, że wyleczenie tak poważnych obrażeń zajmie wiele godzin. Sięgnęła w górę, niemal wyjąc z bólu, by naciągnąć na głowę kaptur. O mało nie straciła przytomności, lecz znów jej wyjątkowy mózg nie pozwolił na to.

Dysząc, kuśtykała w stronę drzewa, którego najniższe gałęzie zwisały tuż nad ziemią. Podskoczyła, lądując niepewnie na jednej nodze, i oparła się o pień, gwałtownie chwytając powietrze. Po długiej chwili rozpoczęła mozolny proces wspinaczki bez używania rąk, przechodząc z jednej gałęzi na drugą, z trudem utrzymując się wyłącznie dzięki antypoślizgowym butom.

Było to powolne i bolesne zadanie. Zaciskała zęby, czując walenie serca w piersi. Lecz w jakiś sposób, wolniutko, zdołała wspiąć się wyżej, jeden metr, potem drugi...

Między liśćmi dostrzegła błysk podczerwieni. Zamarła.

Obok, dokładnie na poziomie oczu, bezszelestnie przepływała lotodeska. Tally widziała, jak lśniąca głowa pasażera obraca się z boku na bok, nasłuchując między drzewami. Oddech Tally zwolnił, pozwoliła sobie na ponury uśmiech. Dymiarze sądzili, że Fausto, ich oswojony Wyjątkowy, załatwi ją za nich, nie zabrali nawet strojów maskujących. Tym razem to ona była niewidzialna.

Oczywiście to, iż ta niewidzialna nie była w stanie podnieść rąk, wyrównywało szanse.

W końcu ból zastąpiło wibrowanie nano zbierających się w jej ramionach, zaczynających naprawy i wstrzykujących w tkanki środek znieczulający. Jeśli nie będzie się zbyt mocno ruszać, małe maszyny utrzymają ból na poziomie tępego pulsowania.

W dali Tally usłyszała innych szukających. Uderzali o liście, sądząc, iż wykurzą ją z kryjówki niczym stado ptaków.

Ale najbliższy Dymiarz polował w milczeniu, nasłuchując i obserwując. Stał zwrócony do niej profilem, wciąż poruszając głową z boku na bok, wbijając wzrok między drzewa. Sylwetka zdradzała, że ma na twarzy okulary do podczerwieni.

Tally uśmiechnęła się do siebie. Widzenie w nocy nie przyda mu się wcale bardziej niż tłuczenie o drzewa. Potem jednak postać zamarła, wpatrując się dokładnie w Tally. Deska zatrzymała się w powietrzu.

Ledwie poruszając głową, Tally spojrzała po sobie. Co było widać?

I wtedy ujrzała. Po wielu dniach noszenia, przygodach i wysypkach, którym poddała swój strój, w końcu ostatni skok ze szczytu załatwił sprawę.

Na jej prawym ramieniu pękł szew. W podczerwieni miejsce to lśniło jasnym, niemal białym blaskiem. Ciepło generowane przez przyspieszony metabolizm wyrywało się z dziury niczym promienie słońca. Postać podsunęła się bliżej w powietrzu, powoli i ostrożnie.

– Hej! – zawołała nerwowo kobiecym głosem. – Chyba coś tu mam.

– Co takiego? – padła odpowiedź.

Tally rozpoznała ten głos. „David" – pomyślała, czując lekki dreszcz.

Była tak blisko, a ledwie mogła zacisnąć rękę w pięść.

Dziewczyna z Dymu zatrzymała się, patrząc prosto na Tally.

– Na tym drzewie jest gorący punkt wielkości piłki do baseballu.

Usłyszała śmiech dobiegający z miejsca, z którego odezwał się David.

– To pewnie wiewiórka! – krzyknął ktoś inny.

– Zdecydowanie za gorący jak na wiewiórkę. Chyba że się pali.

Tally czekała, zaciskając powieki i nakazując ciału zwolnić, przestać generować tyle energii. Jednak Dymiarka miała rację: połączenie pracującego na pełnych obrotach silnika jej serca i nano pospiesznie naprawiających ramiona sprawiało, że czuła się, jakby trawił ją ogień.

Spróbowała unieść lewą rękę, by zakryć dziurę, lecz mięśnie już jej nie słuchały. Mogła jedynie tam stać i próbować się nie ruszać.

Dostrzegła kolejne zbliżające się jasne postaci.

– Davidzie! – zawołał ktoś z daleka. – Zbliżają się.

David zaklął, zawracając w powietrzu.

– Nie będą z nas zadowoleni. Chodźcie, znikajmy stąd.

Dziewczyna, która wypatrzyła Tally, parsknęła sfrustrowana, po czym skręciła ostro i pomknęła w jego ślady. Pozostali Dymiarze ruszyli za tą dwójką, przelatując nad liściastymi koronami drzew i znikając w dali.

„Kto się zbliża? – zastanawiała się Tally. – Dlaczego tak po prostu odeszli? Kogo Dymiarze boją się w Diego?”.

Nagle w lesie rozległ się tupot biegnących stóp. Tally ujrzała błyski jaskrawej żółci na ziemi. Widziała już wcześniej ten sam kolor: kolor mundurów pracowników ochrony i opiekunów – żółty w mocne czarne pasy, jak u maluchów przebranych za trzmiele.

Przypomniała sobie, co mówił Fausto o tym, że władze Diego wciąż kierują miastem, i uśmiechnęła się. Może i tolerują obecność Dymiarzy, ale opiekunom raczej nie spodoba się próba porwania na przyjęciu.

Mocniej przywarła do pnia. Dziura w stroju maskującym była niczym krwawiąca rana. Jeśli mają noktowizory, zauważą ją tak jak Dymiarze. Raz jeszcze spróbowała unieść lewą dłoń, by zasłonić rozdarty szew.

Gwałtowna błyskawica bólu sprawiła, że zrobiło jej się słabo. Tally usłyszała własne sapnięcie. Zacisnęła powieki, starając się nie krzyknąć.

Nagle cały świat zaczął niebezpiecznie przechylać się na jedną stronę. Otworzyła oczy, zbyt późno się orientując, że jedna ze stóp ześliznęła się z gałęzi. Jej ręce instynktownie poszukały oparcia, jednak próba ruchu wywołała tylko kolejną obezwładniającą falę bólu.

A potem runęła bezwładnie, ciężko, przelatując przez gałęzie. Jej ciało wrzeszczało, gdy w drodze na dół uderzała, jak się zdawało, o każdy kolejny konar.

Wylądowała z jękiem, ręce i nogi miała szeroko rozrzucone, jak lalka ciśnięta na ziemię.

Wokół niej szybko utworzył się pierścień opiekunów w żółtych strojach.

– Nie ruszaj się – rzucił jeden ochryple.

Tally uniosła wzrok i jęknęła sfrustrowana. Opiekunowie nie mieli broni. Byli to zwykli przeciętni średni śliczni, niespokojni niczym stadko kotów otaczających wściekłego dobermana. Gdyby nie obrażenia, zaśmiałaby im się w twarze i wywróciła niczym kości domina.

Teraz jednak opiekunowie uznali jej bezruch za oznakę kapitulacji.

WYKROCZENIA ANATOMICZNE

Ocknęła się w wyścielanej celi.

Pachniało tu tak samo jak w wielkim szpitalu w domu: ostra, chemiczna woń środków dezynfekujących, nieprzyjemny zapach zbyt wielu ludzi mytych przez roboty zamiast pod zwykłymi prysznicami. Gdzieś niedaleko Tally wyczuła też odstawione pełne nocniki.

Lecz większość pokoi szpitalnych nie ma wyścielanych ścian i nie brakuje w nich drzwi. Przypuszczalnie kryły się gdzieś pod wyściółką, idealnie dopasowane. Łagodne światło w pastelowych barwach, zapewne w zamyśle uspokajające, przenikało do środka poprzez punkciki światłowodów rozrzucone po wysokim suficie.

Tally usiadła i poruszyła rękami, rozcierając ramiona. Mięśnie były sztywne i obolałe, lecz ich dawna siła powróciła. Nie wiedziała, czym uśpili ją opiekunowie, lecz działało całkiem długo. Shay złamała raz podczas szkolenia Tally rękę, by zademonstrować, jak działa układ samonaprawczy, i dopiero po kilku godzinach poczuła się jak trzeba.

Strąciła stopami kołdrę, po czym spojrzała na siebie.

– To chyba żarty – wymamrotała.

Strój maskujący zniknął, zastąpiony cienką, jednorazową koszulą nocną w różowe kwiatki.

Wstała i zerwała ją z siebie, po czym zgniotła w kulkę. Upuściła na podłogę i kopnęła pod łóżko. Wolała być naga, niż wyglądać jak idiotka.

W istocie jednak czuła się cudownie, w końcu uwolniona ze stroju maskującego. Owszem, łuski przenosiły na powierzchnię pot i martwe komórki naskórka, ale nie ma to jak prawdziwy prysznic, przynajmniej od czasu do czasu. Potarła skórę, zastanawiając się, czy pozwolą jej tu wziąć kąpiel.

– Halo? – rzekła do pokoju.

Nie słysząc odpowiedzi, przyjrzała się bliżej ścianie. Materiał wyściółki połyskiwał heksagonalnym wzorem mikrosoczewek, tysięcy maleńkich kamer wplecionych w tkaninę. Lekarze mogli oglądać wszystko, co robiła, pod każdym możliwym kątem.

– No dalej, wiem, że mnie słyszycie – powiedziała głośno, po czym zacisnęła pięść i z całych sił rąbnęła o ścianę. – Au! – zaklęła kilka razy, machając przed sobą ręką.

Wyściółka odrobinę pomogła, lecz ścianę za nią zrobiono z czegoś twardszego niż drewno czy kamień – zapewne czystego budowlanego materiału ceramicznego. Tally nie uda się rozbić jej gołymi rękami.

Wróciła do łóżka i usiadła, rozcierając palce i wzdychając głośno.

– Młoda damo, uważaj, proszę – rzekł czyjś głos. – Zrobisz sobie krzywdę.

Tally zerknęła na swoją dłoń, kostki nawet nie poczerwieniały.

– Chciałam tylko zwrócić waszą uwagę.

– Uwagę? Hm, to o to chodzi?

Jęknęła. Jeśli istniało coś bardziej irytującego niż zamknięcie w komorze dla świrów, to słuchanie, jak starsi zwracają się do niej jak do malucha przyłapanego ze śmierdzielem. Głos brzmiał nisko, spokojnie i nieludzko, jak u robota terapeutycznego. Wyobraziła sobie komisję lekarzy zebraną za ścianą i wpisującą odpowiedzi do komputera wygłaszającego je następnie kojącym tonem.

– Prawdę mówiąc, chodzi raczej o to, że w moim pokoju nie ma drzwi – odparła. – Złamałam jakieś prawo czy coś?

– Zostałaś zatrzymana na obserwację z uwagi na to, iż stanowisz możliwe zagrożenie dla siebie i innych.

Tally przewróciła oczami. Kiedy się stąd wydostanie, zobaczą, co to jest zagrożenie, i to bynajmniej nie „możliwe".

– Kto? Ja? – spytała jednak głośno.

– Choćby dlatego, że zeskoczyłaś ze Szczytu bez odpowiednich zabezpieczeń.

Tally opadła szczęka.

– Twierdzicie, że to moja wina? Rozmawiałam właśnie ze starym znajomym i nagle banda świrów z łukami i strzałami zaczęła do mnie strzelać. Co niby miałam robić? Stać tam i dać się porwać?

Głos zawahał się chwilę.

– Sprawdzamy nagrania z owego incydentu. Przyznajemy jednak, że w Diego pojawiły się elementy napływowe, które czasem stwarzają problemy. Przepraszamy za to, nigdy wcześniej nie zachowali się aż tak karygodnie. Możesz być pewna, że dojdzie do mediacji.

– Mediacji? Chcecie z nimi o tym porozmawiać? Może raczej zamkniecie paru zamiast mnie? W końcu to ja jestem tu ofiarą.

Kolejna chwila ciszy.

– To dopiero zostanie ustalone. Czy mogę spytać o twoje imię, nazwisko, miasto pochodzenia i skąd dokładnie znasz owego „starego znajomego"?

Tally poczuła pod palcami kołdrę. Podobnie jak w wyściółkę ścian, w nią także wpleciono mikroczujniki – wścibskie małe maszyny mierzące jej tętno, potliwość, galwaniczną reakcję skóry. Parę razy odetchnęła głęboko, opanowując gniew. Jeśli się skoncentruje, mogą cały dzień trzymać ją na poligrafie i nie wykryją najmniejszego kłamstwa.

– Nazywam się Tally – odparła ostrożnie. – Przybyłam z miasta na północy. Słyszałam, że jesteście uprzejmi dla uciekinierów.

– Chętnie witamy imigrantów. Zgodnie z założeniami Nowego Systemu pozwalamy każdemu ubiegać się o obywatelstwo Diego.

– Nowego Systemu? To tak go nazywacie? – Tally przewróciła oczami. – W takim razie ów Nowy System jest do bani, skoro pozwala zamykać ludzi za to, że uciekają przed wariatami. Wspominałam już może o łukach i strzałach?

– Bądź spokojna, nie jesteś pod obserwacją z powodu twojego zachowania, Tally. Bardziej martwią nas pewne wykroczenia anatomiczne.

Mimo skupienia po plecach Tally przebiegł nerwowy dreszcz.

– Co takiego?

– Tally, twoje ciało zbudowano na utwardzonym szkielecie ceramicznym, paznokcie i zęby zamieniono w broń, zaś mięśnie i ośrodki odruchów wykazują znaczne wzmocnienie.

Z nagłym uściskiem w żołądku Tally uświadomiła sobie, co zrobili opiekunowie. Myśląc, że została ciężko ranna, przywieźli ją do szpitala na głębokie skanowanie, a to, co odkryli lekarze, wyraźnie zaniepokoiło władze.

– Nie jestem pewna, o czym pan mówi – odparła pozornie niewinnym tonem.

– W twojej korze mózgowej wykryliśmy też pewne struktury zdecydowanie sztucznego pochodzenia, zaprojektowane tak, by wpływać na zachowanie. Tally, czy kiedykolwiek zdarzają ci się nagłe ataki gniewu bądź euforii, odruchy aspołeczne lub poczucie wyższości?

Tally raz jeszcze odetchnęła głęboko, walcząc o zachowanie spokoju.

– Na razie zdarzyło mi się siedzenie w zamknięciu – odparła powoli, z rozmysłem.

– Dlaczego masz na rękach blizny, Tally? Kto ci to zrobił?

– Co? To? – Roześmiała się, przesuwając palcami po rzędach blizn po nacinaniu. – Tam, skąd pochodzę, to najnowszy krzyk mody!

– Tally, możliwe, że nie jesteś świadoma tego, co zrobiono z twoim umysłem. Samookaleczenie może wydawać ci się naturalne.

– Ale to tylko... – Tally jęknęła i pokręciła głową. – Po wszystkich zwariowanych operacjach, które tu widziałam, przejmujecie się paroma bliznami?

– Martwi nas tylko to, co mówią na temat twojej równowagi umysłowej.

– Nie gadajcie mi nic na temat równowagi umysłowej – warknęła Tally, postanowiwszy zrezygnować z udawanego spokoju. – To nie ja zamykam ludzi!

– Rozumiesz spory polityczne pomiędzy naszymi miastami, Tally?

– Spory polityczne? – powtórzyła. – Co to ma wspólnego ze mną?

– Twoje miasto od dawna znane jest z niebezpiecznych praktyk chirurgicznych. Fakty te, a także polityka Diego dotycząca uciekinierów często stanowiły powody konfliktów dyplomatycznych. Nastanie Nowego Systemu jeszcze pogorszyło sytuację.

Tally parsknęła.

– To znaczy, że zamknęliście mnie z powodu miejsca, z którego pochodzę? Zmieniliście się w Rdzawców czy co?

Po tych słowach nastała długa cisza. Tally wyobraziła sobie lekarzy spierających się, co wpisać do komputera czytającego.

– Czemu mnie torturujecie? – krzyknęła, starając się naśladować nieszkodliwą, marudną śliczną. – Pokażcie mi się!

Zwinęła się w kłębek na łóżku i zaczęła głośno szlochać, jednak w sekrecie szykowała się do skoku w dowolnym kierunku. Ci kretyni pewnie nie zdawali sobie sprawy, że w czasie snu jej ręce kompletnie się zagoiły. Wystarczy tylko, by ktoś uchylił drzwi, choćby na pół centymetra, a w mgnieniu oka wydostanie się z tego szpitala, nieważne, naga czy nie.

Po kolejnej długiej chwili głos powrócił.

– Obawiam się, Tally, że nie możemy puścić cię wolno. Z powodu modyfikacji cielesnych spełniasz nasze kryteria określające niebezpieczną broń. A w Diego niebezpieczna broń jest nielegalna.

Tally przestała udawać płacz. Z niedowierzaniem otworzyła usta.

– Chcesz powiedzieć, że jestem nielegalna? – zawołała. – Jak człowiek może być nielegalny?

– Nie oskarżamy cię o żadną zbrodnię, Tally. Wierzymy, że za wszystko odpowiadają władze twojego miasta. Ale nim opuścisz ten szpital, musimy skorygować wszystkie wykroczenia anatomiczne.

– Nie ma mowy! Nie dotkniecie mnie!

Głos nie zareagował na jej gniew, jedynie mówił dalej kojąco.

– Tally, twoje miasto często wtrącało się w sprawy innych, zwłaszcza w kwestii uciekinierów. Uważamy, że odmienili cię bez twojej zgody i przysłali tu nieświadomą, byś zdestabilizowała sytuację wśród imigrantów.

Myśleli, że jest zwykłą frajerką, nieświadomą agentką Wyjątkowych Okoliczności. Oczywiście nie mieli pojęcia, jak złożona jest prawda.

– W takim razie puśćcie mnie do domu – odparła cicho, próbując zamienić frustrację w łzy. – Obiecuję, że odejdę. Po prostu mnie puśćcie. – Mocniej zacisnęła zęby na dolnej wardze. Zapiekły ją oczy, lecz jak zawsze łzy nie nadeszły.

– Nie możemy cię uwolnić w obecnej konfiguracji anatomicznej. Jesteś po prostu zbyt niebezpieczna, Tally.

„Nawet nie macie pojęcia jak" – pomyślała.

– Jeśli chcesz, możesz opuścić Diego – ciągnął głos. – Najpierw jednak musimy dokonać pewnych poprawek fizycznych.

– Nie. – Ogarnął ją nagły chłód. Nie mogli tego zrobić.

– Nie możemy zwolnić cię zgodnie z prawem bez wcześniejszego rozbrojenia.

– Ale nie możecie też mnie operować, jeśli się nie zgodzę. – Wyobraziła sobie, jak znów jest słaba, żałosna, bezradna, przeciętna. – Co ze świadomą zgodą?

– Jeśli wolisz, nie dokonamy żadnych eksperymentalnych prób naprawienia twojej zmienionej chemii mózgu. Po terapii może nauczysz się panować nad własnym zachowaniem. Ale niebezpieczne modyfikacje ciała zostaną poprawione z pomocą tradycyjnych technik chirurgicznych. To nie wymaga świadomej zgody.

Tally znów otworzyła usta, lecz nie wydostał się z nich żaden dźwięk. Chcieli zrobić z niej znów przeciętną, nie naprawiając jej mózgu? Co to za koszmarna logika?

Nagle zaczęła dusić się w czterech nieprzeniknionych ścianach patrzących na nią zachłannie i szyderczo błyszczącymi oczami. Wyobraziła sobie instrumenty z zimnego metalu wnikające w jej ciało i wydzierające z niego wszystko, co wyjątkowe.

Przez owych kilka chwil, gdy całowała się z Zane'em, wyobrażała sobie, że chce być normalna. Teraz jednak, gdy ktoś zagroził jej powrotem w przeciętność, nie mogła znieść owej wizji.

Chciała móc spojrzeć na Zane'a bez niesmaku, dotknąć go, pocałować. Ale nie wówczas, jeśli oznaczałoby to kolejną zmianę bez jej zgody.

– Po prostu mnie puśćcie – wyszeptała.

– Obawiam się, że nie możemy, Tally. Ale kiedy skończymy, będziesz równie piękna i zdrowa jak wszyscy inni. Pomyśl tylko, tu, w Diego, możesz wyglądać, jak tylko zechcesz.

– Tu nie chodzi o wygląd – powiedziała Tally.

Zerwała się na równe nogi i podbiegła do najbliższej ściany. Cofnęła rękę i uderzyła najmocniej, jak umiała. W jej mięśniach znów eksplodował ból.

– Tally, przestań, proszę.

– Nie ma mowy. – Zacisnęła zęby i z ponurą miną znów walnęła pięścią w ścianę.

Jeśli zrobi sobie krzywdę, ktoś będzie musiał otworzyć drzwi.

Wtedy przekonają się, jaka jest niebezpieczna.

– Tally, proszę.

Ponownie cofnęła rękę i uderzyła, czując kostki grożące pęknięciem w zetknięciu z żelazną twardością ściany. Z ust wyrwał jej się jęk bólu, na wyściółce pozostały plamy krwi, ale Tally nie ustępowała. Widzieli, jaka jest silna, a to musiało wyglądać autentycznie.

– Nie pozostawiasz nam wyboru.

„I dobrze – pomyślała. – Tylko tu przyjdźcie i spróbujcie mnie powstrzymać".

Ponownie uderzyła o ścianę, z kolejnym krzykiem i kolejną plamą krwi.

Nagle oprócz dojmującego bólu poczuła coś jeszcze, ogarniającą ją senność.

– Nie – mruknęła. – To nieuczciwe.

Pośród wszystkich szpitalnych woni środków odkażających i nocników zapach gazu był tak lekki, że go nie wyczuła, gdy dotarł do jej nozdrzy. Wyjątkowi zazwyczaj pozostawali odporni na działanie gazu obezwładniającego, ale Diego znało jej tajemnice. Mogli opracować ten gaz specjalnie dla niej.

Osunęła się na kolana, do minimum spowolniła oddech, rozpaczliwie próbując się uspokoić i wciągać jak najmniej powietrza. Może nie zgadli jeszcze, jak starannie ją zaprojektowano, przygotowano na każdy możliwy atak, jak szybko potrafiła przetwarzać toksyny.

Oparła się o ścianę, z każdą sekundą stając się coraz słabsza. Wyściółka nagle wydała jej się niezwykle wygodna, zupełnie jakby ktoś ułożył wszędzie poduszki. Zdołała wykonać parę gestów lewą dłonią, ustawiając oprogramowanie na pingi co dziesięć minut. Musi się obudzić, nim zaczną ją operować.

Próbowała się skupić, cokolwiek zaplanować, ale migotanie soczewek na ścianach było zbyt piękne. Opadły jej powieki. Musi uciec, ale najpierw się zdrzemnie.

Sen nie jest przecież taki zły, to coś jak bycie znów pustogłową. Żadnych zmartwień, żadnego gniewu...

GŁOSY

Było bardzo przyjemnie. Przyjemnie i cicho.

Po raz pierwszy od dawna Tally nie czuła wściekłości ani frustracji, z jej mięśni zniknęło napięcie, a także uczucie, że musi gdzieś być, coś zrobić, czegoś dowieść. Tu, w tym miejscu, była tylko Tally i ta wiedza muskała jej skórę niczym przyjemny wietrzyk. Prawa ręka była najfajniejsza – pyszna, zupełnie jakby ktoś oblewał ją ciepłym szampanem.

Uniosła powieki. Wszystko było przyjemnie rozmazane, a nie ostre i wyraźne. Otaczały ją białe puszyste chmury. Niczym maluch patrzący w niebo Tally widziała w nich najróżniejsze kształty. Próbowała wyobrazić sobie smoka, lecz jej mózg nie potrafił przyjąć wizji skrzydeł...

Poza tym smoki są zbyt straszne. Tally, czy może ktoś, kogo znała, miał z jednym z nich nieprzyjemną przygodę.

Lepiej wyobrazić sobie przyjaciół, Shay-la i Zane-la, wszystkich, którzy ją kochali. Tego właśnie naprawdę pragnęła: zobaczyć się z nimi. Ale najpierw może jeszcze trochę pośpi.

Znów zamknęła oczy.

*
**

Ping.

Znów usłyszała ten dźwięk, powracał co chwilę, niczym stary druh sprawdzający, co u niej.

– Cześć, ping-la – rzuciła.

Ping nie odpowiedział, ale Tally chciała być grzeczna.

– Czy ona coś powiedziała, doktorze? – spytał ktoś.

– Niemożliwe. Nie po tym, co jej podaliśmy.

– A widział pan jej wykresy metaboliczne? – wtrącił trzeci głos. – Nie będziemy ryzykować, sprawdźcie pasy.

Ktoś mruknął szorstko i zaczął kolejno, metodycznie obmacywać ręce i stopy Tally, poczynając od pysznej prawej dłoni i poruszając się zgodnie z ruchem wskazówek zegara. Tally wyobrażała sobie, że jest zegarem, leży tam i cichutko tyka.

– Proszę się nie martwić, doktorze, nigdzie nie pójdzie.

Głos się jednak mylił, bo chwilę później Tally odeszła, szybując na plecach. Nie mogła otworzyć oczu, ale czuła się jak na lotowózku. W górze pulsowały światła, na tyle jasne, by mogła widzieć nawet przez powieki. Ucho wewnętrzne poczuło, jak wózek skręca w lewo, zwalnia i pokonuje występ w sieci magnetycznej. Potem zaczęła przyspieszać w górę, tak szybko, że strzeliło jej w uszach.

– W porządku – rzekł jeden z głosów. – Zaczekajcie tutaj na zespół przygotowawczy, nie zostawiajcie jej samej i wezwijcie mnie, jeśli się ruszy.

– Jasne, doktorze. Ale ona się nie ruszy.

Tally uśmiechnęła się. Postanowiła zagrać w tę grę i faktycznie się nie ruszać. Gdzieś w głębi umysłu pojawiła się myśl, że oszukanie głosu to świetna zabawa.

*
**

Ping.

– Cześć – odparła i nagle przypomniała sobie o pozostawaniu w bezruchu.

Przez chwilę leżała spokojnie, po czym zaczęła się zastanawiać, skąd pochodzą pingi. Powoli robiły się irytujące.

Poruszyła palcami i po wewnętrznej stronie powiek pojawił się interfejs. W odróżnieniu od wszystkiego innego wewnętrzne oprogramowanie pozostało sprawne i musiała tylko przesunąć lekko palce, by je uruchomić.

Uzmysłowiła sobie, że pingi to pobudka. Najwyraźniej miała wstać i coś zrobić.

Westchnęła cicho. Tak miło było tu leżeć. Poza tym nie pamiętała, co takiego musi załatwić, dlatego pingi traciły wszelki sens. W istocie sam pomysł pinga to głupota. Tally zachichotałaby, gdyby chichot nie był taki trudny. Nagle każdy ping wydawał jej się głupi.

Poruszyła palcem, by wyłączyć sygnały, żeby nie przeszkadzały jej więcej.

Lecz jedno pytanie nie dawało jej spokoju: co właściwie miała zrobić? Może ktoś z Nacinaczy będzie wiedział. Włączyła skórtenę.

– Tally? – spytał znajomy głos. – No wreszcie!

Tally uśmiechnęła się. Shay-la zawsze wiedziała, co robić.

– Nic ci nie jest? – spytała Shay. – Gdzie się podziewałaś?

Tally spróbowała odpowiedzieć, lecz mówienie okazało się zbyt trudne.

– Nic ci nie jest, Tally? – spytała Shay ponownie po paru chwilach. Teraz w jej głosie brzmiała troska.

Tally przypomniała sobie, że Shay była na nią wściekła, i uśmiechnęła się szerzej. Teraz Shay-la nie sprawiała wrażenia wściekłej, tylko zmartwionej.

Zebrała wszelkie siły i w końcu zdołała wychrypieć.

– Śpiąca.

– Niech to szlag.

„To dziwne – pomyślała Tally. – Dwa głosy powiedziały »niech to szlag«, dokładnie w tej samej chwili, dokładnie tym samym wystraszonym tonem". Jeden należał do Shay i dźwięczał w jej głowie, drugi do nieznanej osoby, którą wciąż słyszała.

Wszystko robiło się zbyt trudne, niczym zęby smoka, które próbowała sobie wyobrazić.

– Muszę się obudzić – powiedziała.

– Niech to szlag – rzekł drugi głos.

Jednocześnie Shay mówiła:

– Zostań tam, gdzie jesteś, Tally, chyba zlokalizowałam twój sygnał. Jesteś w szpitalu, zgadza się?

– Mhm – wymamrotała Tally.

Poznała szpitalny zapach, choć drugi głos utrudniał jej koncentrację. Krzyczał coś tak głośno, że zabolała ją głowa.

– Chyba się budzi! Niech ktoś ściągnie tu coś, co ją uśpi!

– Jesteśmy blisko – oznajmiła Shay. – Domyślaliśmy się, że gdzieś tam cię trzymają. Za godzinę masz przejść odwyjątkowianie.

– A tak. – Tally przypomniała sobie nagle, co miała zrobić: uciec z tego miejsca. Tyle że to będzie bardzo trudne, znacznie trudniejsze niż poruszanie palcami. – Pomocy, Shay-la.

– Trzymaj się, Tally, i spróbuj się ocknąć. Idę po ciebie.

– Tak, Shay-la – wyszeptała Tally.

– Ale wyłącz skórtenę, natychmiast. Jeśli cię przeskanowali, mogą podsłuchiwać...

– Dobra – odparła Tally i wykonała gest, po którym głos w jej głowie umilkł.

Drugi głos wciąż krzyczał, nadal dźwięczała w nim nerwowość. Tally zaczynała boleć głowa.

– Doktorze, ona właśnie coś powiedziała, mimo ostatniej dawki. Czym ona jest?

– Czymkolwiek jest, to ją uspokoi – odparł ktoś inny i znów zalała ją fala senności.

Potem Tally nie myślała już o niczym.

ŚWIATŁO

Świadomość powróciła w rozbłysku światła. W żyłach Tally wezbrała adrenalina, jak po ocknięciu z koszmarnego snu. Świat stał się nagle czysty jak diament, ostry jak zęby w jej ustach, jasny jak reflektor świecący w oczy.

Usiadła, oddychając ciężko i zaciskając pięści. Shay stała przy łóżku, majstrując wokół pasków na jej kostkach.

– Shay! – krzyknęła Tally.

Odczuwała wszystko tak jasno, że musiała krzyknąć.

– To cię obudziło, co?

– Shay!

Piekła ją lewa ręka, ktoś właśnie dał jej zastrzyk. W jej ciele kipiała energia, cała dawna wściekłość i siła powróciły. Szarpnęła skrępowaną stopą, lecz metalowy pasek wytrzymał.

– Spokojnie, Tally-wa – rzekła Shay. – Załatwię to.

– Spokojnie? – wymamrotała Tally, wodząc wzrokiem po pomieszczeniu.

Wzdłuż ścian ustawiono maszyny, wszystkie błyskały nerwowo. Pośrodku stał zbiornik operacyjny, do którego powoli wpływał chirurgiczny płyn, z góry zwisał aparat oddechowy czekający na pacjenta. Na pobliskim stole czekały skalpele i wibropiły.

Na podłodze leżało dwóch nieprzytomnych mężczyzn w szpitalnych fartuchach, jeden średni śliczny, drugi na tyle młody, by mieć jeszcze mleko pod nosem. Na ich widok w pamięci Tally ożyły obrazy z ostatnich dwudziestu czterech godzin: Losowe Miasto, schwytanie, groźba operacji, która miała uczynić ją przeciętną.

Ponownie szarpnęła się w więzach. Musiała uciec z tego miejsca, i to natychmiast.

– Już prawie – rzekła kojąco Shay.

Tally zaswędziała prawa ręka. Obejrzała się i ujrzała warkocz przewodów i rurek podpiętych do niej w ramach przygotowań do operacji. Syknęła i wyszarpnęła przewody. Na białą podłogę trysnęła krew, lecz Tally nie poczuła bólu – połączenie środka usypiającego i tego, czym Shay ją obudziła, wypełniło jej ciało zagłuszającą wszystko furią.

Gdy Shay w końcu odpięła drugi pasek, Tally zerwała się z łóżka, wykrzywiając palce.

– Może lepiej to załóż. – Shay rzuciła jej strój maskujący.

Tally spojrzała w dół: miała na sobie kolejną jednorazową koszulę nocną, różową w błękitne dinozaury.

– Co jest z tymi szpitalami? – krzyknęła, zdzierając koszulę i wsuwając stopę w kombinezon.

– Ciszej, Tally-wa – syknęła Shay. – Odłączyłam czujniki, ale nawet losowcy usłyszą twoje wrzaski. I nie włączaj jeszcze skórteny. Zdradzi nas.

– Przepraszam, szefowo. – Tally poczuła nagły zawrót głowy: za szybko wstała.

Zdołała jednak wepchnąć nogi w nogawki stroju maskującego i naciągnąć go na ramiona. Wyczuwając szaleńcze bicie serca, natychmiast przełączył się na tryb pancerny, łuski zjeżyły się, po czym opadły gładko, tworząc twardą warstwę.

– Nie, przełącz go tak – wyszeptała Shay, kładąc dłoń na drzwiach. Jej strój miał barwę jasnego błękitu, kolor lekarskich fartuchów.

Tally szybko przestroiła kombinezon, próbując dopasować go do stroju Shay. W głowie tętniła jej szaleńcza energia.

– Przyszłaś po mnie – rzekła, starając się mówić cicho.

– Nie mogłam pozwolić, żeby ci to zrobili.

– Ale myślałam, że mnie nienawidzisz.

– Czasami cię nienawidzę, Tally, jak nigdy jeszcze nikogo. – Shay parsknęła. – Może dlatego właśnie wciąż do ciebie wracam.

Tally przełknęła ślinę. Raz jeszcze spojrzała na zbiornik operacyjny, stół pełen instrumentów, narzędzia, które zmieniłyby ją w kogoś przeciętnego – odwyjątkowiły, jak to ujęła Shay.

– Dzięki, Shay-la.

– Nie ma sprawy. Gotowa stąd znikać?

– Zaczekaj, szefowo. – Tally przełknęła ślinę. – Widziałam Fausta.

– Ja też. – W głosie Shay nie dosłyszała gniewu, jedynie zwykłe stwierdzenie faktu.

– Ale on...

– Wiem.

– Wiesz... – Tally postąpiła krok naprzód, w głowie wciąż kręciło jej się po nagłym przebudzeniu i wszystkim, co się zdarzyło. – Ale... co my z nim zrobimy, Shay?

– Musimy stąd znikać, Tally. Reszta Nacinaczy czeka na nas na dachu. Zbliża się coś wielkiego. Znacznie większego niż Dymiarze.

Tally zmarszczyła brwi.

– Ale co...

Powietrze rozdarło wycie alarmu.

– Muszą być blisko! – krzyknęła Shay. – Uciekajmy.

Złapała Tally za rękę i pociągnęła przez drzwi.

Tally podążyła za nią. W głowie jej wirowało, nogi uginały się pod nią. Na zewnątrz długi, prosty korytarz ciągnął się w obu kierunkach, alarm rozbrzmiewał echem pośród ścian. Ludzie w szpitalnych strojach wysypywali się z drzwi po obu stronach, wypełniając korytarz nerwowym gwarem.

Shay biegła naprzód, przemykając pośród zdezorientowanych lekarzy i pielęgniarzy. Wymijała ich jak posągi, poruszała się tak szybko i pewnie, że tłum niemal nie zauważył błękitnej błyskawicy pędzącej między ludźmi.

Tally, nie zastanawiając się, ruszyła za nią, lecz oszołomienie po przebudzeniu mijało bardzo wolno. Uskakiwała, jak najlepiej potrafiła, wpadając na każdego, kto wszedł jej w drogę. Odbijała się od ciał i ścian, lecz ani na moment nie przystawała, dając się nieść swojej energii.

– Stać! – krzyknął czyjś głos. – Wy obie.

Przed Shay zebrała się gromada opiekunów w żółto-czarnych uniformach. W miękkim, pastelowym świetle w ich dłoniach połyskiwały ogłuszacze.

Shay nie zawahała się, strój poczerniał, gdy skoczyła na nich, wymachując kończynami. Powietrze wypełniła woń wyładowań elektrycznych – to ogłuszacze uderzały o pancerz, sycząc jak komary na siatce ochronnej. Shay obracała się w zamęcie, odrzucając na wszystkie strony żółte postaci.

Nim Tally dotarła na miejsce, na nogach pozostało tylko dwoje opiekunów. Cofali się w głąb korytarza, próbując odeprzeć Shay i wymachując na oślep ogłuszaczami. Tally stanęła za kobietą i chwyciła ją za przegub, przekręcając go z trzaskiem i popychając opiekunkę wprost na towarzysza. Oboje runęli na ziemię.

– Nie musisz im nic łamać, Tally-wa.

Spojrzała na kobietę, ze zbolałym jękiem ściskającą dłonią przegub.

– Och, przepraszam, szefowo.

– Nie twoja wina, Tally. Chodź.

Shay pchnięciem otworzyła drzwi na klatkę i ruszyła w górę, przeskakując po kilka stopni naraz. Tally biegła za nią, niemal już opanowała zawroty głowy, szaleńcza energia po zastrzyku opadała powoli. Drzwi za ich plecami zamknęły się, zagłuszając przeszywającą syrenę alarmową.

Zastanawiała się, co się działo z Shay i gdzie była przez cały ten czas. Jak dawno reszta Nacinaczy dotarła do Diego?

Ale pytania mogły zaczekać. Tally po prostu cieszyła się, że znów jest wolna, że może walczyć u boku Shay i wciąż jest Wyjątkowa. Znów były razem. Nic nie zdoła ich powstrzymać.

Po paru piętrach schody się skończyły. Tally i Shay wypadły przez ostatnie drzwi wprost na dach. Nocne niebo nad ich głowami mieniło się tysiącami gwiazd, piękne i jasne.

Po wyściełanej celi cudownie było znaleźć się pod otwartym niebem. Tally łaknęła świeżego powietrza, lecz z lasu kominów wokół wciąż wypływały duszące, szpitalne wonie.

– Świetnie, jeszcze ich nie ma – mruknęła Shay.

– Ale kogo? – spytała Tally.

Shay poprowadziła ją przez dach, w stronę wielkiego, ciemnego budynku obok. Tally przypomniała sobie, że to ratusz. Shay wyjrzała przez krawędź dachu.

Ze szpitala wysypywali się ludzie, personel w jasnych błękitach i bielach, pacjenci w zwiewnych koszulach. Niektórzy szli sami, innych popychano na lotowózkach. Tally słyszała wyjący w dole alarm, nagle uświadomiła sobie, że się zmienił. Teraz był to dwutonowy sygnał ewakuacji.

– Co się dzieje, Shay? Nie ewakuują ich tylko z naszego powodu, prawda?

– Nie, nie przez nas. – Shay odwróciła się do niej i położyła jej dłoń na ramieniu. – Chcę, żebyś posłuchała bardzo uważnie, Tally, to ważne.

– Ja słucham, Shay. Powiedz mi tylko, co się dzieje!

– W porządku. Wiem wszystko o Fauście, wyśledziłam sygnał z jego skórteny w chwili, gdy tu dotarłam, ponad tydzień temu. Wszystko mi wyjaśnił.

– A zatem wiesz... że nie jest już Wyjątkowy.

Shay zawahała się.

– Nie jestem pewna, czy masz rację, Tally.

– Ale on jest inny, Shay. Jest słaby. Widziałam to w jego... – Głos Tally uwiązł w gardle.

Przyjrzała się bliżej i sapnęła z niedowierzania. W oczach Shay dojrzała łagodność niewidzianą nigdy wcześniej. Ale to była Shay, wciąż szybka i śmiertelnie groźna – ścięła tych opiekunów niczym kosa.

– On nie jest słaby – powiedziała Shay. – Ja też nie.

Tally pokręciła głową i cofnęła się, potykając.

– Ciebie też dopadli.

Shay przytaknęła.

– W porządku, nie zamienili mnie przecież w pustogłową. – Postąpiła krok naprzód. – Ale musisz mnie wysłuchać.

– Nie zbliżaj się – syknęła Tally, unosząc ręce.

– Zaczekaj, Tally, dzieje się coś wielkiego.

Tally pokręciła głową. Teraz słyszała słabość w głosie Shay. Gdyby nie oszołomienie, zauważyłaby to natychmiast. Prawdziwa Shay nie przejmowałaby się przegubem jakiejś losowej opiekunki. I prawdziwa Shay – Wyjątkowa Shay – nigdy tak łatwo nie wybaczyłaby Tally.

– Chcesz mnie zmienić, żebym stała się taka jak ty! Tak jak wcześniej Fausto i Dymiarze!

– Nie, nie chcę – odpowiedziała Shay. – Potrzebuję cię takiej, jaką...

Nim zdążyła dodać choć słowo, Tally odwróciła się i pobiegła jak najszybciej na drugi koniec dachu. Nie miała bransolet bezpieczeństwa ani kamizelki, wciąż jednak umiała się wspinać jak Wyjątkowi. Jeśli Shay jest równie miękka jak Fausto, nie da rady pójść za nią. Tally będzie mogła uciec z tego szalonego miasta i sprowadzić pomoc z domu.

– Zatrzymajcie ją! – zawołała Shay.

Pomiędzy antenami i kominami pojawiły się pozbawione twarzy ludzkie sylwetki. Skoczyły z ciemności na Tally, łapiąc ją za ręce i nogi.

To była pułapka.

„Nie włączaj skórteny" – powiedziała Shay, by reszta z nich mogła rozmawiać między sobą, spiskować.

Tally zadała cios, zraniona pięść trafiła boleśnie w pancerz. Któryś z Nacinaczy złapał ją za rękę, ona jednak przełączyła swój strój na tryb śliski i wyrwała mu się. Pozwoliła sile rozpędu ponieść się do tyłu, przeturlała się po dachu i zerwała na równe nogi, wskakując na wysoki komin.

Próbowała naciągnąć na twarz kaptur, stać się niewidzialna, zanim do niej dotrą, lecz para rąk w rękawiczkach chwyciła ją za kostki i szarpnęła. Inna postać złapała ją, gdy spadała. Kolejne dłonie chwyciły jej ręce, powstrzymując grad ciosów, i z łagodną siłą zawlokły z powrotem na dach.

Tally walczyła i chociaż nadal była Wyjątkowa, tamci mieli zbyt dużą przewagę.

Ściągnęli kaptury – Ho, Tachs, pozostali Nacinacze. Shay dopadła ich wszystkich.

Uśmiechali się do niej łagodnie, w ich oczach widziała straszliwe, przeciętne ciepło. Wciąż walczyła, czekając na ukłucie zastrzyku w gołą szyję.

Shay stanęła nad nią, kręcąc głową.

– Tally, uspokój się wreszcie.

Tally splunęła na nią.

– Powiedziałaś, że mnie ratujesz.

– Bo ratuję. Gdybyś tylko zechciała posłuchać. – Shay westchnęła z nieskrywaną desperacją. – Po tym jak Fausto podał mi lek, wezwałam Nacinaczy. Kazałam im czekać na mnie w połowie drogi. W drodze do Diego wyleczyłam po kolei wszystkich.

Tally rozejrzała się po ich twarzach – kilku uśmiechało się do niej jak do malucha, który nic nie rozumie – i nie dostrzegła żadnych wątpliwości ani śladu buntu przeciwko temu, co Shay zrobiła. Stali się owcami, nie lepszymi od pustogłowych.

Jej gniew zamienił się w rozpacz. Wszystkie te mózgi były zakażone nano, osłabione, żałosne. Teraz została zupełnie sama.

Shay rozłożyła ręce.

– Posłuchaj, dopiero dziś dotarliśmy tutaj. Przykro mi, że Dymiarze próbowali cię zaatakować. Nie pozwoliłabym im na to. Ty nie potrzebujesz leku, Tally.

– W takim razie mnie puśćcie – warknęła Tally.

Shay zastanawiała się chwilę, po czym skinęła głową.

– W porządku, puśćcie ją.

– Ale szefowo – zaprotestował Tachs. – Przebili się już przez obronę, mamy niecałą minutę.

– Wiem. Ale Tally nam pomoże. Wiem, że to zrobi.

Pozostali kolejno, ostrożnie zwolnili uchwyt. Tally odkryła, że jest wolna. Wciąż patrzyła gniewnie na Shay, niepewna, co dalej robić. Nadal ją otaczali, a ona była sama.

– Nie ma sensu uciekać, Tally. Doktor Cable już tu leci.

Tally uniosła brew.

– Do Diego? Żeby was stąd zabrać?

– Nie. – Głos Shay załamał się, jak u malucha na skraju płaczu. – To wszystko nasza wina, Tally. Twoja i moja.

– Ale co?

– Po tym, co zrobiłyśmy w Zbrojowni, nikt nie uwierzył, że to sprawka Krimów albo Dymiarzy. Byłyśmy zbyt mroźne, zbyt Wyjątkowe. Przeraziłyśmy całe miasto.

– Od tamtej nocy – wtrącił Tachs – wszyscy w mieście odwiedzają zostawiony przez was dymiący krater. Przyprowadzają tam całe klasy maluchów.

– I Cable tu leci? – Tally zmarszczyła czoło. – Zaczekaj, chcesz powiedzieć, że domyślili się, że to my?

– Nie, mają inną teorię. – Shay wskazała horyzont. – Popatrz.

Tally odwróciła głowę. W dali za ratuszem na niebie pojawiła się masa jasnych świateł. Na jej oczach zbliżyły się, migocząc niczym gwiazdy w upalną noc.

Zupełnie jak podczas pościgu po włamaniu do Zbrojowni.

– Lotowozy – mruknęła.

Tachs przytaknął.

– Przekazali doktor Cable dowództwo miejskich sił zbrojnych. W każdym razie tego, co z nich zostało.

– Łapcie deski – poleciła Shay.

Pozostali rozbiegli się na wszystkie strony.

Shay wcisnęła Tally w ręce parę bransolet.

– Musisz przestać próbować uciekać i stawić czoło temu, co wywołałyśmy.

Tally nie wzdrygnęła się pod jej dotknięciem, nagle zbyt oszołomiona, by martwić się lekarstwem. Teraz słyszała już nadlatujące pojazdy, rój wirników mruczących niczym wielki rozgrzewający się silnik.

– Wciąż nie rozumiem.

Shay pomajstrowała przy własnych bransoletach i z ciemności wyłoniła się para lotodesek.

– Nasze miasto zawsze nienawidziło Diego. Wyjątkowe Okoliczności wiedziały, że tutejsi pomagają uciekinierom, helikoptery przewożą ludzi do Starego Dymu. Zatem po zniszczeniu Zbrojowni doktor Cable uznała, że musiał to być atak wojskowy. Obwiniła Diego.

– Czyli te lotowozy... mają zaatakować miasto? – wymamrotała Tally. Światła stawały się coraz większe i większe, teraz tańczyły jej nad głową, dziesiątki lotowozów krążących wokół ratusza. – Nawet doktor Cable nie zrobiłaby czegoś takiego.

– Obawiam się, że jednak zrobiła. A inne miasta na razie będą siedzieć i czekać, bo wszystkie śmiertelnie boją się Nowego Systemu. – Shay naciągnęła na głowę kaptur stroju maskującego. – Dzisiaj musimy im pomóc, Tally, musimy zrobić, co w naszej mocy. A jutro ty i ja musimy wrócić do domu i zakończyć wojnę, którą same zaczęłyśmy.

– Wojnę? Ale miasta nie... – głos Tally ucichł.

Dach pod jej stopami zaczął wibrować i mimo wycia setek wirników usłyszała dobiegający z dołu cichy dźwięk.

To krzyczeli ludzie.

Parę sekund później armada nad ich głowami otworzyła ogień, rozświetlając nocne niebo.

Część III
JAK SKOŃCZYĆ WOJNĘ

Każdy spogląda w przyszłość, świadom własnej przeszłości.
Pearl S. Buck

ZAPŁATA

Powietrze rozdarły smugi ognia z dział, odbijając się w oczach Tally i oślepiając ją. Eksplozje atakowały jej uszy, fale uderzeniowe tłukły w pierś, jakby coś próbowało rozedrzeć ją na sztuki.

Armada lotowozów rozpętała burzę ognia nad ratuszem. Kaskady pocisków rozbłyskiwały tak jasno, że na chwilę budynek zniknął. Ale Tally wciąż słyszała brzęk tłuczonego szkła i wrzask rozdzieranego metalu.

Po paru sekundach furia ataków zmalała i Tally wśród dymu dostrzegła ratusz. W ścianach pojawiły się wielkie dziury – ognie płonące wewnątrz budynku upodabniały go do ogromnej halloweenowej dyni o tuzinie jaśniejących oczu.

Z dołu znów dobiegły ją krzyki, tym razem pełne grozy. Przez jedną oszałamiającą chwilę przypomniała sobie, co powiedziała Shay. „To wszystko nasza wina, Tally. Twoja i moja".

Powoli pokręciła głową. To, co widziała, nie mogło być prawdą.

Wojny już się nie zdarzały.

– Chodź! – krzyknęła Shay, wskakując na deskę i wznosząc się w powietrze. – Ratusz jest w nocy pusty, ale musimy zabrać wszystkich ze szpitala...

Tally otrząsnęła się z odrętwienia. Wskoczyła na własną lotodeskę dokładnie w chwili, gdy znów zaczęło się bombardowanie. Shay przemknęła ponad skrajem dachu, na moment jej sylwetka odcięła się czernią od ognistej burzy, po czym zniknęła. Tally podążyła za nią, przeskakując nad poręczą. Przez sekundę wisiała w powietrzu, patrząc na panujący w dole chaos.

Żaden pocisk nie trafił w szpital, przynajmniej na razie. Lecz tłumy przerażonych ludzi wciąż wysypywały się ze wszystkich drzwi. Armada nie musiała do nikogo strzelać, by zabijać – panika i chaos załatwią to za nią. Pozostałe miasta uznają to za odpowiednią reakcję na napaść na Zbrojownię: jeden niemal pusty budynek za drugi.

Tally wyłączyła wirniki i zaczęła opadać, klęcząc i mocno trzymając się deski. Uderzenia bomb i wstrząsy zmieniły powietrze w coś namacalnego i rozedrganego niczym wzburzone morze.

Pozostali Nacinacze byli już na dole. Przestroili swoje stroje maskujące na żółć i czerń opiekunów z Diego. Tachs i Ho przeprowadzali tłumy na drugą stronę szpitala, byle dalej od gruzów sypiących się z ratusza. Pozostali ratowali przechodniów uwięzionych między dwoma budynkami. Wszystkie chodniki zatrzymały się gwałtownie, wywracając nocnych pasażerów.

Tally przez moment obracała się w powietrzu, oszołomiona, niepewna, co robić. Potem jednak wypatrzyła strumień maluchów wysypujących się ze szpitala. Ustawiały się wzdłuż żywopłotu otaczającego lądowisko helikopterów. Nauczyciele zatrzymali je, by przeliczyć wszystkich przed przejściem w bezpieczne miejsce.

Tally skręciła w stronę lądowiska, opadając tak szybko, jak tylko pozwalała jej na to grawitacja. Helikoptery przewoziły uciekinierów z innych miast do Starego Dymu i Nowego Systemu. Poważnie wątpiła, by doktor Cable pozostawiła je nietknięte.

Z wyciem wirników zatrzymała się tuż nad głowami maluchów. Z dołu spojrzały na nią przerażone, wykrzywione twarze.

– Uciekajcie stąd! – krzyknęła do nauczycieli, dwóch średnich ślicznych o klasycznych twarzach, spokojnych i mądrych.

Popatrzyli na nią z niedowierzaniem i Tally przypomniała sobie, że powinna przełączyć strój maskujący na kolor opiekunów.

– Helikoptery mogą być celem! – zawołała.

Oszołomione miny nauczycieli nie zmieniły się i Tally zaklęła. Jak dotąd nie rozumieli jeszcze, o co naprawdę chodziło w tej wojnie – o uciekinierów, Nowy System i Stary Dym. Wiedzieli tylko, że niebo eksplodowało im nad głowami i że zanim pójdą dalej, muszą dopilnować wszystkich podopiecznych.

Uniosła głowę i dostrzegła lśniący lotowóz odrywający się od armady. Zatoczył szeroki, powolny łuk, opadając w stronę lądowiska niczym leniwy, drapieżny ptak.

– Zabierzcie je na drugą stronę szpitala, ale już! – wrzasnęła, po czym zawróciła, wznosząc się w stronę nadlatującego lotowozu i zastanawiając, co właściwie może zrobić.

Tym razem nie miała na podorędziu granatów ani mazi z głodnych nano. Była sama, z gołymi rękami przeciwko wojskowej maszynie.

Jeśli jednak naprawdę to przez nią wybuchła wojna, musiała spróbować.

Naciągnęła kaptur na twarz i przełączyła strój na kamuflaż podczerwieni, po czym pomknęła w stronę ratusza. Miała nadzieję, że lotowóz nie zauważy jej obecności na tle gorącego ognia z dział i eksplozji.

W miarę jak zbliżała się do zniszczonego budynku, powietrze drżało wokół niej, kolejne fale wstrząsały jej ciałem. Teraz czuła już morderczy ogień pożaru i słyszała grzmiący huk walących się pięter. To lotociągi ratusza puszczały kolejno. Armada niszczyła całą budowlę, burząc ją do gołej ziemi. Dokładnie tak, jak one z Shay postąpiły ze Zbrojownią.

Zwrócona plecami do rozpętanego tuż obok piekła Tally zrównała się z lotowozem i podążyła za nim w dół, szukając słabego punktu. Wyglądał jak tamten wylatujący ze Zbrojowni: cztery wirniki unoszące pękate ciało najeżone bronią, skrzydłami i szponami. Matowa, czarna zbroja nie odbijała błysków ognistej burzy.

Tally dostrzegła na niej ślady niedawnych uszkodzeń i uświadomiła sobie, że Diego musiało jednak stawić opór, choć najwyraźniej pierwsza walka nie trwała zbyt długo. Choć wszystkie miasta zrezygnowały z wojen, być może niektóre odpuściły je sobie bardziej niż inne.

Zerknęła w dół. Lądowisko było niedaleko, szereg maluchów oddalał się od niego w wolnym tempie. Zaklęła i pomknęła do lotowozu z nadzieją, że odwróci jego uwagę.

Maszyna w ostatniej chwili wyczuła jej obecność; owadzie, metalowe szpony sięgnęły w stronę rozpalonej do białości deski. Tally skręciła stromo w górę, lecz zmiana kursu przyszła zbyt późno. Szpony lotowozu wbiły się w przedni wirnik, który zatrzymał się ze zgrzytem, zrzucając ją z deski. Pozostałe szpony chwytały ślepo w powietrzu, lecz Tally w stroju maskującym przeleciała nad nimi.

Wylądowała na grzbiecie maszyny, która przekrzywiła się gwałtownie. Ciężar Tally i siła zderzenia z deską o mało nie wywróciły lotowozu do góry nogami. Tally zamachała rękami, ślizgając się po zbroi; antypoślizgowe podeszwy stroju ledwie uchroniły ją przed upadkiem. Ugięła kolana i złapała pierwszą rzecz, jaka jej się nawinęła, cienki kawałek metalu odstający od korpusu maszyny.

Obok przepłynęła jej zniszczona deska – jeden wirnik wciąż pracował, sprawiając, że obracała się w powietrzu niczym ciśnięty nóż.

Gdy lotowóz próbował wyrównać lot, przedmiot, który uratował Tally, nagle obrócił się jej w ręce. Na jego końcu połyskiwała niewielka soczewka: wyglądało to jak szypułka oczna kraba. Tally cofnęła się na środek pancerza z nadzieją, że kamera jej nie zauważyła.

Wokół niej obracały się trzy kolejne szypułki. Patrzyły na wszystkie strony, szukając kolejnych zagrożeń na niebie. Jednak żadna z nich nie zwróciła się ku niej – wszystkie celowały na zewnątrz, nie w stronę lotowozu.

Tally zrozumiała, że znajduje się w ślepym punkcie maszyny. Kamery nie mogły obrócić się ku niej, a opancerzonej skórze brakowało nerwów, które wyczułyby stopy. Najwyraźniej projektanci lotowozu nigdy nie wyobrazili sobie, by przeciwnik mógł na nim stać.

Mimo to maszyna wiedziała, że coś jest nie tak – była zbyt ciężka. Cztery wirniki przechyliły się ostro, Tally balansowała, próbując nie stracić równowagi. Metalowe szpony, nieuszkodzone po zderzeniu z deską, wymachiwały na oślep w powietrzu niczym szczypce owada, szukając przeciwnika.

Pod dodatkowym ciężarem lotowóz zaczął się obniżać. Tally pochyliła się ostro w stronę ratusza i maszyna, opadając, zaczęła dryfować w tym kierunku. Tally czuła się jak na najchwiejniejszej, najoporniejszej lotodesce świata, stopniowo jednak prowadziła lotowóz coraz dalej od lądowiska i powoli maszerujących maluchów.

Ratusz zbliżał się i fale uderzeniowe wstrząsały maszyną. Gorąco płonącego budynku zaczęło przenikać przez strój maskujący. Tally poczuła, jak jej ciało pokrywa warstewka potu. Za jej plecami maluchy w końcu oddaliły się od lądowiska. Teraz musiała już tylko jakoś zejść z lotowozu, tak by jej nie zauważył i nie otworzył ognia.

Gdy od ziemi dzieliło ją zaledwie dziesięć metrów, zeskoczyła z grzbietu maszyny, chwytając po drodze jeden z uszkodzonych szponów i szarpiąc nim z całych sił w dół. Lotowóz obrócił się w powietrzu nad jej głową, wirniki zawyły, próbując utrzymać go w górze. Lecz przechył był za mocny: po krótkiej walce ciężar Tally na pozbawionym życia szponie całkowicie obrócił maszynę.

Tally zeskoczyła na ziemię, bransolety bezpieczeństwa zatrzymały jej upadek i posadziły ją łagodnie na chodniku.

Nad jej głową lotowóz wirował gwałtownie, lecąc w stronę ratusza i wymachując na oślep szponami. Zderzył się z najniższym piętrem budynku, znikając w rozkwicie płomieni, które omiotły Tally. Strój maskujący zaczął zgłaszać dziesiątki uszkodzeń, łuski, które zamortyzowały siłę wybuchu, zafalowały i zamarły, a Tally poczuła wewnątrz kaptura swąd własnych przypalanych włosów.

Gdy biegła w stronę szpitala, potężne wybuchy wstrząsały ziemią, o mało nie zwalając jej z nóg. Obejrzawszy się, odkryła, że ratusz w końcu się wali. Po długich minutach bombardowania nawet szkielet ze wzmocnionych stopów zaczął się topić i uginać pod ciężarem płonącego budynku.

Podniosła się z ziemi, włączyła skórtenę i głowę wypełniła jej gadanina Nacinaczy komenderujących ewakuowanymi ze szpitala ludźmi.

– Ratusz się wali – rzuciła w biegu. – Potrzebuję pomocy!

– Co ty tam robisz, Tally-wa? – odpowiedział głos Shay. – Piekłaś jabłka?

– Później ci opowiem!

– Już lecimy.

Grzmot narastał, gorąco za jej plecami jeszcze się wzmogło, gdy tony płonącego gruzu waliły się na siebie. Obok Tally przeleciał ognisty odłamek, podpalając nieruchomą antypoślizgową powierzchnię chodnika. Blask za jej plecami jaśniał coraz mocniej i tańczący cień Tally rozciągał się przed nią niczym olbrzym.

Od strony szpitala zbliżała się para kształtów. Tally pomachała rękami.

– Tutaj!

Okrążyli ją i zawrócili, ich sylwetki rysowały się ostro na tle płonącego budynku.

– Ręce do góry, Tally-wa – rzuciła Shay.

Tally wyskoczyła w powietrze, sięgając w górę rękami. Dwójka Nacinaczy chwyciła ją za przeguby i odciągnęła od ratusza w bezpieczne miejsce.

– Nic ci nie jest? – krzyknął Tachs.

– Nie, ale...

Tally umilkła. Niesiona w tył w oszołomieniu obserwowała końcowe stadium walenia się budynku. Wyglądał, jakby zapadał się w sobie, jak przekłuty balon. Potem w górę wzleciała olbrzymia chmura dymu i pyłu, niczym ciemna fala pochłaniająca ogień.

Fala mknęła ku nim, coraz bliżej i bliżej...

– Hej, słuchajcie – zagadnęła Tally. – Czy moglibyście przy...

Fala wstrząsu dogoniła ich, pełna wirujących odłamków i potężnych prądów powietrza, które strąciły Shay i Tachsa z desek i posłały całą trójkę w dół. Uszkodzone ogniem łuski stroju Tally wbiły się w skórę niczym ostre łokcie, gdy turlała się po ziemi. W końcu zdołała się zatrzymać.

Leżała na ziemi bez tchu, w absolutnej ciemności.

– Nic wam nie jest? – spytała Shay.

– Wszystko mroźnie – odparł Tachs.

Tally spróbowała się odezwać, lecz jedynie zakasłała głośno. Maska stroju przestała filtrować powietrze. Ściągnęła ją, dym zakłuł ją w oczy. Splunęła, próbując uwolnić się od smaku palonego plastiku.

– Nie mam deski i zniszczyłam strój – wymamrotała. – Ale dziękuję, nic mi nie jest.

– Bardzo proszę – rzuciła Shay.

– A tak, dzięki.

– Chwileczkę – wtrącił Tachs. – Słyszałyście?

Tally wciąż dzwoniło w uszach. Chwilę później uświadomiła sobie, że kanonada ustała. Cisza była niesamowita. Tally wywołała podczerwień i uniosła wzrok. W górze tworzył się jaśniejący wir lotowozów, niczym spirala galaktyki.

– Co teraz zrobią? – spytała Tally. – Zniszczą coś jeszcze?

– Nie – odparła cicho Shay. – Jeszcze nie.

– Nim tu przybyliśmy, poznaliśmy plany doktor Cable – wyjaśnił Tachs. – Ona nie chce zniszczyć Diego. Chce je zmienić, przekształcić w jeszcze jedno miasto, takie samo jak nasze, ściśle kontrolowane, pełne pustogłowych.

– Gdy wszystko zacznie się sypać – dodała Shay – zjawi się tu, by przejąć władzę.

– Ale miasta nie przejmują władzy nad sobą – zaprotestowała Tally.

– Zazwyczaj nie, Tally. Ale nie rozumiesz? – Shay odwróciła się w stronę wciąż płonącej ruiny ratusza. – Uciekinierzy na swobodzie, Nowy System w rozkwicie, a teraz załamanie miejskich rządów... To Wyjątkowe Okoliczności.

WINA

W szpitalu było pełno tłuczonego szkła.

Wszystkie okna od strony ratusza eksplodowały do środka, gdy budynek w końcu się zawalił. Ich szczątki zgrzytały pod stopami Tally i pozostałych Nacinaczy, kiedy sprawdzali w kolejnych pomieszczeniach, czy ktoś tam jeszcze nie został.

– Mam tu staryka – oznajmił Ho badający wyższe piętro.

– Potrzebuje lekarza? – spytał głos Shay.

– Ma tylko parę skaleczeń. Sprej powinien to załatwić.

– Niech i tak obejrzy go lekarz, dobrze?

Tally wyłączyła gadaninę skórteny i zajrzała do następnego opuszczonego pokoju. Raz jeszcze wyjrzała przez puste okna na jaśniejące gruzowisko. W górze unosiły się dwa helikoptery spryskujące ogień pianą.

Teraz mogła uciec. Wystarczyłoby wyłączyć skórtenę i zniknąć w panującym chaosie. Nacinacze byli zbyt zajęci, by ją ścigać, a reszta miasta w ogóle nie funkcjonowała. Wiedziała, gdzie czekają ich deski, a bransolety od Shay były do nich dostrojone.

Lecz po tym, co się tu stało, nie miała dokąd pójść. Jeśli za atakiem naprawdę stały Wyjątkowe Okoliczności, nie było mowy o powrocie do doktor Cable.

Tally być może zrozumiałaby jej strategię, gdyby armada skupiła się na nowych konstrukcjach, przestrzegając Diego przed rozbudową w głuszę. Cokolwiek innego działo się w Losowym Mieście, to akurat musiało się skończyć. Miasta nie mogły ot tak zabierać sobie ziemi.

Nie mogły też ot tak atakować się nawzajem i wysadzać budynków w centrum. Tak właśnie rozstrzygali swoje konflikty obłąkani, skazani na katastrofę Rdzawcy. Tally zastanawiała się, jak jej miastu tak łatwo udało się zapomnieć naukę płynącą z historii.

Z drugiej strony nie potrafiła zwątpić w słowa Tachsa. W to, że doktor Cable zniszczyła ratusz, by rzucić na kolana Nowy System. Ze wszystkich miast tylko miasto Tally zajęło się Starym Dymem. Tylko miasto Tally uważało, że warto zadać sobie tyle trudu z powodu paru uciekinierów.

Zaczynała się zastanawiać, czy wszystkie miasta mają Wyjątkowe Okoliczności, czy też większość wygląda jak Diego i pozwala ludziom swobodnie przychodzić i odchodzić. Może operacja Wyjątkowych – ta, której Tally zawdzięczała swoje obecne ciało – to wynalazek doktor Cable? To by oznaczało, że Tally naprawdę jest aberracją, niebezpieczną bronią, kimś, kogo należy wyleczyć.

W końcu to ona z Shay zaczęły tę przegiętą wojnę. Zwykli zdrowi ludzie nie zrobiliby czegoś takiego, prawda?

Następny pokój także był pusty, zasłany szczątkami późnego posiłku przerwanego przez ewakuację. W oknach wciąż wisiały zasłony poruszające się w powiewach wiatru wzbudzanego przez odległe helikoptery. Latające szkło poszarpało je na strzępy; przypominały postrzępione białe flagi wywieszone na znak kapitulacji. W kącie leżał stos medycznego sprzętu podtrzymującego życie, wciąż buczącego cicho, lecz odłączonego. Tally miała nadzieję, że temu, do którego podłączono te rurki, nic się nie stało.

Dziwnie się czuła, martwiąc się o jakiegoś bezimiennego gasnącego staryka. Lecz atak wywarł na niej piorunujące wrażenie. Ludzie nie wyglądali już jak starycy czy losowcy. Po raz pierwszy od przemiany w Nacinaczkę Tally przeciętność nie wydawała się czymś żałosnym. Widząc, co zrobiło jej miasto, czuła się mniej Wyjątkowa – przynajmniej na razie.

Przypomniała sobie, jak w czasach, gdy była brzydka, kilka tygodni życia w Dymie odmieniło jej sposób postrzegania świata. Może przybycie do Diego, pełnego sporów i różnic (i pozbawionego pustogłowych) znów zaczęło z niej czynić kogoś innego. Jeśli Zane miał rację, ponownie sama się zmieniała.

Może kiedy następnym razem go zobaczy, wszystko będzie wyglądało inaczej.

Tally przełączyła skórtenę na kanał prywatny.

– Shay-la? Muszę ci zadać pytanie.

– Jasne, Tally.

– Czym to się różni? No wiesz, wyleczenie?

Shay przez chwilę milczała. Przez skórtenę Tally słyszała jej powolny oddech i chrzęst szkła pod stopami.

– Z początku, kiedy Fausto mnie ukłuł, w ogóle nie zauważyłam. Potrzebowałam paru dni, by uświadomić sobie, że zaczynam wszystko widzieć inaczej. Najzabawniejsze jest to, że gdy mi wyjaśnił, co zrobił, poczułam głównie ulgę. Teraz wszystko jest mniej intensywne, mniej ekstremalne. Nie muszę się nacinać, by wszystko zrozumieć: nikt z nas nie musi. Choć świat nie wygląda tak mroźnie, przynajmniej nie wpadam już w furię bez powodu.

Tally przytaknęła.

– Gdy trzymali mnie w wyściełanej celi, tak właśnie to opisali: gniew i euforia. Ale teraz czuję jedynie odrętwienie.

– Ja też, Tally-wa.

– I wspomnieli też o czymś jeszcze – dodała Tally. – O poczuciu wyższości.

– Tak, na tym właśnie polegają Wyjątkowe Okoliczności, Tally-wa. Pamiętasz, jak w szkole uczyli nas o Rdzawcach, że w ich czasach część ludzi była „bogata"? Mieli najlepsze rzeczy, żyli dłużej i nie musieli przestrzegać zwykłych zasad. Wszyscy sądzili, że to zupełnie w porządku, choć ci ludzie nie zrobili niczego, by sobie na to zasłużyć prócz posiadania odpowiednich staryków. Myślenie Wyjątkowych to częściowo ludzka natura. Nie trzeba nas długo przekonywać, byśmy uwierzyli, że jesteśmy lepsi od innych.

Tally już miała się zgodzić, przypomniała sobie jednak, co Shay krzyknęła do niej, gdy rozstawały się nad rzeką.

– Ale mówiłaś, że ja byłam już taka wcześniej, prawda? Nawet w czasach, gdy byłam brzydka.

Shay roześmiała się.

– Nie, Tally-wa. Ty nie sądzisz, że jesteś lepsza od wszystkich, tylko, że jesteś centrum wszechświata. To zupełnie co innego.

Tally zmusiła się do uśmiechu.

– Dlaczego więc mnie nie wyleczyłaś? Miałaś szansę, kiedy byłam nieprzytomna.

Odpowiedziała jej kolejna chwila ciszy. Przez łącze skórtenowe przenikał daleki szum silników helikopterów.

– Bo przykro mi z powodu tego, co zrobiłam.

– Kiedy?

– Kiedy poddali cię drugiej operacji – głos Shay wyraźnie się trząsł. – To przeze mnie jesteś taka i nie chcę zmuszać cię do kolejnej przemiany. Myślę, że i tym razem sama się wyleczysz.

– Och. – Tally przełknęła ślinę. – Dzięki, Shay.

– I jest jeszcze jeden powód. To, że wciąż pozostałaś Wyjątkowa, może pomóc, gdy wrócimy do domu zakończyć tę wojnę.

Tally zmarszczyła brwi, Shay nie zdradziła jej jeszcze swojego planu.

– Jak dokładnie ktoś taki jak ja może nam pomóc?

– Doktor Cable nas przeskanuje, żeby sprawdzić, czy mówimy prawdę – wyjaśniła Shay. – Byłoby lepiej, gdyby jedna z nas wciąż była prawdziwą Wyjątkową.

Tally zatrzymała się przy następnych drzwiach.

– Powiemy prawdę? Nie wiedziałam, że będziemy z nią o tym rozmawiać. Wyobrażałam sobie raczej coś w stylu głodnych nano albo przynajmniej granatów.

Shay westchnęła.

– Przemawia przez ciebie Wyjątkowa, Tally-wa. Przemoc tu nie pomoże. Jeśli zaatakujemy, uznają to za odpowiedź Diego i wojna tylko się pogorszy. Musimy się przyznać.

– Przyznać? – Tally ujrzała kolejny pusty pokój oświetlony jedynie migotliwym blaskiem płomieni z ratusza.

Wszędzie leżały kwiaty i szczątki wazonów, barwne odłamki i martwe kwiaty zmieszane ze stłuczonym szkłem.

– Zgadza się, Tally-wa. Musimy powiedzieć wszystkim, że to my dwie zaatakowałyśmy Zbrojownię. Że Diego nie miało z tym nic wspólnego.

– Ach. Super. – Tally wyglądała przez okno.

Ognie wewnątrz ratusza wciąż płonęły, mimo że helikoptery zużywały wiele piany. Shay mówiła, że gruzowisko będzie się palić wiele dni, bo potężne ciśnienie wywołane ciężarem zwalonego budynku tworzyło wysoką temperaturę. Zupełnie jakby w ataku zrodziło się nowe maleńkie słońce.

Ten straszliwy widok to jej wina – Tally wciąż nie mogła w pełni przyswoić sobie tej świadomości. Doprowadziły do tego z Shay i tylko one mogły to zakończyć.

Na myśl o przyznaniu się doktor Cable Tally ogarnęła przemożna ochota ucieczki. Pragnęła puścić się biegiem w stronę otwartych okien i wyskoczyć, dając się złapać bransoletom bezpieczeństwa. Mogłaby zniknąć w głuszy, nigdy by jej nie schwytali. Ani Shay. Ani doktor Cable. Znów byłaby niewidzialna.

Ale to oznaczałoby pozostawienie Zane'a w tym obolałym, zagrożonym mieście.

– A jeśli mają ci uwierzyć – ciągnęła Shay – nie może wyglądać, że ktoś majstrował ci w mózgu. Musisz pozostać Wyjątkowa.

Nagle Tally zapragnęła świeżego powietrza. Gdy jednak ruszyła w stronę okna, jej nozdrza zaatakowała słodka woń martwych i umierających kwiatów, podobna do perfum staryków. Oczy zaczęły jej łzawić, zamknęła je i szła dalej, kierując się odgłosami echa własnych kroków.

– Co oni z nami zrobią, Shay-la? – spytała cicho.

– Nie wiem, Tally. Nikt jeszcze nie przyznał się do zapoczątkowania przegiętej wojny, przynajmniej z tego, co mi wiadomo. Ale co innego możemy zrobić?

Tally uniosła powieki i wychyliła się przez wybite okno. Wciągnęła w płuca haust powietrza zabarwionego goryczką spalenizny.

– W końcu nie chciałyśmy, by to zaszło tak daleko – wyszeptała.

– Wiem, Tally-wa. To był mój pomysł. To moja wina, że w ogóle zostałaś Wyjątkową. Gdybym mogła polecieć sama, zrobiłabym to. Ale oni mi nie uwierzą. Kiedy przeskanują mi mózg, odkryją, że jestem inna, wyleczona. Doktor

Cable będzie wolała uznać, że Diego namieszało mi w głowie, niż przyznać, że bez powodu rozpoczęła wojnę.

Tally nie mogła się z tym spierać; sama ledwie wierzyła, że ich skromne włamanie doprowadziło do takich zniszczeń. Doktor Cable nie przyjmie niczyjego słowa bez pełnego skanowania mózgu.

Znów wyjrzała na płonący ratusz i westchnęła.

Już za późno, by uciec, za późno na cokolwiek prócz prawdy.

– Dobrze, Shay, pójdę z tobą. Ale najpierw znajdę Zane'a. Muszę mu coś wyjaśnić.

„I może znów spróbować – pomyślała. – Już jestem inna". Przyglądała się framudze ze sterczącymi kawałkami szkła, wyobrażając sobie twarz Zane'a.

– Ostatecznie co mogą nam zrobić, Shay-la? Znów zamienić nas w pustogłowe? – dodała. – Może nie było to takie złe.

Shay wciąż nie odpowiadała, lecz przez skórtenę Tally usłyszała ciche, uporczywe piski.

– Shay, co to za dźwięk?

– Tally – odparła Shay z napięciem. – Lepiej zejdź tutaj. Pokój trzysta czterdzieści.

Tally odwróciła się od okna, przeskoczyła szybko nad stłuczonymi wazonami i martwymi kwiatami i ruszyła w stronę drzwi. Piski stały się głośniejsze, to Shay zbliżyła się do czegoś. Tally poczuła nagłą grozę.

– Co się dzieje, Shay?

Jej rozmówczyni otworzyła kanał, wpuszczając pozostałych Nacinaczy, w jej głosie dźwięczała panika.

– Niech ktoś tu ściągnie lekarza! Szybko! – powtórzyła numer pokoju.

– Co się dzieje, Shay? – zawołała Tally.

– Tally, tak mi przykro...

– Co się stało?

– To Zane.

PACJENT

Tally biegła. Serce waliło jej w piersi, piski i buczenie wypełniały głowę.

Przeskoczyła przez poręcz schodów przeciwpożarowych, lecąc na dół w kontrolowanym upadku. Gdy wpadła na korytarz trzeciego piętra, zobaczyła Shay, Tachsa i Ho przed salą z napisem „pooperacyjna". Zaglądali przez drzwi niczym tłum gapiący się na wypadek.

Tally przepchnęła się między nimi i zahamowała na odłamkach stłuczonej szyby.

Zane leżał na szpitalnym łóżku, twarz miał bladą, ręce i głowę podłączone do groźnie wyglądających maszyn. Każda z nich buczała, mrugając do taktu czerwonymi lampkami.

Średni śliczny w białym fartuchu lekarskim stał nad nieprzytomnym pacjentem, unosząc mu powieki i zaglądając w oczy.

– Co się stało? – zawołała.

Lekarz nie uniósł głowy.

Shay podeszła do niej i mocno chwyciła za ramiona.

– Bądź mroźna, Tally.

– Mroźna? – Tally uwolniła się z objęć. W jej krwi krążyła adrenalina i gniew przeganiające odrętwienie, które ogarnęło ją po ataku. – Co się z nim dzieje? Co on tu robi?

– Hej, pustogłowe, bądźcie cicho – warknął poirytowany doktor.

Tally obróciła się ku niemu, odsłaniając zęby.

– Pustogłowe?

Shay objęła ją mocno i uniosła. Jednym szybkim ruchem wytaszczyła Tally z pokoju, postawiła na ziemi i odepchnęła mocno od drzwi.

Tally odzyskała równowagę, przykucnęła zakrzywiając palce. Nacinacze przygwoździli ją wzrokiem, Tachs delikatnie zamknął drzwi.

– Myślałam, że się zmieniasz, Tally – rzekła Shay twardym, beznamiętnym tonem.

– Zaraz ciebie zmienię, Shay! – odparła Tally. – Co się dzieje?

– Nie wiemy, Tally. Doktor właśnie tu dotarł. – Shay złączyła ręce. – Opanuj się!

Myśli Tally wirowały. Widziała jedynie kąty ataku, strategię walki, to, jak przebić się przez ich trójkę i z powrotem wbiec na salę. Mieli jednak przewagę i stopniowo jej gniew zaczął maleć, przeradzać się w panikę.

– Operowali go – wyszeptała, oddychając szybciej.

Korytarz zaczął wirować. Przypomniała sobie Krimów prosto z helikoptera zmierzających do szpitala.

– Na to wygląda, Tally – odparła spokojnie Shay.

– Ale przecież przybył do Diego dwa dni temu. Pozostali Krimowie byli potem na imprezie, widziałam ich.

– Pozostali Krimowie nie mieli uszkodzonych mózgów, Tally, tylko skazy pustogłowych. Wiesz, że z Zane'em sprawy wyglądały inaczej.

– Ale to miejski szpital. Co mogło pójść nie tak?

– Cii, Tally-wa. – Shay postąpiła krok naprzód i położyła lekko dłoń na ramieniu Tally. – Bądź cierpliwa, wkrótce nam powiedzą.

W nagłym rozbłysku furii Tally znów skoncentrowała się na drzwiach sali pooperacyjnej. Shay była dość blisko, by ogłuszyć ją ciosem w twarz; uwagę Ho i Tachsa na moment przyciągnęło przybycie drugiego lekarza. Gdyby zaatakowała teraz, mogłaby się przedrzeć...

Jednak furia i panika jakby znosiły się nawzajem, paraliżując jej mięśnie i zamieniając żołądek w twardą ściśniętą kulę rozpaczy.

– To z powodu ataku, prawda? – rzekła. – Dlatego coś jest nie tak.

– Tego nie wiemy.

– To nasza wina...

Shay pokręciła głową. Przemawiała kojąco jak do malucha, który ocknął się z koszmarnego snu.

– Nie wiemy, co się dzieje, Tally-wa.

– Znalazłaś go tu samego? Czemu go nie ewakuowali?

– Może nie mogli go ruszyć. Może tu był bezpieczniejszy, podłączony do tych maszyn.

Dłonie Tally zacisnęły się w pięści. Od czasu przemiany w Wyjątkową nigdy jeszcze nie czuła się tak bezradna, przeciętna, bezsilna. Nagle wszystko stało się losowe.

– Ale...

– Cii, Tally-wa – powtórzyła Shay swym irytująco spokojnym tonem. – Po prostu musimy zaczekać. Na razie to wszystko, co możemy zrobić.

Godzinę później drzwi się otworzyły.

Teraz lekarzy było już pięcioro – pozostałość po znacznie większej grupie odwiedzającej salę Zane'a. Kilka osób zerknęło nerwowo na Tally, dostrzegając, kim jest: niebezpieczną bronią, która uciekła parę godzin wcześniej.

Tally czekała nerwowo. Obawiała się, że w każdej chwili ktoś ją zaatakuje, uśpi i znów przeznaczy do odwyjątkowienia. Lecz Shay i Tachs trzymali się w pobliżu, obserwując opiekunów, którzy przybyli, by mieć na nich oko.

Jedno trzeba przyznać lekowi Maddy: dzięki niemu Nacinacze znacznie lepiej znosili czekanie niż Tally. Zachowywali niesamowity spokój, podczas gdy ona przez całą godzinę nieustannie się wierciła. Jej dłonie pokrywały krwawe półksiężyce w miejscu, gdzie paznokcie, raniąc skórę, wbiły się w ciało.

Lekarz odchrząknął.

– Obawiam się, że mam złe wieści.

Z początku umysł Tally odmówił przyjęcia tych słów, poczuła jednak stalowy uchwyt Shay na ramieniu, jakby przyjaciółka sądziła, że Tally rzuci się na mężczyznę i rozedrze go na strzępy.

– W pewnym momencie podczas ewakuacji ciało Zane'a odrzuciło nową tkankę mózgową. Sprzęt podtrzymujący życie próbował zaalarmować personel, lecz oczywiście w pobliżu nie było nikogo. Próbował też nas wywołać, ale miejski interfejs był zbyt przeciążony przez ewakuację, by przekazać wiadomość.

– Przeciążony? – wtrącił Tachs. – To znaczy, że szpital nie ma własnej sieci?

– Istnieje kanał alarmowy. – Lekarz spojrzał w stronę ratusza, kręcąc głową, jakby wciąż nie mógł uwierzyć w to, co się stało. – Ale on także przechodzi przez miejski interfejs. Z którego nic nie pozostało. Diego nigdy jeszcze nie przeżyło podobnej katastrofy.

„To był atak... Wojna – pomyślała Tally. – I to wszystko przeze mnie".

– Jego system odpornościowy uznał nową tkankę mózgową za infekcję i odpowiednio zareagował. Zrobiliśmy wszystko, co się dało, lecz kiedy go znaleźliśmy, szkody już się dokonały.

– Jak wielkie... szkody? – wykrztusiła Tally.

Dłonie Shay zacisnęły się mocniej.

Lekarz spojrzał na opiekunów. Tally kątem oka dostrzegła, jak szykują się nerwowo do walki. Wszyscy śmiertelnie się jej bali.

Odchrząknął.

– Zdajecie sobie sprawę z tego, że przybył tu z uszkodzonym mózgiem?

– Wiemy to – Shay wciąż przemawiała kojącym tonem.

– Zane powiedział, że chce, żebyśmy go naprawili. Koniec z drgawkami i lukami w pamięci. Zażądał też podwyższenia poziomu kontroli fizycznej – jak największego. To było ryzykowne, ale udzielił świadomej zgody.

Tally spuściła wzrok. Zane chciał odzyskać swój dawny refleks i jeszcze go poprawić, by nie uważała go za słabego i przeciętnego.

– I tam właśnie dokonały się największe szkody – podjął doktor. – W miejscach funkcji, które próbowaliśmy naprawić. Już ich nie ma.

– Nie ma? – Tally zakręciło się w głowie. – Funkcji motorycznych?

– I, co ważniejsze, wyższych funkcji mózgowych: mowy i postrzegania. – Znużenie lekarza zniknęło, jego twarz przybrała wyraz klasycznej troski, spokoju i zrozumienia średnich ślicznych. – Nie może nawet samodzielnie oddychać. Nie sądzimy, by odzyskał przytomność. Kiedykolwiek.

Opiekunowie trzymali teraz w dłoniach błyszczące ogłuszacze, Tally czuła w powietrzu zapach elektryczności.

Lekarz odetchnął powoli.

– I chodzi o to, że... potrzebne nam łóżko.

Tally zaczęła się osuwać, lecz uchwyt Shay nie pozwolił jej upaść.

– Mamy dziesiątki ofiar – podjął lekarz. – Kilkoro nocnych robotników, którzy uciekli z ratusza, zostało straszliwie poparzonych. Potrzebne nam te maszyny. Im szybciej, tym lepiej.

– A co z Zane'em? – spytała Shay.

Lekarz pokręcił głową.

– Kiedy go odłączymy, przestanie oddychać. Zazwyczaj nie zrobilibyśmy tego tak szybko, ale dziś są...

– Dziś są naprawdę wyjątkowe okoliczności – powiedziała cicho Tally.

Shay przyciągnęła ją do siebie, szepcząc jej uspokajająco do ucha:

– Tally, musimy już iść, musimy stąd znikać. Jesteś zbyt niebezpieczna.

– Chcę go zobaczyć.

– Tally-wa, to niedobry pomysł. A jeśli przestaniesz nad sobą panować? Mogłabyś kogoś zabić.

– Shay-la – syknęła Tally. – Pozwól mi go zobaczyć.

– Nie.

– Pozwól mi albo zabiję ich wszystkich. Nie zdołasz mnie powstrzymać.

Shay obejmowała ją teraz mocno ramionami, lecz Tally wiedziała, że zdoła jej się wyrwać. Jej strój maskujący częściowo jeszcze działał, mógł nawet stać się śliski. A wówczas bez trudu wyśliznęłaby się i zaczęła walczyć, celując wprost w gardła.

Uchwyt Shay zmienił się i Tally poczuła coś na szyi.

– Tally, mogłabym w tej chwili wstrzyknąć ci lek.

– Nie możesz. Musimy zakończyć wojnę. Potrzebujesz mojego mózgu w jego porąbanym stanie.

– Ale oni potrzebują tych maszyn, a ty tylko...

– Pozwól mi jeszcze pięć minut pobyć środkiem wszechświata, Shay. Potem pójdę stąd i pozwolę mu umrzeć. Przyrzekam.

Shay westchnęła głęboko przez zęby.

– Niech wszyscy zejdą nam z drogi.

Głowę i ręce wciąż miał podłączone, szalony chór popiskiwań zastąpiły miarowe uderzenia.

Tally jednak widziała, że nie żyje.

Raz już oglądała trupa. Kiedy Wyjątkowe Okoliczności zjawiły się, by zniszczyć pierwszy Dym, stary opiekun biblioteki zginął podczas próby ucieczki. (Tally przypomniała sobie nagle, że ta śmierć także była jej winą. Jak mogła zapomnieć o tym drobnym fakcie?). Po śmierci ciało starca wydawało się zniekształcone, tak wykrzywione, że zakłócało obraz całego świata. Tamtego dnia nawet promienie słoneczne wydawały się jakieś obce.

Tym razem, gdy patrzyła na Zane'a, wszystko było jeszcze gorsze, bo teraz miała wyjątkowe oczy. Każdy szczegół był sto razy wyraźniejszy: niewłaściwa barwa skóry, zbyt miarowe pulsowanie w gardle, to, jak paznokcie blakły powoli, z różowych stając się białe.

– Tally – Tachsowi załamał się głos.

– Tak mi przykro – rzekła Shay.

Tally obejrzała się na resztę Nacinaczy i pojęła, że oni niczego nie rozumieją. Nadal byli szybcy i silni, lecz lek Maddy sprawił, że ich umysły stały się przeciętne. Nie widzieli, jak idiotyczna naprawdę jest śmierć, jak totalnie bezsensowna.

Na zewnątrz wciąż płonęły ognie, szyderczo piękne na tle ciemnego, idealnego nieba. I tego właśnie nikt nie pojmował – że świat jest zbyt pyszny i piękny, by zabrakło w nim Zane'a.

Tally powoli dotknęła jego ręki. Cudownie wrażliwe opuszki powiedziały, że ciało Zane'a jest zimniejsze, niż być powinno.

To wszystko jej wina. To ona namówiła go na ucieczkę, by stał się tym, kim sama chciała. Ona krążyła po mieście, zamiast nad nim czuwać. Ona zapoczątkowała wojnę, która go zniszczyła.

Oto ostateczna cena, jaką przyszło jej zapłacić za jej ogromne ego.

– Tak mi przykro, Zane – odwróciła się. Nagle pięć minut wydało jej się zbyt długim czasem, by tam stać z piekącymi oczami, niezdolna zapłakać. – Dobrze, ruszajmy – wyszeptała.

– Jesteś pewna, Tally? Minęło dopiero...

– Chodźmy już! Na deski. Ta wojna musi się wreszcie skończyć.

Shay położyła jej dłoń na ramieniu.

– Jasne, jak tylko zacznie świtać. Możemy lecieć bez przerw, żadni pustogłowi nas nie spowolnią, dymiarski pozycjomierz nie poprowadzi okrężną drogą. Za trzy dni będziemy w domu.

Tally otworzyła usta. Chciała zażądać, by wyruszały natychmiast, lecz wyczerpanie na twarzy Shay uciszyło ją. Przez większość ostatniej doby była nieprzytomna. Tymczasem Shay wyruszyła na spotkanie Nacinaczy i wyleczyła ich, uratowała Tally przed odwyjątkowieniem i dowodziła wszystkim podczas tej długiej, straszliwej nocy. Oczy same jej się zamykały.

Poza tym to już nie była jej walka. Shay nie zapłaciła tej samej ceny.

– Masz rację – rzekła Tally, uświadamiając sobie, co musi zrobić. – Idź się prześpij.

– A co z tobą? Dobrze się czujesz?

– Nie, Shay-la. Nie czuję się dobrze.

– Przepraszam. Chodziło mi o... Czy zrobisz komuś krzywdę?

Tally pokręciła głową i wyciągnęła rękę, która w ogóle nie drżała.

– Widzisz? Panuję nad sobą. Może po raz pierwszy, odkąd zostałam Wyjątkową. Ale nie mogę spać. Zaczekam na ciebie.

Shay zawahała się, niepewna. Może wyczuła, co planuje Tally. Potem jednak jej zatroskana twarz znów poszarzała ze zmęczenia. Raz jeszcze Shay objęła Tally.

– Potrzebuję tylko paru godzin. Wciąż jestem wystarczająco Wyjątkowa.

– Oczywiście. – Tally uśmiechnęła się. – O świcie.

Wraz z resztą Nacinaczy wyszła z sali, mijając lekarzy i niespokojnych opiekunów, na zawsze rozstając się z Zane'em, zostawiając za sobą całą ich wymarzoną przyszłość. Z każdym krokiem pojmowała, że musi porzucić nie tylko Zane'a, ale także wszystkich innych.

Shay nie zdołałaby jej zatrzymać.

POWRÓT DO DOMU

Tally odleciała w chwili, gdy Shay zasnęła.

Bez sensu byłoby poddać się we dwie. Shay musiała zostać tu, w Diego; w tym momencie Nacinacze pozostali w mieście najbliższym zamiennikiem sił wojskowych. Zresztą doktor Cable i tak by jej nie uwierzyła. Jej mózg pokazałby ślady leku Maddy. Shay nie była już Wyjątkowa.

Natomiast Tally owszem. Manewrowała między gałęziami lasu, uginając kolana i wyciągając ręce jak skrzydła, lecąc szybciej niż kiedykolwiek przedtem. Wszystko było mroźne i wyraźne: ciepły wiatr na odsłoniętej twarzy, subtelne zmiany ciążenia wyczuwane stopami. Zabrała dwie deski, leciała na jednej, druga podążała za nią. Co dziesięć minut Tally je zmieniała. Dzięki rozłożeniu ciężaru ciała wirniki nie przepalały się, nawet przy maksymalnej prędkości.

Na długo przed wschodem słońca dotarła do granicy Diego. Pomarańczowe niebo zaczynało dopiero jaśnieć jej nad głową, niczym olbrzymie naczynie zalewające głuszę światłem. Piękno świata raniło niczym brzytwa i Tally wiedziała, że już nigdy nie będzie musiała się nacinać.

Teraz nosiła nóż w sobie i ów nóż kaleczył ją bezustannie. Czuła go przy każdym przełknięciu, za każdym razem, gdy zaczynała myśleć o czymś innym niż wspaniałość głuszy.

Las zaczął rzednąć i wkrótce dotarła do wielkich pustyń pozostawionych przez białe zielsko. Gdy chłoszczący jej twarz wiatr zaczął unosić z sobą ostre ziarenka piasku, skręciła w stronę morza, gdzie silnik magnetyczny mógł wykorzystać tory kolejowe, pozwalając zwiększyć prędkość.

Miała tylko siedem dni na zakończenie wojny.

Według Tachsa Wyjątkowe Okoliczności zamierzały odczekać tydzień, by sytuacja w Diego się pogorszyła. Zniszczenie ratusza miało osłabić miasto na wiele miesięcy i doktor Cable uważała, że niepustogłowi zbuntują się przeciw swemu rządowi, gdy ich potrzeby nie zostaną zaspokojone.

Gdyby jednak do buntu nie doszło, Wyjątkowe Okoliczności znów zaatakują, niszcząc kolejną część miasta, by jeszcze pogorszyć jego stan.

Oprogramowanie Tally wypuściło pinga – minęło kolejnych dziesięć minut. Przywołała bliżej pustą deskę i przeskoczyła. Przez ułamek sekundy pod sobą miała jedynie piasek i niskie krzaki, a potem wylądowała w idealnej pozycji.

Uśmiechnęła się ponuro. Gdyby spadła, nie przechwyciłaby jej żadna magnetyczna sieć, runęłaby na ubity piasek z prędkością stu kilometrów na godzinę. Lecz wątpliwości i niepewność, które zawsze ją dręczyły, te, na które uskarżała się Shay, jeszcze zanim Tally została Nacinaczką, w końcu zniknęły bez śladu.

Niebezpieczeństwo nie miało już znaczenia. Nic go nie miało.

Teraz była naprawdę Wyjątkowa.

***

O zmierzchu dotarła do nadmorskiej linii kolejowej.

Całe popołudnie nad morzem ciemniały chmury i gdy słońce zaszło, niebo spowił czarny welon przesłaniający księżyc i gwiazdy. Godzinę po zmroku ciepło dnia zaczęło opuszczać szyny i szlak stał się niewidzialny nawet w podczerwieni. Tally leciała dalej, kierując się słuchem, jedynie huk fal pozwalał jej pozostać na kursie. Tu, nad metalowymi torami, bransolety uratowałyby ją w razie upadku.

O świcie przemknęła nad obozem sennych uciekinierów. Usłyszała za sobą krzyki i obejrzawszy się, stwierdziła, że powiew towarzyszący przelotowi rozrzucił żar z ogniska w suchej trawie. Uciekinierzy rozbiegli się, próbując zgasić ogień, tłukąc płomienie śpiworami i kurtkami i wrzeszcząc jak banda pustogłowych.

Tally leciała dalej. Nie miała czasu zawracać i pomagać.

Zastanawiała się, co się stanie ze wszystkimi uciekinierami wciąż wędrującymi przez głuszę. Czy Diego nadal może sobie pozwolić na wysłanie skromnej floty helikopterów, by sprowadzić ich do miasta? Jak wielu jeszcze obywateli zdoła znieść Nowy System walczący o własne przetrwanie?

Oczywiście Andrew Simpson Smith nie ma pojęcia, że wybuchła wojna. Wciąż będzie rozdawał pozycjomierze prowadzące donikąd. Uciekinierzy dotrą do miejsc zbiórki, ale nikt się nie zjawi. Powoli zaczną tracić wiarę, aż w końcu zabraknie im jedzenia i cierpliwości i wrócą do domów.

Niektórym może się udać, ale to dzieci z miasta nieświadome grożących im niebezpieczeństw. Bez pomocy Nowego Dymu większość pochłonie głusza.

⁂

Drugiej nocy lotu non stop Tally spadła.

Zauważyła właśnie, że jedna z desek dziwnie się zachowuje; mikroskopijne uszkodzenie przedniego wirnika sprawiało, że się przegrzewał. Przez ostatnich kilka minut Tally obserwowała ją uważnie i szczegółowa siatka podczerwieni przesłaniała jej normalny obraz świata. Nawet nie zauważyła drzewa.

To była samotna sosna, od góry ogołocona ze szpilek przez słone bryzy, jak po wizycie u kiepskiego fryzjera. Deska, na której leciała Tally, trafiła prosto w konar, odłamując go i posyłając pasażerkę w powietrze.

Jej bransolety w ostatniej chwili wyczuły metal w szynach. Nie zatrzymały jej w locie jak przy prostym upadku, lecz poniosły z pełną prędkością nad torami. Przez kilka szaleńczych chwil Tally miała wrażenie, jakby przypięto ją do starożytnego pociągu: świat migał po obu stronach, ciemne tory ciągnęły się przed nią w mrok. Pod sobą widziała kolejne przelatujące podkłady.

Zastanawiała się, co by się stało, gdyby kolej skręciła nagle. Czy bransolety pokonałyby zakręt, czy też posadziłyby ją bezceremonialnie na ziemi? Albo zrzuciły z urwiska...

Tory jednak ciągnęły się prosto i po jakichś stu metrach Tally wyhamowała. Bransolety opuściły ją na ziemię. Serce waliło jej mocno, ale nic się jej nie stało. Obie deski wyczuły jej sygnał minutę później i wyłoniły się z mroku niczym starzy zakłopotani przyjaciele, którzy umknęli bez uprzedzenia.

Tally uświadomiła sobie, że chyba powinna się przespać. Gdy znów się zdekoncentruje, może nie mieć tyle szczęścia. Lecz wkrótce miało wzejść słońce, a od miasta dzielił ją niecały dzień drogi. Wskoczyła na przegrzaną deskę i pomknęła naprzód. Żeby nie zasnąć, nasłuchiwała uważnie każdej zmiany odgłosu uszkodzonego wirnika.

Tuż po wschodzie słońca usłyszała przeszywający pisk i zeskoczyła z deski w chwili, gdy ta rozpadła się w rozgrzaną do białości masę wrzeszczącego metalu. Tally wylądowała na drugiej desce, obróciła się, patrząc, jak szczątki pierwszej lecą na bok i znikają w morzu, wyrzucając w powietrze gejzer wody i pary.

Znów zwróciła się w stronę domu, nawet nie zwalniając.

Kiedy ujrzała Rdzawe Ruiny, skręciła w głąb lądu.

Starożytne miasto duchów było pełne metalu, toteż po raz pierwszy od opuszczenia Diego Tally zwolniła, pozwalając odpocząć wirnikom drugiej deski. Przelatywała w ciszy pustymi ulicami, patrząc na wypalone samochody, pozostałość ostatnich dni Rdzawców. Wokół niej wyrastały rozsypujące się budynki, znajome miejsca, w których ukrywała się w dymiarskich czasach. Zastanawiała się, czy młodzi brzydcy wciąż wykradają się tu nocami. Może teraz, gdy mogli uciec do prawdziwego miasta, ruiny nie wydawały się już tak podniecające

Nadal jednak panowała tu niesamowita atmosfera. Tally miała wrażenie, jakby w olbrzymiej pustce roiło się od duchów, wybite okna zdawały się patrzeć wprost na nią. Powróciła pamięcią do owej pierwszej nocy, gdy Shay ją tu przyprowadziła. Wówczas obie były brzydkie. Shay poznała tajną trasę od Zane'a – od początku to on sprawił, że Tally Youngblood nie stała się zwykłą pustogłową, szczęśliwą i ogłupiałą pośród iglic Miasta Nowych Ślicznych.

Może po tym, jak wyzna wszystko doktor Cable, znów tam trafi i w końcu opuszczą ją unieszczęśliwiające wspomnienia.

Ping.

Tally zatrzymała się, nie wierząc własnym uszom. Ping nadszedł na częstotliwości Nacinaczy, ale żaden z nich nie mógł tu zdążyć przed nią. Identyfikator pozostał pusty, pozbawiony nadawcy. To musiał być sygnalizator porzucony tu podczas misji szkoleniowej, jedynie przypadkowy sygnał w ruinach.

– Halo – wyszeptała.

Ping... ping... ping.

Tally uniosła brwi. To nie było losowe, brzmiało jak odpowiedź.

– Słyszysz mnie?

Ping.

– Ale nic nie możesz powiedzieć – zmarszczyła czoło.

Ping.

Westchnęła, uświadomiwszy sobie, co się dzieje.

– Świetnie, niezła sztuczka, brzydalu. Ale mam ważniejsze sprawy na głowie. – Znów uruchomiła wirniki, skręcając w stronę miasta.

Ping... ping.

Tally zatrzymała się, niepewna, czy powinna to zignorować.

Banda brzydkich, dość bystrych, by dostać się na częstotliwość Nacinaczy, mogła dysponować przydatnymi informacjami. Nie zaszkodzi się dowiedzieć, co słychać w mieście, nim stanie oko w oko z doktor Cable.

Sprawdziła moc sygnału, dochodził silnie i wyraźnie. Ktokolwiek go nadawał, musiał być blisko.

Zaczęła płynąć pustą ulicą, uważnie obserwując sygnał. Dostrzegła lekkie wzmocnienie po lewej. Skręciła w tamtą stronę i poszybowała przecznicę dalej.

– No dobra, mały. Jeden znaczy tak, a dwa nie. Zrozumiałeś?

Ping.

– Czy ja cię znam?

Ping.

– Hm. – Tally leciała dalej, aż sygnał zaczął słabnąć. Zawróciła i powoli ruszyła z powrotem. – Jesteś Krimem?

Ping... ping.

Siła sygnału wzrosła gwałtownie i Tally uniosła wzrok. Nad nią wznosił się najwyższy budynek w ruinach, stara kryjówka Dymiarzy i logiczne miejsce na stację nadawczą.

– Jesteś brzydki?

Długa cisza. Potem samotny ping.

Zaczęła wznosić się powoli. Magnesy deski wyczuwały starożytny metalowy szkielet wieżowca. Jej zmysły wyostrzyły się, wyczulone na każdy dźwięk.

Wiatr się zmienił, poczuła coś znajomego. Żołądek ścisnął jej się gwałtownie.

– SpagBol? – pokręciła głową. – A zatem pochodzisz z tego miasta.

Ping... ping.

Potem usłyszała dźwięk, poruszenie wśród gruzów na jednym ze zrujnowanych pięter. Zeskoczyła z deski przez puste okno, nastawiając uszkodzony strój maskujący tak, by upodobnił się do potrzaskanych kamieni. Chwyciła oburącz framugę i pochyliła się, patrząc w górę.

Był tam, spoglądał na nią z wysoka.

– Tally? – zawołał.

Zamrugała. To był David.

DAVID

– Co ty tu robisz? – zawołała.

– Czekam na ciebie. Wiedziałem, że przylecisz tędy... przez ruiny, jeszcze jeden raz.

Tally ruszyła ku niemu, przeskakując z jednej żelaznej belki na drugą. Cały dystans pokonała w kilka sekund. Siedział skulony w kącie piętra, które do końca się nie zawaliło. Zostało na nim dość miejsca na rozłożony obok śpiwór. Jego strój maskujący dostroił się do cieni w ruinach.

Samogrzejący się posiłek w ręce zabrzęczał na znak, że jest gotowy, i Tally znów poczuła odrażającą woń SpagBolu.

Pokręciła głową.

– Ale jak ty...?

David uniósł w dłoni prymitywne urządzenie. W drugiej trzymał antenę kierunkową.

– Po tym jak go wyleczyliśmy, Fausto pomógł nam to zbudować. Za każdym razem, gdy się zbliżaliście, wykrywaliśmy wasze skórteny. Mogliśmy nawet podsłuchiwać.

Tally przykucnęła na zardzewiałej belce. Nagle zakręciło jej się w głowie od trzech dni nieustannej podróży.

– Nie pytałam, jak mnie wywołałeś. Jakim cudem dotarłeś tu tak szybko?

– Ach, to było łatwe. Kiedy odleciałaś bez niej, Shay zrozumiała, że miałaś rację: Diego potrzebuje jej bardziej niż ty. Ale mnie nie potrzebuje – odchrząknął. – Poleciałem zatem następnym helikopterem do miejsca zbiórek mniej więcej w połowie drogi.

Tally westchnęła, zamykając oczy. Wyjątkowe myślenie, tak właśnie nazwała to Shay. Ją też mogli podwieźć. W tym właśnie problem z dramatycznymi wyjściami: czasami sprawiają, że przez nie wygląda się jak pustogłowy. Ale poczuła ulgę, słysząc, że jej obawy dotyczące uciekinierów okazały się bezpodstawne. Diego ich nie porzuciło.

– A czemu właściwie tu przyleciałeś?

David spojrzał na nią z determinacją.

– Chcę ci pomóc, Tally.

– Posłuchaj, Davidzie. To, że chwilowo jesteśmy tak jakby po tej samej stronie, nie oznacza, że życzę sobie twojego towarzystwa. Nie powinieneś wrócić do Diego? Wiesz chyba, że toczy się wojna.

Wzruszył ramionami.

– Nie przepadam za miastami i zupełnie nie znam się na wojnach.

– Ja też nie, ale robię, co mogę. – Wezwała sygnałem czekającą w dole deskę. – A jeśli Wyjątkowe Okoliczności złapią mnie z Dymiarzem, nie ułatwi mi to przekonania ich, że mówię prawdę.

– Tally, dobrze się czujesz?

– Już drugi raz ktoś zadaje mi głupie pytanie – odparła cicho. – Nie, nie czuję się dobrze.

– Faktycznie, chyba było głupie. Ale martwiliśmy się o ciebie.

– My? Czyli kto? Ty i Shay?

Pokręcił głową.

– Nie, ja i moja matka.

Tally zaśmiała się krótko, ostro.

– Od kiedy to Maddy się o mnie martwi?

– Ostatnio sporo o tobie myślała. – Postawił na podłodze nietknięty SpagBol. – Żeby wyleczyć Wyjątkowych, musiała przestudiować operację, którą ich poddano. Wie całkiem sporo o tym, jak to jest być kimś takim jak ty.

Tally skoczyła, unosząc wykrzywione dłonie, i jednym susem pokonała dzielącą ich odległość. Lądując, posłała w ziejącą za nią przepaść deszcz rdzawych odłamków. Odsłoniła zęby, patrząc mu prosto w twarz.

– Nikt nie wie, jak to jest być teraz mną, Davidzie. Wierz mi, nikt.

Wytrzymał jej spojrzenie bez mrugnięcia, Tally jednak czuła woń jego strachu, wyciekającą zeń słabość.

– Przykro mi – rzekł spokojnie. – Nie to chciałem powiedzieć. Tu nie chodzi o Zane'a.

Na dźwięk jego imienia coś w Tally pękło i jej furia zniknęła. Przykucnęła, oddychając ciężko, przez chwilę miała wrażenie, że wybuch złości poruszył coś ciężkiego jak ołów wewnątrz niej. Po raz pierwszy od śmierci Zane'a inne uczucie przebiło się przez skorupę rozpaczy.

Lecz uczucie to trwało zaledwie kilka sekund, a potem powróciło gwałtownie zmęczenie po trzech dniach nieprzerwanej podróży.

Opuściła głowę, kryjąc twarz w dłoniach.

– Nieważne.

– Przyniosłem ci coś. Możesz tego potrzebować.

Spojrzała na niego. David trzymał w dłoni iniektor.

Pokręciła ze znużeniem głową.

– Nie chcesz mnie wyleczyć, Davidzie. Wyjątkowe Okoliczności mnie nie wysłuchają, chyba że będę jedną z nich.

– Wiem, Tally. Fausto wyjaśnił mi, na czym polega wasz plan. – Nałożył osłonkę na igłę i zatrzasnął. – Ale weź to. Może kiedy powiesz im już, co się stało, zechcesz się zmienić.

Tally zmarszczyła brwi.

– Rozmowy o tym, co się stanie po moim przyznaniu, nie mają większego sensu, Davidzie. Miasto może być na mnie nieco złe i możliwe, że nie będę miała nic do powiedzenia.

– Bardzo w to wątpię, Tally. To właśnie jest w tobie niesamowite. Nieważne, co robi ci twoje miasto, ty zawsze masz jakiś wybór.

– Zawsze? – parsknęła. – Nie miałam jakoś wyboru, kiedy umarł Zane.

– Nie. – David pokręcił głową. – Jeszcze raz przepraszam, wciąż mówię coś głupiego. Ale pamiętasz, kiedy byłaś śliczna? Sama się zmieniłaś i wyprowadziłaś Krimów z miasta.

– Zane nas wyprowadził.

– On zażył pigułkę. Ty nie.

Jęknęła.

– Nie przypominaj mi. Tak właśnie trafił do szpitala.

– Zaczekaj, zaczekaj! – David uniósł ręce. – Próbuję ci coś powiedzieć. To ty sama wyzwoliłaś się z bycia śliczną.

– Tak wiem, wiem. I zobacz, ile mi to dało. I Zane'owi.

– Prawdę mówiąc, dało bardzo dużo, Tally. Widząc, co zrobiłaś, moja matka odkryła coś ważnego. To dotyczy odwrócenia operacji. Leku na pustogłowie.

Tally uniosła wzrok, przypominając sobie teorię Zane'a ze ślicznych czasów.

– Chodzi ci o bycie pysznym?

– Właśnie. Matka zrozumiała, że nie musimy pozbywać się skaz. Wystarczy tylko pobudzić mózg tak, by zaczął pracować mimo nich. Dlatego nowy lek jest znacznie bezpieczniejszy i dlatego działa tak szybko – mówił, nie przerywając, jego oczy jaśniały w mroku. – Tak właśnie odmieniliśmy Diego w zaledwie dwa miesiące. Dzięki temu, co nam pokazałaś.

– Czyli to moja wina, że ci ludzie zmieniają sobie palce w węże? Super.

– Twoją winą jest wolność, którą odzyskali. Tally. Koniec operacji.

Zaśmiała się z goryczą.

– Chcesz powiedzieć koniec Diego. Gdy Cable ich dopadnie, pożałują, że kiedykolwiek widzieli pigułki twojej matki.

– Posłuchaj, Tally, doktor Cable jest słabsza, niż myślisz. – Pochylił się bliżej. – Dlatego właśnie przyleciałem, żeby ci to powiedzieć: po powstaniu Nowego Systemu część przemysłowego kierownictwa z Diego nam pomogła. Produkcja masowa. W ciągu ostatniego miesiąca przemyciliśmy do twojego miasta dwieście tysięcy pigułek. Jeśli zdołasz wyprowadzić Wyjątkowe Okoliczności z równowagi, nawet na parę dni, twoje miasto zacznie się zmieniać. Tylko strach powstrzymuje je przed przyjęciem Nowego Systemu.

– Chcesz powiedzieć strach przed tymi, którzy zniszczyli Zbrojownię. – Westchnęła. – To znowu moja wina.

– Możliwe. Jeśli jednak zdołasz rozproszyć ów strach, każde miasto świata przyjrzy się wam z uwagą. – Ujął jej dłoń. – Nie tylko powstrzymasz wojnę, Tally, ale wszystko naprawisz.

– Albo zepsuję. Czy ktokolwiek pomyślał, co się stanie z głuszą, jeśli wszyscy zostaną uleczeni? – Pokręciła głową. – Wiem tylko, że muszę zakończyć tę wojnę.

Uśmiechnął się.

– Świat się zmienia, Tally, i to ty do tego doprowadziłaś.

Odsunęła się, jakiś czas milczała. Cokolwiek by powiedziała, wywołałoby tylko kolejną przemowę na temat tego, jaka jest cudowna. Nie czuła się cudowna, jedynie wykończona. Davidowi wystarczyło, że tam siedział, pewnie sądził, że przetrawia jego słowa. Lecz milczenie Tally znaczyło jedynie, że jest zbyt zmęczona, by mówić.

Dla Tally Youngblood wojna już nadeszła i minęła, pozostawiając po sobie dymiące zgliszcza. Nie mogła wszystkiego naprawić z tego prostego powodu, że jedynej osoby, na której jej zależało, nie da się już ocalić.

Maddy mogła wyleczyć wszystkich pustogłowych świata, ale Zane nadal pozostanie martwy.

Jedno pytanie nie dawało jej spokoju.

– Twierdzisz zatem, że twoja matka teraz mnie lubi?

David uśmiechnął się.

– W końcu pojęła, jaka jesteś ważna. Dla przyszłości. I dla mnie.

Tally pokręciła głową.

– Nie mów takich rzeczy. O mnie i o tobie.

– Przepraszam, Tally. Ale to prawda.

– Twój ojciec zginął z mojego powodu, Davidzie. Dlatego, że zdradziłam Dym.

Powoli pokręcił głową.

– Nie zdradziłaś nas, zostałaś zmanipulowana przez Wyjątkowe Okoliczności. Jak wielu innych ludzi. I to eksperymenty doktor Cable zabiły mojego ojca, nie ty.

Tally westchnęła. Była zbyt zmęczona, żeby się kłócić.

– Cóż, cieszę się, że Maddy już mnie nie nienawidzi. A skoro mowa o doktor Cable, muszę się z nią zobaczyć i zakończyć tę wojnę. To wszystko?

– Tak. – Uniósł posiłek i pałeczki i zajął się jedzeniem. – To wszystko, co chciałem ci powiedzieć – rzekł miękko. – Poza...

Jęknęła.

– Posłuchaj, Tally. Nie ty jedna kogoś straciłaś. – Jego oczy zwęziły się. – Po śmierci ojca ja także chciałem zniknąć.

– Ja nie znikam, Davidzie, nie uciekam. Robię to, co muszę, rozumiesz?

– Tally, mówię tylko, że kiedy skończysz, będę tu.

– Ty? – Pokręciła głową.

– Nie jesteś sama, Tally. Nie udawaj.

Spróbowała wstać, zostawić te bzdury, lecz nagle zrujnowany wieżowiec zakołysał się wokół niej. Opadła na ziemię. Kolejne żałosne, dramatyczne wyjście.

– No dobra, Davidzie, wygląda na to, że nigdzie nie pójdę, póki się nie prześpię. Chyba jednak powinnam była polecieć helikopterem.

– Skorzystaj z mojego śpiwora – przesunął się na bok i uniósł antenę. – Jeśli ktokolwiek zacznie tu węszyć, obudzę cię. Będziesz bezpieczna.

Bezpieczna. Tally przecisnęła się obok Davida, przez moment czując ciepło jego ciała. Jak przez mgłę przypomniała sobie jego zapach z czasów, gdy byli razem. Wydawało się, że od tych dni minęły lata.

Dziwne. Ostatnim razem, gdy mu się przyglądała, jego brzydka twarz wzbudziła w niej wstręt. Jednak po tym wszystkim, co widziała w Diego, przecięta blizną brew i przekrzywiony uśmiech wyglądały jak kolejny ostatni krzyk mody. I to całkiem niezły.

Ale nie był Zane'em.

Wczołgała się do śpiwora, po czym zerknęła w dół przez przeżarte korozją i walące się piętra, aż do fundamentów sto metrów niżej.

– Tylko nie pozwól mi przekręcić się na bok we śnie.

David uśmiechnął się.

– Jasne.

– I daj mi to. – Odebrała mu iniektor i schowała do zapinanej kieszonki stroju maskującego. – Może kiedyś mi się przyda.

– A może nie, Tally.

– Nie mieszaj mi w głowie – wymamrotała.

Potem położyła się i zasnęła.

NADZWYCZAJNA NARADA

Leciała nad rzeką, do domu.

Pędząc przez białą wodę i widząc przed sobą znajomą sylwetkę Miasta Nowych Ślicznych, Tally zastanawiała się, czy po raz ostatni wraca do domu z zewnątrz. Na jak długo mogą ją zamknąć za atak na własne miasto, przypadkowe zniszczenie sił zbrojnych i doprowadzenie do wojny?

W chwili gdy dotarła do miejskiej sieci, skórtenę Tally zalała prawdziwa fala wiadomości. Ponad pięćdziesiąt kanałów relacjonowało wojnę, opisując niestrudzenie, jak armada lotowozów przebiła się przez systemy obronne Diego i rozwaliła jego ratusz. Wszyscy cieszyli się tak bardzo, jakby bombardowanie bezradnego przeciwnika było jedynie fajerwerkami kończącymi z dawna oczekiwaną zabawę.

Dziwnie się czuła, słysząc, jak co pięć minut wymieniają nazwę Wyjątkowych Okoliczności. Opisywano, jak po zniszczeniu Zbrojowni agenci wkroczyli do akcji i ochronili wszystkich. Jeszcze tydzień wcześniej większość ludzi nie wierzyła w Wyjątkowych. Nagle stali się zbawcami miasta.

Nowe wojenne restrykcje miały własny kanał w sieci nieustannie powtarzający suchą listę zasad, które należało opanować. Ściślej niż kiedykolwiek przestrzegano ciszy nocnej dla brzydkich i po raz pierwszy, odkąd Tally pamiętała, nowym ślicznym także narzucono ograniczenia dotyczące tego, co mogą robić, a czego nie. Loty balonem zostały zakazane, lotodeski ograniczone do parków i boisk, a od dnia, gdy niszczejąca Zbrojownia rozświetliła niebo, odwołano sztuczne ognie nad Miastem Nowych Ślicznych.

Nikt jednak się nie uskarżał, nawet takie ekipy jak Powietrzniacy, praktycznie żyjący latem w swych balonach. Oczywiście nawet po wyleczeniu dwustu tysięcy osób w mieście wciąż pozostało milion pustogłowych. Może ci chcący protestować czuli się zbyt przytłoczeni, by przemówić głośno.

A może za bardzo się bali Wyjątkowych Okoliczności, żeby w ogóle podnieść głos.

Gdy Tally przelatywała nad zewnętrznym pierścieniem Starykowa, jej skórtena połączyła się z robotem patrolującym granice miasta. Maszyna sprawdziła ją szybko elektronicznie i stwierdziła, że ma do czynienia z agentką Wyjątkowych Okoliczności.

Tally zastanawiała się, czy ktokolwiek nauczył się już omijać nowe patrole. A może wszyscy skłonni do numerów brzydcy już odeszli, uciekli do Diego bądź trafili do Wyjątkowych Okoliczności? W ciągu kilku tygodni jej nieobecności wszystko kompletnie się zmieniło. Im bardziej zbliżała się do miasta, tym mniej czuła się tu jak w domu. Zwłaszcza teraz, kiedy Zane... Już nigdy go nie zobaczy...

Odetchnęła głęboko. Czas to załatwić.

– Wiadomość dla doktor Cable.

Usłyszała ping informujący, że miejski interfejs umieścił ją w kolejce. Najwyraźniej obecnie szefowa Wyjątkowych Okoliczności była bardzo zajęta.

Chwilę później usłyszała jednak inny głos.

– Agentka Youngblood?

Tally zmarszczyła brwi. To była Maxamilla Feaster, jedna z zastępczyń Cable. Nacinacze zawsze meldowali się bezpośrednio doktor Cable.

– Chcę mówić z panią doktor – oznajmiła.

– Nie jest dostępna, Youngblood, ma spotkanie z Radą Miasta.

– W centrum?

– Nie, w kwaterze głównej.

Tally zatrzymała się w powietrzu.

– W kwaterze głównej Wyjątkowych Okoliczności? Odkąd to Rada Miasta się tam spotyka?

– Odkąd wyruszyliśmy na wojnę, Youngblood. Wiele się wydarzyło, podczas gdy ty i twoje bandziory wałęsaliście się w głuszy. Gdzie, do diabła, podziali się wszyscy Nacinacze?

– To długa historia i muszę ją opowiedzieć doktor Cable w cztery oczy. Uprzedź ją, że wróciłam i że to, co mam do powiedzenia, jest niezwykle ważne.

Po krótkiej chwili ciszy głos znów się odezwał, dźwięczała w nim irytacja.

– Posłuchaj, Youngblood, toczymy wojnę. Doktor Cable jest obecnie nieoficjalną szefową Rady, ma na głowie całe miasto i zero czasu na to, by cackać się z wami, Nacinaczami. Albo mi powiesz, o co tu chodzi, albo długo się z nią nie zobaczysz. Zrozumiano?

Tally przełknęła ślinę. Doktor Cable kierowała całym miastem? Może przyznanie się nie było jednak tak świetnym pomysłem. A co, jeśli za bardzo odpowiada jej władza, by miała uwierzyć w prawdę?

– W porządku, Feaster. Powiedz jej, że Nacinacze w zeszłym tygodniu byli w Diego, brali udział w wojnie, jasne? I że mam bardzo ważne informacje dla Rady. To dotyczy bezpieczeństwa miasta. Czy to ci wystarczy?

– Byłaś w Diego? Ale jak... – zaczęła zastępczyni, lecz Tally gestem przerwała połączenie. Powiedziała dość, by zwrócić jej uwagę.

Pochyliła się i uruchomiła wirniki, kierując się z pełną szybkością w stronę pasa fabryk. Miała nadzieję, że dotrze tam przed zakończeniem spotkania Rady Miasta.

Jej członkowie stanowili idealną widownię dla wyznania Tally.

*
**

Kwatera główna Wyjątkowych Okoliczności ciągnęła się na równinie pasa fabryk, niska, płaska, nieciekawa. Była jednak większa, niż się zdawała, wkopana dwanaście pięter w głąb ziemi. Jeśli Rada Miasta obawiała się kolejnego ataku, kwatera stanowiła doskonały schron. Tally była pewna, że doktor Cable przyjęła członków z otwartymi ramionami, ciesząc się, że władze miejskie kryją się jak szczury w jej piwnicy.

Spojrzała w dół z długiego, nierównego zbocza wznoszącego się nad kwaterą. W brzydkich czasach wraz z Davidem zeskoczyli stąd na deskach wprost na dach. Od tego czasu zamontowano tam czujniki ruchu zapobiegające kolejnemu włamaniu. Lecz żadnej fortecy nie zaprojektowano tak, by nie wpuszczała swoich, zwłaszcza dysponujących ważnymi informacjami.

Znów włączyła antenę.

– Wiadomość dla doktor Cable.

Tym razem zastępczyni dowódcy Feaster odpowiedziała natychmiast.

– Skończ z tymi gierkami, Youngblood.

– Daj mi pomówić z Cable.

– Wciąż jest na spotkaniu. Musisz porozmawiać ze mną.

– Nie mam czasu dwa razy wszystkiego tłumaczyć, Maxamillo. Mój raport dotyczy całej Rady. – Odetchnęła powoli, głęboko. – Zbliża się kolejny atak.

– Kolejne co?

– Atak, i to bardzo szybko. Powiedz pani doktor, że będę tam za dwie minuty. Pójdę wprost na spotkanie.

Tally znów wyłączyła antenę, gasząc w zarodku kolejną serię pytań. Obróciła deskę i wystrzeliła w dół, po czym zawróciła twarzą do szczytu, prostując palce.

Zamierzała dokonać możliwie najbardziej dramatycznego wejścia. Przebić się przez wszystkich wprost na spotkanie Rady Miasta. Doktor Cable z pewnością uraduje się, słysząc, że jedna z jej ulubionych Nacinaczy przybywa, przynosząc ważne informacje. To w końcu konkretny dowód na to, że Wyjątkowe Okoliczności na coś się jednak przydają.

Oczywiście doktor Cable nie spodziewa się tego, co powie Tally.

Przyspieszyła, uruchamiając silnik magnetyczny i wirniki. Zaczęła się wznosić w stronę szczytu, cały czas nabierając szybkości.

Na górze horyzont przekrzywił się nagle. Ziemia pod jej stopami zniknęła i Tally poszybowała w niebo.

Wyłączyła wirniki i ugięła kolana, ściskając deskę palcami.

Cisza zdawała się trwać wiecznie. Dach kwatery głównej rósł, gdy Tally spadała. Poczuła, jak jej twarz wykrzywia uśmiech. Może po raz ostatni zrobi coś tak mroźnego, chłonąc świat wszystkimi wyjątkowymi zmysłami. Równie dobrze może się tym nacieszyć.

Sto metrów przed zderzeniem wirniki ożyły. Przycisnęły deskę do Tally, próbując ją wyhamować. Bransolety szarpały przeguby, zmagając się z siłą upadku.

Deska uderzyła o dach, mocno i na płask. Tally zsunęła się z niej i puściła biegiem. Wokół dźwięczały alarmy, lecz wystarczył jeden gest, by skórtena uciszyła zabezpieczenia. Tally krzykiem zażądała otwarcia awaryjnego wejścia.

Po krótkiej ciszy odpowiedział jej nerwowy głos Feaster.

– Youngblood?

– Muszę się dostać do środka, i to jak najszybciej.

– Powtórzyłam doktor Cable to, co powiedziałaś. Chce, żebyś przyszła wprost na spotkanie. Są w sali operacyjnej na poziomie J.

Tally pozwoliła sobie na uśmiech. Jej plan działał.

– Jasne, otwórzcie drzwi.

– Oczywiście.

Z ogłuszającym metalicznym zgrzytem lądowisko pod stopami Tally zaczęło się rozstępować, zupełnie jakby dach pękał na dwoje. Wskoczyła w rozszerzającą się szczelinę i z jasnego słońca znalazła się w półmroku. Wylądowała na dachu lotowozu Wyjątkowych Okoliczności. Nie zważając na okrzyki zaskoczonych pracowników hangaru, sturlała się na ziemię i biegła dalej.

Głos w jej uchu znów się odezwał.

– Czeka na ciebie winda, tuż przed tobą.

– Za wolna – wydyszała Tally, zatrzymując się przed ścianą wind. – Otwórz pusty szyb.

– Żartujesz sobie, Youngblood?

– Nie! Liczy się każda sekunda. Zrób to!

Chwilę później kolejne drzwi otworzyły się, ukazując ciemność.

Tally wskoczyła do środka.

Jej antypoślizgowe buty zapiszczały, gdy zaczęła odbijać się od ścian szybu, ledwie kontrolując upadek, obniżając się dziesięć razy szybciej niż jakakolwiek winda. Na kanale skórteny usłyszała głos Feaster ostrzegający, by wszyscy zeszli jej z drogi. Do szybu wlało się światło – drzwi na podpoziom J czekały otwarte.

Tally chwyciła się występu piętra wyżej i wyskoczyła przez otwór, nie zwalniając biegu. Ile sił w nogach popędziła korytarzem. Wyjątkowi przyciskali się do ścian, by ją przepuścić, zupełnie jakby była posłańcem z czasów Przedrdzawców niosącym wieści królowi.

Przy wejściu do głównej sali operacyjnej piętra czekała Maxamilla Feaster z dwoma Wyjątkowymi w pełnym rynsztunku bojowym.

– Oby to było ważne, Youngblood.

– Wierz mi, jest.

Feaster przytaknęła i drzwi się otworzyły. Tally wbiegła do środka.

Zatrzymała się gwałtownie. W sali panowała cisza, otaczał ją jedynie wielki pierścień krzeseł wznoszących się na wszystkie strony. Nie dostrzegła doktor Cable ani Rady Miasta.

Nie było tam nikogo prócz Tally Youngblood, zdyszanej i samej.

Obróciła się gwałtownie.

– Feaster, co się dzie...

Drzwi zatrzasnęły się, zamykając ją w środku.

Nawet przez skórtenę usłyszała rozbawienie w głosie Feaster.

– Zaczekaj tam, Youngblood. Doktor Cable przyjdzie do ciebie, kiedy skończy z Radą.

Tally pokręciła głową. Jej wyznanie na nic się nie zda, jeśli Cable nie zechce uwierzyć. Potrzebowała świadków.

– Ale to się dzieje teraz. Jak myślisz, czemu biegłam całą drogę?

– Czemu? Może po to, by powiedzieć Radzie, że Diego nie miało nic wspólnego z atakiem na Zbrojownię? Że to twoja wina?

Tally opadła szczęka, następne pytanie zamarło na ustach. Powoli odtworzyła w myślach słowa Feaster, nie mogąc uwierzyć, że naprawdę je usłyszała. Skąd oni wiedzieli?

– O czym ty mówisz? – wykrztusiła w końcu.

Okrutna radość w głosie Maxamilli Feaster stała się jeszcze wyraźniejsza.

– Cierpliwości, Tally. Doktor Cable wszystko ci wyjaśni.

A potem światła zgasły, pozostawiając ją w absolutnej ciemności. Tally znów zaczęła mówić, lecz uświadomiła sobie, że skórtena nie działa.

WYZNANIE

Miała wrażenie, że siedzi po ciemku godzinami. W jej wnętrzu wzbierała rozpalona furia, pożar lasu nabierający mocy z każdą sekundą. Tally walczyła z pragnieniem biegania na oślep w ciemności i niszczenia wszystkiego, co wpadnie jej w ręce. Pragnęła przebić się przez sufit i następne piętro w górę, aż do otwartego nieba.

Zmusiła się jednak, by usiąść na podłodze, oddychać głęboko i próbować zachować spokój. Myśli wirowały jej w głowie. Po raz kolejny przegra starcie z doktor Cable. Tak jak wtedy, gdy Wyjątkowi napadli na Dym, kiedy poddała się, by zostać śliczną i gdy uciekli razem z Zane'em tylko po to, by znów dać się schwytać.

Raz po raz tłumiła ataki gniewu, zaciskając pięści tak mocno, iż miała wrażenie, że pękają jej palce. Czuła się bezradna jak wtedy, gdy Zane leżał przed nią i umierał.

Nie mogła sobie pozwolić na kolejną przegraną. Nie tym razem, kiedy stawką była przyszłość.

Czekała zatem w ciemności, zmagając się ze sobą.

*
**

W końcu drzwi się otworzyły i ujrzała znajomą sylwetkę doktor Cable. Na suficie zapłonęły reflektory, świecąc wprost w oczy Tally. Oślepiona, usłyszała, jak do środka wślizgują się kolejni Wyjątkowi. Potem drzwi zamknęły się za nimi.

Zerwała się z ziemi.

– Gdzie Rada Miasta? Muszę z nimi pomówić, to bardzo pilne.

– Obawiam się, że to, co zamierzasz im powiedzieć, mogłoby ich zaniepokoić, a tego byśmy nie chcieli. Ostatnio Rada jest bardzo nerwowa. – Ciemna postać zachichotała. – Są na poziomie H, wciąż gadają.

Dwa piętra wyżej... Dotarła tak blisko tylko po to, by znów ponieść klęskę.

– Witaj w domu, Tally – powiedziała cicho doktor Cable.

Tally rozejrzała się po pustej sali.

– Dzięki za niespodziankę.

– To chyba ty zamierzałaś zrobić nam niespodziankę?

– Mówiąc prawdę?

– Prawda? Z twoich ust? – Doktor Cable zaśmiała się. – Czy może być coś bardziej zaskakującego?

Tally poczuła falę gniewu, ale zdusiła ją, oddychając głęboko.

– Skąd wiedziałaś?

Doktor Cable wkroczyła w krąg światła i wyciągnęła z kieszeni niewielki nóż.

– To chyba należy do ciebie. – Cisnęła nóż w powietrze. Zawirował, błyszcząc w promieniach reflektorów, i wbił się w podłogę między stopami Tally. – A z całą pewnością twoje są komórki skóry, które na nim znaleźliśmy.

Tally zapatrzyła się w nóż.

Nim właśnie rzuciła Shay, by uruchomić alarmy Zbrojowni, to nim Tally nacięła się poprzedniej nocy. Rozprostowała zaciśniętą dłoń, wpatrując się w skórę. Błyskotatuaże wciąż wirowały w nierównym rytmie naruszonym przez bliznę. Widziała, jak Shay ściera z noża odciski palców, ale resztki jej ciała musiały pozostać.

Najwyraźniej tuż po ataku znaleźli go i sprawdzili DNA. Od początku wiedzieli, że to Tally była w Zbrojowni.

– Wiedziałam, że ten paskudny nawyk w końcu wpędzi was w kłopoty – wymamrotała doktor Cable. – Czy nacinanie jest naprawdę takie cudowne? Muszę to sprawdzić, kiedy następnym razem stworzę tak młodych Wyjątkowych.

Tally uklękła i wyciągnęła nóż, ważąc go w dłoni. Zastanawiała się, czy dobrze wycelowany cios dotrze do gardła doktor Cable, lecz kobieta była równie szybka jak Tally, równie Wyjątkowa.

Nie mogła sobie pozwolić na myślenie jak Wyjątkowi, musiała coś wykombinować.

Odrzuciła nóż na bok.

– Odpowiedz mi tylko na jedno pytanie – rzekła doktor Cable. – Po co to zrobiłaś?

Tally pokręciła głową. Wyznanie prawdy oznaczałoby wmieszanie we wszystko Zane'a, a wtedy może nie zdołałaby nad sobą zapanować.

– To był wypadek.

– Wypadek? – Doktor Cable zaśmiała się szyderczo. – Niezły wypadek, zniszczenie połowy sił zbrojnych miasta.

– Wypuszczenie tych nano nie było częścią naszego pierwotnego planu.

– Naszego? Nacinaczy?

Tally pokręciła głową, uznawszy, że wspominanie o Shay także nie ma sensu.

– Po prostu jakoś tak wyszło.

– Istotnie, zwykle tak właśnie z tobą bywa. Prawda, Tally?

– Ale czemu okłamałaś wszystkich?

Doktor Cable westchnęła.

– To powinno być oczywiste, Tally. Nie mogłam im przecież powiedzieć, że to ty o mało nie zniszczyłaś obrony miasta. Nacinacze byli moją radością i dumą, moimi wyjątkowymi Wyjątkowymi. – Twarz kobiety przeciął ostry jak brzytwa uśmiech. – Poza tym dałaś mi doskonałą okazję do pozbycia się starego przeciwnika.

– Co Diego ci zrobiło?

– Popierało Stary Dym. W Diego od lat przyjmowano naszych uciekinierów. Potem Shay zameldowała, że ktoś dostarcza Dymiarzom stroje maskujące i ogromne ilości tych odrażających pigułek. Kto inny mógł to robić? – Jej głos stał się mocniejszy. – Pozostałe miasta tylko czekały, by ktoś w końcu zajął się Diego z jego Nowym Systemem i lekceważeniem standardów morfologicznych. Ty po prostu dostarczyłaś mi amunicji. Zawsze byłaś bardzo użyteczna, Tally.

Tally zacisnęła powieki, marząc, by jakimś cudem Rada mogła usłyszeć słowa doktor Cable. Gdyby tylko wiedzieli, że ich okłamała...

Jednak całe miasto za bardzo się bało, by myśleć jasno, za bardzo zachwycało się własnym kontratakiem. Było gotowe do przyjęcia rządów tej pokręconej kobiety.

Potrząsnęła głową. Ostatnich kilka dni skupiała się na zmianie własnego umysłu, ale powinna zmienić wszystkich. Albo może choć jedną właściwą osobę...

– Kiedy to się skończy? – spytała cicho. – Jak długo będzie trwać ta wojna?

– Nigdy się nie skończy, Tally. Załatwiam tyle spraw, których wcześniej nie mogłam nawet tknąć, i wierz mi, pustogłowi świetnie się bawią, oglądając to w wiadomościach. A trzeba było tylko wojny. Powinnam wpaść na ten pomysł wiele lat temu. – Kobieta podeszła bliżej, jej okrutnie piękna twarz jaśniała w kręgu światła. – Nie rozumiesz? Wkroczyliśmy w nową erę! Od tej pory każdy dzień to Wyjątkowa Okoliczność!

Tally przytaknęła powoli, po czym pozwoliła swym ustom wygiąć się w uśmiechu.

– Jak miło, że mi to wyjaśniłaś. Mnie i wszystkim innym.

Doktor Cable uniosła brew.

– Cable, nie przybyłam tu informować Rady o tym, co się stało. To banda mięczaków, w końcu przekazali ci władzę. Przybyłam dopilnować, żeby wszyscy dowiedzieli się o twoich kłamstwach.

Kobieta zaśmiała się nisko, gardłowo.

– Nie mów mi, że wyobraziłaś sobie siebie wyjaśniającą, że to ty zaczęłaś wojnę? Kto by ci uwierzył? Kiedyś może i byłaś sławna wśród pustogłowych i brzydkich, ale nikt powyżej dwudziestki nie wie nawet, że istniejesz.

– Nie, ale teraz, kiedy przejęłaś władzę, znają ciebie. – Tally sięgnęła do kieszonki stroju maskującego i wyjęła iniektor. – A od kiedy widzieli, jak wyjaśniasz, że cała ta wojna to tylko przegięte kłamstwo, zapamiętają cię na zawsze.

Doktor Cable zmarszczyła czoło.

– Co to niby jest?

– Nadajnik satelitarny, którego nie da się zagłuszyć. – Tally zdjęła osłonkę, odsłaniając igłę. – Widzisz tę antenkę? Zdumiewające, prawda?

– Nie mogłaś... nie stąd. – Cable zamknęła oczy. Jej powieki poruszały się, gdy sprawdzała kolejne kanały.

Tally mówiła dalej, uśmiechając się coraz szerzej.

– W Diego robią najdziwniejsze operacje. Zastąpili moje oczy kamerami stereo, a paznokcie mikrofonami. Całe miasto widziało, jak wyjaśniasz, co zrobiłaś.

Oczy Cable otwarły się, kobieta parsknęła.

– W wiadomościach nic nie ma, Tally. Twoja zabaweczka nie działa.

Tally uniosła brwi, zerkając z zaskoczeniem na spód iniektora.

– Rzeczywiście, zapomniałam włączyć wysyłanie. – Poruszyła palcami.

Doktor Cable skoczyła naprzód, jedną ręką sięgając po iniektor. W tym samym ułamku sekundy Tally obróciła igłę pod idealnym kątem...

Cios wytrącił jej iniektor z dłoni, usłyszała, jak odlatuje w kąt i rozpada się na kawałki.

– Naprawdę, Tally. – Doktor Cable uśmiechnęła się do niej. – Jak na kogoś tak sprytnego czasami bywasz bezdennie głupia.

Tally spuściła głowę i zamknęła oczy, oddychała jednak powoli przez nos, węsząc w powietrzu...

I wtedy ją wyczuła – subtelną, niemal nieuchwytną woń krwi.

Otworzyła oczy i zobaczyła, jak Cable zerka na swą dłoń, lekko zirytowana ukłuciem. Shay mówiła, że z początku prawie nie zauważyła działania leku, że trzeba było dni, by pojawiły się efekty.

Tymczasem Tally nie chciała, by Cable zastanawiała się, jakim cudem skaleczyła się o antenę, czy też przyjrzała się bliżej strzaskanemu iniektorowi. Może przyda się odwrócić jej uwagę.

Przywołała na twarz wściekły grymas.

– Ty mnie nazywasz głupią?

Zamachnęła się stopą, trafiając doktor Cable w brzuch i pozbawiając ją tchu.

Pozostali Wyjątkowi zareagowali natychmiast, lecz Tally już była w ruchu – mknęła w stronę, w którą poleciał iniektor. Wylądowała, trafiając stopą dokładnie w jego szczątki i miażdżąc je mocno. A potem płynnie przeszła do kopniaka z obrotu, który trafił w szczękę najbliższego prześladowcy. Wskoczyła na pierwszy rząd foteli, biegnąc po oparciach i nie dotykając podłogi.

– Agentko Youngblood! – zawołał drugi strażnik. – Nie chcemy cię skrzywdzić.

– Obawiam się, że będziecie musieli.

Zawróciła w stronę pierwszego strażnika. Drzwi sali otworzyły się z hukiem i do środka wpadł rój szarych jedwabnych mundurów.

Tally zeskoczyła w pobliżu nieprzytomnego mężczyzny, raz jeszcze lądując na szczątkach iniektora.

Drugi strażnik w stroju bojowym trafił ją pięścią w ramię i odrzucił na pierwszy rząd foteli.

Skoczyła w górę i rzuciła się na niego, nie zważając na zbliżający się tłum Wyjątkowych.

Parę sekund później leżała twarzą do podłogi, z rękami przyszpilonymi do ziemi. Nadal się wiła, zgniatając resztki iniektora.

Ktoś kopnął ją w żebra, jęknęła głośno z bólu.

Wciąż pojawiali się kolejni. Pokój pociemniał; ściskali ją tak mocno, iż czuła, że traci przytomność.

– W porządku, pani doktor – powiedział jeden z Wyjątkowych. – Mamy ją.

Cable nie odpowiedziała. Tally wyciągnęła szyję, chcąc ją zobaczyć. Doktor stała zgięta wpół, wciąż głośno chwytając oddech.

– Pani doktor? – spytał Wyjątkowy. – Nic pani nie jest? Dobrze się pani czuje?

„Dajcie jej trochę czasu – pomyślała Tally – a poczuje się znacznie, znacznie lepiej...”.

ROZPAD

Tally oglądała wszystko ze swej celi.

Z początku zmiany następowały powoli. Przez kilka dni doktor Cable nadal była tą samą psychopatką. Odwiedzała Tally co dzień, arogancko domagając się informacji na temat wydarzeń w Diego. Tally chętnie ich dostarczała, snując historie na temat rozpadu Nowego Systemu i wypatrując jakichkolwiek oznak działania lekarstwa.

Jednak dziesięciolecia próżności i okrucieństwa znikały powoli i sam czas zdawał się zwalniać biegu wewnątrz czterech ścian celi. Nacinaczy nie zaprojektowano do życia pod dachem, a tym bardziej nie w ciasnych pomieszczeniach, i Tally większość swych sił musiała skupiać na tym, by nie zwariować. Wpatrywała się w drzwi celi przepełniona rozpaczą, walcząc z wściekłością, która wzbierała w niej falami, opierając się pragnieniu kaleczenia ciała własnymi zębami i paznokciami.

W taki właśnie sposób zdołała zmienić się dla Zane'a – przestała się nacinać – i teraz już nie mogła poddać się słabości.

Najgorzej było, gdy myślała o tym, jak głęboko pod ziemią się znalazła. Dwanaście pięter w dół, zupełnie jakby jej cela była trumną pogrzebaną w grobie. Jak gdyby umarła, lecz złowrogie maszyny doktor Cable podtrzymywały jej świadomość nawet po śmierci.

Cela przypominała jej to, co wiedziała o życiu Rdzawców – maleńkie, ciasne pokoje w pozbawionych życia ruinach, zatłoczone miasta podobne do więzień sięgających ku niebu. Za każdym razem, gdy drzwi się otwierały, Tally sądziła, że zaraz trafi pod nóż i obudzi się jako pustogłowa bądź jeszcze bardziej zwichrowana Wyjątkowa. Niemal się cieszyła, widząc, że to znów doktor Cable przychodzi ją przesłuchać. Wszystko było lepsze niż samotne tkwienie w celi.

W końcu zaczęła dostrzegać oznaki działania leku. Powoli, stopniowo doktor Cable stawała się mniej pewna siebie, mniej zdolna do podejmowania decyzji.

– Zdradzają wszystkim moje tajemnice – zaczęła mamrotać pewnego dnia, przeczesując palcami włosy.

– Kto?

– Diego – Cable niemal wypluła to słowo. – Zeszłego wieczoru Shay i Tachs wystąpili w światowych wiadomościach. Pokazywali blizny po nacinaniu i nazywali mnie potworem.

– Ale przegięte – odparła Tally.

Kobieta posłała jej gniewne spojrzenie.

– Nadają też szczegółowe skany twojego ciała. Nazywają cię wykroczeniem anatomicznym.

– Chcesz powiedzieć, że jestem sławna?

Cable przytaknęła.

– Nawet więcej, Tally, wszyscy się ciebie boją. Owszem, Nowy System budził niepokój innych miast, teraz jednak uważają, że moja mała banda psychopatycznych szesnastolatków to coś o wiele gorszego.

Tally uśmiechnęła się.

– Byliśmy bardzo mroźni.

– W takim razie jak Diego zdołało was schwytać?

– Tak, to było przegięte. – Tally wzruszyła ramionami. – I w dodatku zwykła banda opiekunów. Mieli na sobie durne uniformy, w których wyglądali jak trzmiele.

Doktor Cable przyglądała się jej. Teraz drżała, jak kiedyś biedny Zane.

– Ale ty byłaś taka silna, Tally, taka szybka!

Tally znów wzruszyła ramionami.

– Nadal jestem.

Doktor Cable pokręciła głową.

– Na razie, Tally. Na razie.

Po dwóch tygodniach w samotności i ciszy ktoś o dziwo zlitował się nad znudzoną Tally i uruchomił ekran ścienny w jej celi. Zdumiała się, widząc, jak szybko władza doktor Cable osłabła. Wiadomości przestały powtarzać po raz kolejny relacje z triumfalnej bitwy w Diego – zamiast wyczynów wojskowych ekran wypełniały dramaty pustogłowych i mecze piłki nożnej. Rada Miasta kolejno rezygnowała z nowych przepisów.

Najwyraźniej lek Maddy w samą porę opanował umysł Cable. Do drugiego ataku na Diego już nie doszło.

Oczywiście inne miasta też mogły mieć z tym coś wspólnego. Owszem, nie podobał im się Nowy System, ale jeszcze mniej zachwycił je wybuch prawdziwej wojny. W końcu zginęli w niej ludzie.

W miarę jak eksperymenty medyczne doktor Cable zyskiwały rozgłos, powtarzane nieustannie zaprzeczenia Diego co do udziału sił miejskich w ataku na Zbrojownię brzmiały coraz bardziej wiarygodnie. W wiadomościach zaczęto kwestionować to, co naprawdę wydarzyło się owej nocy, zwłaszcza po tym, jak staryk kurator będący świadkiem ataku publicznie opowiedział swoją historię. Twierdził, że sprawcą uwolnienia stworzonych przez Rdzawców nano nie była armia najeźdźców, lecz dwóch napastników bez twarzy, którzy sprawiali wrażenie bardziej młodych i głupich niż śmiertelnie poważnych.

Potem w lokalnych wiadomościach zaczęły pojawiać się materiały sympatyzujące z Diego, łącznie z wywiadami z ludźmi rannymi w uderzeniu na ratusz. Tally zawsze pospiesznie przerzucała te fragmenty, które zwykle kończyły się listą szesnastu ofiar ataku – zwłaszcza jednej, będącej, o ironio, uciekinierem z ich miasta.

W dodatku zawsze pokazywali jego zdjęcie.

*
**

Powoli zaczęły się pojawiać spory dotyczące wojny i wszystkiego innego. Dyskusje stawały się coraz bardziej zacięte i wkrótce doszło do paskudnej debaty na temat przyszłości miasta. Mówiono o nowych standardach morfologicznych, o mieszaniu ślicznych i brzydkich, a nawet o ekspansji w głuszę.

Lek działał tu tak samo jak w Diego i Tally zastanawiała się, jaką przyszłość pomogła stworzyć. Czy miejscy śliczni zaczną się zachowywać jak Rdzawcy? Zasiedlać głuszę, mnożyć się bez opamiętania, niszcząc wszystko na swej drodze? Czy został jeszcze ktoś, kto mógłby ich powstrzymać?

Sama doktor Cable znikała z wiadomości. Jej wpływy słabły, a ona sama gasła na oczach Tally. Przestała przychodzić do celi i wkrótce potem Rada Miasta ostatecznie odebrała jej władzę, twierdząc, iż jej kadencja tymczasowej przewodniczącej upłynęła wraz z kryzysem.

Potem zaczęły się rozmowy o odwyjątkowianiu.

Wyjątkowi byli niebezpieczni, potencjalnie psychopatyczni, a cała idea ich operacji niesprawiedliwa. Większość miast w ogóle nie stworzyła podobnych istot, jedynie nieco wzmocniła odruchy strażaków i strażników. Może po tej nieszczęsnej wojnie czas pozbyć się wszystkich.

Po długiej dyskusji miasto Tally jako pierwsze przystąpiło do tego procesu w geście pojednania z resztą świata. Kolejno agentów Wyjątkowych Okoliczności przerabiano na zwykłych zdrowych obywateli. A doktor Cable ani razu nie zaprotestowała.

Każdego dnia Tally miała wrażenie, że ściany celi napierają na nią coraz bardziej. Przyglądała się swojemu odbiciu w ekranie, wyobrażając sobie swoje wilcze oczy, które znów są wodniste, rysy sprowadzone do przeciętnej. Nawet blizny po nacinaniu na ręce znikną, a uświadomiła sobie, że nie chce ich stracić. Stanowiły pamiątkę wszystkiego, przez co przeszła i co zdołała pokonać.

Shay i pozostali wciąż przebywali w Diego. Nadal byli wolni i może zdołają uciec, zanim to ich spotka. Mogli żyć gdziekolwiek: ostatecznie Nacinaczy zaprojektowano do przebywania w głuszy.

Tally nie miała dokąd uciec. Nie mogła się uratować.

W końcu pewnego wieczoru zjawili się lekarze.

OPERACJA

Usłyszała ich na zewnątrz, dwa nerwowe głosy. Wyślizgnęła się z łóżka i podeszła do drzwi, kładąc dłoń na wzmocnionej ceramicznej ścianie, a procesory w jej dłoniach zamieniły mamrotanie w słowa.

– Na pewno to na nią zadziała?

– Jak dotąd działało.

– Ale ona jest chyba, no wiesz, jakimś superdziwolągiem.

Tally przełknęła ślinę. Oczywiście, że była. Tally Youngblood, najsłynniejsza szesnastoletnia psychopatka świata. Obrazy jej śmiercionośnego ciała pokazywano ze szczegółami we wszystkich wiadomościach.

– Spokojnie, przygotowali porcję specjalnie dla niej.

„Porcję czego?" – zastanawiała się.

I wtedy usłyszała syk... Do celi przenikał gaz.

Tally odskoczyła od drzwi, kilka razy wciągnęła w płuca powietrze, nim gaz rozprzestrzenił się w pomieszczeniu. Obracała się gorączkowo, wodząc wściekłym wzrokiem po czterech morderczo znajomych ścianach, po raz milionowy próbując znaleźć jakąkolwiek słabość, szukając drogi ucieczki...

Wezbrała w niej panika. Nie mogli jej tego zrobić, nie po raz kolejny. To nie jej wina, że jest taka niebezpieczna. To oni ją taką stworzyli.

Ale wyjścia nie było.

Gdy tak wstrzymywała oddech, czując w żyłach adrenalinę, przed oczami zatańczyły jej czerwone punkciki. Nie oddychała już prawie minutę i mroźna panika zaczynała mijać. Nie mogła się poddać.

Gdyby tylko dała radę spokojnie pomyśleć...

Zerknęła na swoją rękę, na rząd blizn. Minął ponad miesiąc od ostatniego nacinania i miała wrażenie, jakby wszystkie nieszczęścia, które spotkały ją od tego czasu, miały wyskoczyć jej przez skórę. Może gdyby skaleczyła się jeszcze raz, zdołałaby coś wymyślić.

Przynajmniej jej ostatnia chwila jako Wyjątkowej będzie naprawdę mroźna.

Przyłożyła paznokcie do ciała i zazgrzytała ostrymi jak brzytwa zębami.

– Przepraszam, Zane – wyszeptała.

– Tally! – zasyczał jej w głowie głos.

Zamrugała. Po raz pierwszy, odkąd zamknęli ją w celi, jej skórtena działała.

– Nie stój tak, ty kretynko. Udawaj, że tracisz przytomność!

Obolałe płuca Tally domagały się powietrza, woń gazu wypełniała jej głowę. Usiadła na podłodze, przed oczami wirowały jej czerwone plamy.

– Tak, znacznie lepiej. Udawaj dalej.

Tally odetchnęła głęboko – nie mogła już się powstrzymać. Jednak działo się coś dziwnego. Ciemne chmury przesłaniające jej wzrok znikały, do płuc przenikał tlen.

Gaz na nią nie działał.

Oparła się o ścianę, zamykając oczy. Serce wciąż waliło jej szaleńczo. Co się tu dzieje, kto mówi w jej głowie? Shay i inni Nacinacze? A może...

Przypomniała sobie słowa Davida: „Nie jesteś sama".

Zamknęła oczy i opadła na bok, uderzając głową o podłogę. Czekała tak bez ruchu.

Chwilę później drzwi rozsunęły się powoli.

– Długo to trwało – stwierdził ktoś nerwowo.

Słyszała, że wciąż czeka na korytarzu. Parę kroków.

– Jak mówiłeś, to prawdziwy superdziwoląg. Ale wkrótce i ona zazna normalności.

– Jesteś pewien, że się nie obudzi?

Czyjaś stopa trąciła ją z boku.

– Widzisz? Zupełnie nieprzytomna.

Kopnięcie wzbudziło w Tally nagłą furię, lecz miesiąc samotności nauczył ją panować nad sobą. Gdy stopa znów ją trąciła, Tally pozwoliła przewrócić się na plecy.

– Nie ruszaj się, Tally. Nic nie rób. Czekaj na mnie.

Tally chciała odszepnąć: „Kim jesteś?", ale nie odważyła się. Dwóch mężczyzn, którzy ją zagazowali, klęczało nad nią, przenosząc jej ciężar na lotowózek.

Pozwoliła im się zabrać.

⁂

Uważnie wsłuchiwała się w echa.

Korytarze kwatery Wyjątkowych Okoliczności były niemal zupełnie puste, większość okrutnych ślicznych została już przemieniona. Po drodze usłyszała kilka urywanych rozmów, lecz w żadnym głosie nie wychwyciła charakterystycznej ostrości.

Zastanawiała się, czy przypadkiem nie zostawili jej sobie na koniec.

Jazda windą była krótka, zapewne tylko piętro w górę, tam bowiem mieściły się główne sale operacyjne. Usłyszała szum przesuwających się podwójnych drzwi i poczuła, jak skręca ostro. Wózek wpłynął do małego pomieszczenia pełnego metalowych powierzchni i odoru środków odkażających.

Całe ciało Tally pragnęło zerwać się z wózka i przebić się na powierzchnię. Jako brzydka uciekła z tego samego budynku. Jeśli pozostali Wyjątkowi naprawdę zniknęli, nikt nie zdołałby jej powstrzymać.

Mimo to panowała nad sobą, czekając, aż głos powie jej, co ma robić.

„Nie jestem sama" – powtarzała w duchu.

Zdjęli z niej ubranie i umieścili w zbiorniku operacyjnym; plastikowe ściany stłumiły inne odgłosy. Na plecach czuła zimną gładź stołu, metalowy mechaniczny szpon trącał ją w ramię. Wyobraziła sobie, jak wysuwa się z niego skalpel i po raz ostatni nacina Nacinaczkę, pozbawiając ją wyjątkowości.

Do ręki przyciśnięto jej warkocz przewodów skórnych; igły spryskały ciało miejscowym środkiem znieczulającym, po czym wbiły się w żyły. Zastanawiała się, kiedy zaczną w nią pompować prawdziwe środki usypiające i czy jej metabolizm zdoła powstrzymać utratę przytomności.

Kiedy zbiornik się zamknął, Tally poczuła panikę. Miała nadzieję, że dwóch pielęgniarzy nie zauważy wirowania błyskotatuaży pokrywających twarz.

Tamci jednak byli bardzo zajęci. Wszędzie wokół z piskiem włączały się maszyny, mrucząc cicho. Dokoła niej poruszały się mechaniczne ramiona, małe piły brzęczały podczas kolejnych testów.

Dwie ręce sięgnęły do środka i wepchnęły jej między wargi ustnik. Plastik smakował środkiem odkażającym, wpływające przez rurkę powietrze było sterylne i nienaturalne. A potem urządzenie ożyło, wypuszczając cienkie wici wokół jej nosa i głowy. O mało nie zaczęła się dławić.

Tak bardzo chciała zerwać z siebie to coś i walczyć.

Jednak głos kazał jej czekać. Ktokolwiek unieszkodliwił gaz, musiał mieć jakiś plan. Powinna zachować spokój.

Wtedy zbiornik zaczął się napełniać.

Ze wszystkich stron do środka wlewał się płyn, zbierając się wokół nagiego ciała Tally, gęsty i lepki, pełen substancji odżywczych i nano utrzymujących tkanki przy życiu, podczas gdy chirurdzy będą kroić ciało na kawałki. Temperatura idealnie odpowiadała jej ciału, lecz gdy roztwór wniknął jej do ust, Tally wstrząsnął dreszcz. Płyn jeszcze bardziej stłumił wszelkie dźwięki i wokół niemal zapadła głucha cisza.

Uniósł się ponad jej oczy, czubek nosa, zakrywając ją całą. Wciągała przez rurkę recyklingowane powietrze, z najwyższym trudem nie unosząc powiek. Teraz, gdy stała praktycznie głucha, pozostawanie ślepą było prawdziwą torturą.

– Już idę, Tally – syknął głos w jej głowie.

A może to sobie wyobraziła.

Tkwiła unieruchomiona w pułapce i miasto mogło wywrzeć na niej ostateczną zemstę: zmiażdżyć kości tak, by przybrała wzrost przeciętnej ślicznej, pozbawić policzki ostrych kątów, odebrać jej piękne mięśnie i ścięgna, superprocesory w szczęce i dłoniach, śmiercionośne paznokcie, zastąpić nowymi czarne, idealne oczy. Znów zamienić ją w pustogłową.

Tyle że tym razem była świadoma i poczuje wszystko.

Wtedy Tally usłyszała jakiś dźwięk: coś uderzyło mocno o plastikową ścianę zbiornika. Otworzyła oczy.

Płyn operacyjny sprawiał, że wszystko zdawało się rozmazane, lecz przez przezroczyste ściany zbiornika dostrzegła wściekłe poruszenie. Usłyszała kolejny stłumiony łoskot. Jedna z popiskujących maszyn przewróciła się powoli.

Jej wybawiciel już tam był.

Tally rzuciła się do działania. Wyszarpnęła z żyły igły, po czym sięgnęła ku twarzy, wyrywając z ust rurkę aparatu oddechowego. Urządzenie stawiło opór, wici zacisnęły się mocniej wokół jej głowy, próbując zostać na miejscu. Zagryzła je zatem i termiczne zęby rozdarły plastik. Aparat oddechowy skonał jej w dłoni, wypuszczając jej w twarz ostatnią chmurę bąbelków.

Zaczęła szukać uchwytu na ścianach zbiornika, próbując się z niego wydostać. Lecz drogę zagradzała jej przezroczysta bariera.

„Cholera" – pomyślała, gorączkowo przesuwając palcami po plastikowych ścianach. Nigdy nie widziała zbiornika podczas operacji. Puste zawsze pozostawały otwarte! Zaczęła drapać dokoła w narastającej panice.

Ale ściany nie ustępowały.

Jej ramię musnęło już wysunięty mechaniczny skalpel i wokół rozkwitła różowa chmura. Nano z płynu potrzebowały zaledwie paru sekund, by zatamować krwawienie.

„To nawet wygodne – pomyślała. – Oczywiście dobrze by też było oddychać".

Wyjrzała przez gęsty roztwór. Walka wciąż trwała, jedna postać przeciw wielu. „Pospiesz się" – pomyślała, szukając gorączkowo przewodu oddechowego. Wcisnęła go w usta, ale on nie działał, zatkany przez płyn operacyjny.

Na górze zbiornika pozostał zaledwie centymetr powietrza. Tally skoczyła, żeby wykorzystać tę odrobinę tlenu. Wiedziała, że to na długo nie starczy, musiała wydostać się z tego pudła.

Spróbowała przebić się przez ścianę, lecz roztwór był zbyt gęsty i lepki. Pięść Tally poruszała się jak na zwolnionym filmie, niczym w gęstym syropie.

W kącikach oczu zobaczyła czerwone plamki... Płuca miała puste.

I wtedy ujrzała rozmazaną postać lecącą wprost ku niej. Ciało odbiło się od ściany zbiornika, który zakołysał się lekko.

Może to właśnie była odpowiedź.

Tally zaczęła huśtać się z boku na bok, czując przelewający się wokół płyn. Za każdym razem zbiornik chybotał się mocniej. Skalpele rozdzierały jej ramiona, gdy rzucała się z jednej strony na drugą, a naprawcze nano tańczyły z cichym pomrukiem pulsującym niczym czerwone plamy przed jej oczami. Płyn przybrał różowawy odcień krwi.

W końcu jednak zbiornik zaczął się wywracać.

Świat jakby przekrzywił się wokół niej, płyn chlusnął, gdy poleciała na bok wraz z całym zbiornikiem. Usłyszała stłumiony trzask plastiku uderzającego o podłogę i zobaczyła rozszerzającą się wokół siatkę pęknięć. Roztwór zaczął wyciekać i uszy Tally wypełniły dźwięki, w chwili gdy po raz pierwszy odetchnęła głęboko.

Wbiła paznokcie w popękany plastik i szarpnęła, uwalniając się ze zbiornika.

Naga krwawiąca Tally, potykając się, ruszyła naprzód, głośno chwytając powietrze. Roztwór nadal ją oblepiał, jak gdyby wyszła z wanny pełnej miodu. Nieprzytomni lekarze i pielęgniarze leżeli jeden na drugim, płyn rozlewał się wokół nich.

Jej wybawca stał przed nią.

– Shay? – Tally wytarła płyn z oczu. – David?

– Czy nie kazałam ci leżeć spokojnie? Zawsze musisz wszystko niszczyć?

Tally zamrugała, nie wierząc własnym oczom. To była doktor Cable.

ŁZY

Wyglądała, jakby miała tysiąc lat. Jej oczy straciły głębię i czerń, swój dawny złowrogi błysk. Podobnie jak Fausto stała się szampanem bez bąbelków. W końcu była wyleczona.

Nadal jednak zdołała uśmiechnąć się pogardliwie.

– Co ty tu... – wydyszała Tally, chwytając powietrze.

– Ratuję cię – odparła doktor Cable.

Tally zerknęła na drzwi, czekając na głośne wycie alarmu i tupot nóg.

Stara kobieta pokręciła głową.

– Ja zbudowałam to miejsce, Tally, znam je od podszewki. Nikt nie przyjdzie. Daj mi chwilę odpocząć. – Usiadła ciężko na mokrej podłodze. – Za stara jestem na to.

Tally spojrzała na swą odwieczną nieprzyjaciółkę. Wciąż wykrzywiała ręce w śmiercionośne szpony. Jednak doktor Cable dyszała ciężko, skaleczona warga zaczęła krwawić. Wyglądała jak bardzo stara staryczka, u której terapia przedłużająca życie zaczyna już zawodzić.

Tyle że u jej stóp leżało trzech nieprzytomnych lekarzy.

– Wciąż masz refleks Wyjątkowych?

– W ogóle nie jestem Wyjątkowa, Tally. Jestem żałosna. – Stara kobieta wzruszyła ramionami. – Ale nadal pozostaję niebezpieczna.

– Och. – Tally znów starła płyn z oczu. – Nie spieszyłaś się zbytnio.

– Tak, to bardzo sprytne, Tally. Najpierw zniszczyć przewód oddechowy.

– Jasne, świetny plan. Zostawiłaś mnie tu i prawie... – Tally zamrugała. – Dlaczego właściwie to robisz?

Doktor Cable uśmiechnęła się.

– Powiem ci, Tally, jeśli najpierw odpowiesz mi na jedno pytanie. – Jej spojrzenie na moment się wyostrzyło. – Co mi zrobiłaś?

Tym razem to Tally się uśmiechnęła.

– Wyleczyłam cię.

– Wiem o tym, kretynko. Ale jak?

– Pamiętasz, jak wyrwałaś mi nadajnik? To wcale nie był nadajnik, tylko iniektor. Maddy przygotowała lek dla Wyjątkowych.

– Znów ta przeklęta kobieta. – Doktor Cable spuściła wzrok na zalaną płynem podłogę. – Rada otworzyła granice miasta. Jej pigułki są wszędzie.

Tally przytaknęła.

– Tak, widziałam.

– Wszystko się rozpada – syknęła doktor Cable, patrząc na nią gniewnie. – Wiesz chyba, że wkrótce zaczną wycinać głuszę.

– Tak, wiem, zupełnie jak w Diego. – Tally westchnęła, przypominając sobie pożar lasu Andrew Simpsona Smitha. – Najwyraźniej wolność jednocześnie niszczy.

– I ty to nazywasz lekiem, Tally? To jakbyś wypuściła na świat raka.

Tally powoli pokręciła głową.

– Po co właściwie tu przyszłaś? Żeby obwiniać mnie o wszystko?

– Nie, przyszłam cię uwolnić.

Tally uniosła wzrok. To musiał być jakiś podstęp. Doktor Cable zapewne chciała się na niej zemścić. Lecz myśl o tym, że mogłaby znów znaleźć się pod gołym niebem, wywołała w niej gwałtowną falę nadziei.

Przełknęła ślinę.

– Ale czy ja, no wiesz, nie zniszczyłam twojego świata?

Kobieta długą chwilę przyglądała jej się mętnymi, wodnistymi oczami.

– Tak. Ale jesteś ostatnia, Tally. Oglądałam Shay i pozostałych w materiałach propagandowych z Diego. Nie są już tacy jak kiedyś. To pewnie lek Maddy. – Westchnęła ciężko. – Nie są w lepszym stanie ode mnie. Rada odwyjątkowiła prawie wszystkich.

Tally przytaknęła.

– Ale dlaczego ja?

– Jesteś jedyną prawdziwą Nacinaczką, ostatnią z moich Wyjątkowych zaprojektowanych do życia w głuszy, przetrwania poza miastem. Możesz stąd uciec, zniknąć na zawsze. Nie chciałabym, żeby moja praca poszła na marne, Tally. Proszę...

Tally zamrugała. Nigdy nie myślała o sobie jako o zagrożonym gatunku. Ale nie zamierzała się spierać. Od wizji wolności zakręciło jej się w głowie.

– Po prostu uciekaj, Tally. Pojedź windą na dach, budynek jest prawie pusty, wyłączyłam też większość kamer. I szczerze mówiąc, nikt nie zdoła cię zatrzymać. Odejdź i zrób to dla mnie, pozostań Wyjątkowa. Pewnego dnia świat może cię potrzebować.

Tally przełknęła ślinę. Zwykłe wyjście wydało jej się zbyt proste.

– A deska?

– Oczywiście specjalna czeka na ciebie na dachu. – Doktor Cable parsknęła. – Czemu wy, wyrzutki, tak bardzo lubicie te deski?

Tally spojrzała na trzech nieprzytomnych mężczyzn na podłodze.

– Nic im nie będzie – prychnęła Cable. – Jestem lekarzem, pamiętaj.

– Tak, jasne – wymamrotała Tally.

Uklękła i bardzo ostrożnie zdjęła fartuch z jednego z nich. Gdy go naciągnęła, płyn operacyjny natychmiast wsiąknął w materiał, tworząc ciemne plamy. Przynajmniej nie była już naga.

Postąpiła krok w stronę drzwi, potem jednak odwróciła się do doktor Cable.

– Nie obawiasz się, że się wyleczę? Wówczas nikt już z nas nie zostanie.

Kobieta spojrzała na nią i rezygnacja zniknęła z jej twarzy. W oczach znów pojawił się dawny, złowrogi błysk.

– Moja wiara w ciebie, Tally Youngblood, zawsze okazywała się uzasadniona. Czemu miałabym martwić się teraz?

***

Wydostawszy się na zewnątrz, Tally długą chwilę stała bez ruchu, patrząc w ciemniejące niebo. Nie obawiała się pościgu. Doktor Cable miała rację: kto mógłby ją zatrzymać?

Gwiazdy i księżyc lśniły miękkim blaskiem, wiatr niósł ze sobą zapach z głuszy. Po miesiącu recyklingowanego powietrza chłodny letni wietrzyk smakował życiem. Tally wciągała w płuca mroźny świat.

W końcu uwolniła się ze swej celi, ze zbiornika, od doktor Cable. Nikt nie zmieni jej wbrew jej woli, już nigdy. Nie będzie więcej Wyjątkowych Okoliczności.

Mimo ulgi Tally poczuła, że wewnątrz znów krwawi. Wolność ją kaleczyła.

Zane przecież nadal nie żył.

Poczuła na wargach smak soli, pamiątkę po ostatnim gorzkim pocałunku nad morzem. Tkwiąc w podziemnej celi, nieustannie przypominała sobie tę scenę, ich ostatnią rozmowę, próbę, której nie przeszła, gdy go odepchnęła. Jednak w jakiś sposób tym razem wspomnienia wyglądały inaczej, słodkie, powolne, długie. Zupełnie jakby nie czuła drgawek Zane'a i pozwoliła, by ów pocałunek trwał i trwał...

Ponownie poczuła sól, a potem gorąco na policzkach. Uniosła ręce, nie wierząc w to, co czuje, póki nie ujrzała własnych palców błyszczących w blasku gwiazd.

Wyjątkowi nigdy nie płakali, lecz z jej oczu w końcu popłynęły łzy.

RUINY

Przed opuszczeniem miasta Tally uruchomiła skórtenę i odkryła, że czekają na nią trzy wiadomości.

Pierwsza pochodziła od Shay. Informowała w niej, że Nacinacze zostaną w Diego. Po tym jak pomogli mieszkańcom po ataku na ratusz, stali się siłami obronnymi miasta, a także jego strażakami, ratownikami i bohaterami. Rada Miasta zmieniła nawet prawo, pozwalając im zachować ich wykroczenia anatomiczne – przynajmniej na razie.

Oprócz zębów i paznokci. Tych musieli się pozbyć.

Ratusz wciąż leżał w gruzach i Diego potrzebowało wszelkiej możliwej pomocy. Choć lek powoli trafiał do kolejnych miast, zmieniając cały kontynent, w Diego co dzień zjawiali się następni uciekinierzy, gotowi przyjąć Nowy System.

Dawną statyczną kulturę pustogłowych zastąpił świat, w którym podstawę stanowiła zmiana. Kiedyś z pewnością inne miasto ich prześcignie – od tej pory mody też miały się zmieniać. Na razie jednak Diego wciąż rozwijało się najszybciej ze wszystkich. Każdy chciał tam trafić i każdego dnia stawało się większe.

Shay co godzinę uzupełniała swoją pierwotną wiadomość, zmieniając ją w dziennik opisujący kolejne wyzwania, którym musieli stawiać czoło Nacinacze pomagający odbudować miasto zmieniające się na ich oczach. Zupełnie jakby chciała, by Tally wiedziała o wszystkim i gdy w końcu wydostanie się na wolność, mogła od razu do nich dołączyć.

Było jej też przykro z jednego powodu. Wszyscy słyszeli o odwyjątkowianiach, stanowiły gest pokojowy. Nacinacze rozpaczliwie pragnęli uratować Tally, ale nie mogli tak po prostu zaatakować innego miasta. Stali się przecież oficjalnymi siłami obronnymi Diego. Nie mogli na nowo rozpętać wojny, kiedy ta właśnie wygasała. Tally z pewnością to rozumie.

Jednak Tally Youngblood na zawsze pozostanie Nacinaczką, nawet jeśli nie będzie już Wyjątkowa...

***

Drugą wiadomość przysłała matka Davida.

Napisała, że David opuścił Diego i zniknął w głuszy. Dymiarze rozprzestrzeniali się po całym kontynencie, nadal przemycając lek do miast praktykujących operacje pustogłowych. Wkrótce zamierzali wysłać również ekspedycję na dalekie południe i kolejną przez morze, na wschodnie kontynenty. Wyglądało na to, że uciekinierzy wszędzie opuszczają swoje miasta, zakładając Nowe Dymy, natchnieni wieściami z daleka.

Cały świat czekał na wyzwolenie, jeżeli Tally zechce dopomóc.

Maddy zakończyła wiadomość słowami: „Dołącz do nas. I jeśli zobaczysz mojego syna, powiedz mu, że go kocham".

⁂

Trzecia wiadomość pochodziła od Perisa.

Wraz z pozostałymi Krimami opuścił Diego. Pracowali teraz nad specjalnym projektem dla rządu miasta, lecz nie odpowiadało im miejskie życie. Okazało się, iż pobyt w miejscu, gdzie wszyscy są Krimami, to niezłe przegięcie.

Wyruszyli zatem w głuszę, zbierając uwolnionych przez Dymiarzy wieśniaków. Uczyli ich posługiwania się nowymi zdobyczami techniki, tego, jak wygląda świat poza rezerwatami, i tego, by nie wzniecali więcej pożarów lasów. Po jakimś czasie wieśniacy, z którymi pracują, powrócą do swych pobratymców i pomogą wypuścić ich na świat.

W zamian za to Krimowie uczyli się wszystkiego o głuszy. Tego, jak polować, łowić ryby, żyć z darów ziemi. Gromadzili wiedzę Przedrdzawców, zanim ta zniknie na zawsze.

Tally z uśmiechem przeczytała ostatni fragment.

Jeden gość, Andrew jakiś tam, twierdzi, że Cię zna. Jak to możliwe? Kazał Ci powtórzyć, żebyś nadal rzucała wyzwanie bogom. Czy coś w tym stylu.

W każdym razie do zobaczenia wkrótce, Tally-wa. Przyjaciele na zawsze – nareszcie!

Peris

⁂

Tally nie odpowiedziała na żadną wiadomość, jeszcze nie. Leciała nad rzeką, po raz ostatni przeprawiając się przez bystrzyny, których nigdy już nie zobaczy.

Księżyc oświetlał białą wodę, rozbryzgi piany połyskiwały niczym eksplozje diamentów. Sople stopniały w ciepłym powietrzu wczesnego lata i sosnowy zapach lasu oblepiał język Tally niczym syrop. Nie wywołała siatki podczerwieni, pozwalając reszcie zmysłów spokojnie badać ciemność.

Pośród tego piękna Tally wiedziała dokładnie, co musi zrobić.

Jej wirniki ożyły, gdy skręciła na znajomy szlak, wzdłuż ścieżki prowadzącej do złoża żelaza odkrytego przez niesfornych brzydkich wiele pokoleń wcześniej. Przemknęła nad nią na silniku magnetycznym, zagłębiając się w ciemną misę Rdzawych Ruin.

Wokół niej wyrosły martwe budynki, potężne pomniki ludzi, którzy kiedyś stali się zbyt chciwi i zbyt liczni, wygłodniałych miliardów opanowujących cały glob.

Tally przyjrzała się uważnie wypalonym samochodom i pustym oknom. Jej wyjątkowe oczy spojrzały wprost w oczodoły starej czaszki. Nie chciała zapomnieć tego miejsca.

Nie, kiedy nadejdą zmiany...

Jej deska wzniosła się, wyczuwając metalowy szkielet najwyższego budynku. To tu Shay przyprowadziła ją owej pierwszej nocy na zewnątrz, niemal dokładnie rok wcześniej. Tally wzlatywała bezszelestnie wewnątrz pustej skorupy. Przez puste okna widziała rozciągające się w dole milczące miasto.

Gdy jednak dotarła na szczyt, nie zastała tam Davida.

Jego śpiwór i reszta sprzętu zniknęły, pozostały jedynie puste opakowania po samogrzejących się posiłkach rozrzucone na kawałku podłogi. Było ich mnóstwo – czekał bardzo długo.

Zabrał także prymitywną antenę, którą się z nią połączył.

Tally uruchomiła swoją skórtenę i poczuła, jak sięga ponad martwym, pustym miastem. Czekała z zamkniętymi oczami na jakąkolwiek odpowiedź.

Nie usłyszała jednak najsłabszego pinga. Kilometr w głuszy to nic.

Wzleciała wyżej, na sam szczyt wieżowca, prześlizgując się przez jeden z otworów na dach. Na twarzy poczuła silny wiatr. Jej deska wznosiła się dalej, aż w końcu silnik magnetyczny stracił kontakt ze szkieletem wieżowca. Wówczas ożyły wirniki, rozgrzewając się do czerwoności i unosząc ją jeszcze wyżej.

– David – powiedziała cicho.

Odpowiedź nie nadeszła.

I wtedy przypomniała sobie dawną sztuczkę Shay, jeszcze z czasów, gdy była brzydka.

Uklękła na kołyszącej się, rozhuśtanej wiatrem desce i sięgnęła do schowka. Doktor Cable wypełniła go sprejem medycznym, inteligentnym plastikiem oraz zapalarkami. Przez wzgląd na dawne czasy dołożyła nawet jeden jedyny SpagBol.

W końcu palce Tally natrafiły na flarę.

Uniosła ją, zapaliła jedną ręką. Silny wiatr porwał strumień iskier, który ciągnął się za nią niczym sznur latawca.

– Nie jestem sama – rzekła.

Czekała tak, dopóki jej deska nie rozgrzała się do białości, a flara w dłoni nie zamieniła się w samotny, rozżarzony punkt.

Wówczas Tally opadła z powrotem ku wieżowcowi Rdzawców i zwinęła się w kłębek na uszkodzonej podłodze. Nagle ogarnęło ją przejmujące zmęczenie, tak potężne, że nawet nie dbała o to, czy ktokolwiek dostrzegł jej sygnał.

David zjawił się o świcie.

PLAN

– Gdzie byłeś? – spytała sennie.

Zszedł z deski, wyczerpany i nieogolony. Patrzył na nią okrągłymi oczami.

– Próbowałem się dostać do miasta. Znaleźć cię.

Tally zmarszczyła brwi.

– Granice znów są otwarte, prawda?

– Może, jeśli wiesz, jak działają miasta...

Roześmiała się. David spędził osiemnaście lat swego życia w głuszy. Nie umiał sobie radzić nawet z najprostszymi rzeczami, takimi jak roboty ochrony.

– W końcu mi się udało – podjął. – Ale potem miałem problem ze znalezieniem kwatery głównej Wyjątkowych Okoliczności. – Usiadł ciężko.

– Zobaczyłeś jednak moją flarę.

– Tak, zobaczyłem. – Uśmiechał się, lecz cały czas obserwował ją czujnie. – Próbowałem to zrobić, bo... – Przełknął. – Moja antena odbiera sygnały z miasta. Mówili w wiadomościach, że zamierzają zmienić was wszystkich, przerobić w coś mniej niebezpiecznego. Czy wciąż jesteś...?

Spojrzała na niego.

– A jak myślisz, Davidzie?

Długą chwilę patrzył jej w oczy, po czym westchnął i pokręcił głową.

– Dla mnie wyglądasz jak Tally.

Opuściła głowę, na moment wzrok jej się zamglił.

– Co się stało?

– Nic, Davidzie. Po prostu znów rzuciłeś wyzwanie pięciu milionom lat ewolucji.

– Co takiego? Powiedziałem coś nie tak?

– Nie. – Uśmiechnęła się. – Powiedziałeś coś bardzo tak.

***

Zjedli miejski posiłek. Tally zamieniła swój SpagBol na puszkę PadThai Davida.

Opowiedziała mu, jak z pomocą iniektora zmieniła doktor Cable, o miesiącu niewoli i o ucieczce. Wyjaśniła, iż dyskusje słyszane przez Davida w wiadomościach oznaczały, że lek zaczyna działać i miasto w końcu się zmienia.

Dymiarze zwyciężyli, nawet tutaj.

– Czy to znaczy, że wciąż jesteś Wyjątkowa? – spytał David w końcu.

– Moje ciało tak, ale reszta mnie... Myślę, że... – Przełknęła ślinę, przypominając sobie Zane'a. – Sama się zmieniłam.

David uśmiechnął się.

– Wiedziałem, że dasz radę.

– Dlatego właśnie tu czekałeś, prawda?

– Oczywiście. Ktoś musiał. – Odchrząknął. – Moja mama myśli, że zwiedzam świat i niosę dalej rewolucję.

Tally spojrzała na ruiny miasta.

– Rewolucja świetnie sobie radzi sama, Davidzie. Nie da się jej już zatrzymać.

– Tak. – Westchnął. – Ale niezbyt dobrze mi poszło z ratowaniem ciebie.

– To nie ja potrzebuję ratunku, Davidzie – oznajmiła Tally. – Już nie. A, właśnie, zapomniałam ci powiedzieć. Maddy przysłała dla ciebie wiadomość.

Uniósł brwi zaskoczony.

– Przysłała ci wiadomość dla mnie?

– Tak. „Kocham cię..." – Tally znów przełknęła ślinę. – Kazała ci to powtórzyć. Może więc jednak wie, gdzie jesteś.

– Może.

– Wy, losowcy, potraficie być bardzo przewidywalni – rzekła z uśmiechem.

Przyglądała mu się uważnie, rejestrując wszystkie niedoskonałości. Asymetrię rysów, widoczne pory skóry, za duży nos. Blizny.

Nie był już brzydki – dla niej był po prostu Davidem. I może miał rację? Może nie musi robić tego sama?

David przecież nienawidził miast, nie umiał używać interfejsu ani wzywać lotowozu. A jego ręcznie robione ubranie zawsze wyglądałoby jak przegięcie na imprezie. Nie nadawał się też do życia w miejscu, gdzie ludzie zamiast małych palców mają węże.

Co istotniejsze, Tally wiedziała, że bez względu na to, jak rozwinie się jej plan i do jak strasznych rzeczy zmusi ją ten świat, David będzie pamiętał, kim ona jest naprawdę.

– Mam pewien pomysł – rzekła.

– Czy dotyczy tego, co chcesz teraz robić?

– Tak. To jakby plan... ocalenia świata.

David zamarł z pałeczkami w połowie drogi do ust. SpagBol wyślizgnął się z nich i spadł do pojemnika. Na jego twarzy odbiły się kolejne emocje, równie łatwe do odczytania jak u brzydkiego: zmieszanie, ciekawość, w końcu cień zrozumienia.

– Mogę ci pomóc? – spytał z prostotą.

Skinęła głową.

– Proszę. Świetnie się do tego nadajesz.

A potem wyjaśniła mu wszystko.

*
**

Tej nocy wraz z Davidem podlecieli na deskach na sam skraj miasta i zwolnili, gdy sieć powtarzaczy odebrała sygnał ze skórteny. Trzy wiadomości: od Shay, Perisa i Maddy, wciąż tam były, czekały na nią. Tally nerwowo rozprostowała palce.

– Spójrz na to. – David wskazał ręką.

Niebo nad Miastem Nowych Ślicznych jaśniało, rakiety wzlatywały wysoko, rozkwitając w olbrzymie, roziskrzone, czerwone i fioletowe kwiaty. Fajerwerki wróciły.

Może świętowali koniec rządów doktor Cable albo przemianę ogarniającą miasto, albo koniec wojny. A może pokaz upamiętniał koniec Wyjątkowych Okoliczności, teraz, gdy ostatnia z Wyjątkowych uciekła do głuszy.

A może po prostu znów się bawili, jak zwykle pustogłowi.

Roześmiała się.

– Widziałeś już chyba wcześniej fajerwerki?

Pokręcił głową.

– Niezbyt często. Są niesamowite.

– Tak, miasta nie są takie złe, Davidzie. – Tally uśmiechnęła się. Miała nadzieję, iż pokaz fajerwerków oznacza, że wojna dobiegła końca. Być może pośród wszystkich wstrząsów czekających jej miasto ta jedna tradycja przetrwa. Świat potrzebował więcej fajerwerków – zwłaszcza teraz, gdy zabraknie wielu pięknych bezużytecznych rzeczy.

Szykując się do odpowiedzi, Tally poczuła nerwowy dreszcz. Niezależnie od jej nastroju wiadomość musiała zabrzmieć mroźnie i przekonująco. Zależał od tego los całego świata.

I nagle była już gotowa.

Kiedy tak stali, patrząc na jaśniejące Miasto Nowych Ślicznych, śledząc wzrokiem powoli wznoszące się rakiety i ich nagłe wybuchy, Tally przemówiła wyraźnie pośród ryku wody, pozwalając, by procesor w szczęce wychwycił każde słowo.

Wysłała im wszystkim – Shay, Maddy i Perisowi – tę samą odpowiedź...

MANIFEST

Nie potrzebuję lekarstwa, tak jak nie potrzebowałam się nacinać, by czuć i myśleć. Od tej pory nikt nie będzie zmieniał mojego mózgu oprócz mnie samej.

Gdy byłam w Diego, lekarze mówili, że mogę nauczyć się panować nad moim zachowaniem, i tak się stało. Wszyscy mi w tym pomogliście, tak czy inaczej.

Ale wiecie co? Teraz to nie moje zachowanie mnie martwi. Tylko wasze.

Dlatego właśnie nie spotkamy się przez jakiś, może nawet długi czas. Zostaniemy z Davidem tu, w głuszy.

Wszyscy mówicie, że nas potrzebujecie. Może i tak, ale nie po to, by wam pomóc. Macie wystarczająco dużo pomocy, miliony nowych, pysznych umysłów, gdy miasta w końcu się przebudzą. Razem jest was dość, by zmienić świat bez nas.

Od tej pory będziemy z Davidem stali wam na drodze.

Bo, widzicie, wolność jednocześnie niszczy.

Macie wasze Nowe Dymy, nowe pomysły, całe nowe miasta i Nowy System. A my... jesteśmy nowymi Wyjątkowymi Okolicznościami.

Za każdym razem, gdy zanadto wnikniecie w głuszę, będziemy tam czekać, gotowi was odepchnąć. Pamiętajcie o nas zawsze, gdy postanowicie wykopać nowy fundament, postawić tamę, ściąć drzewo. Pamiętajcie o nas. Nieważne, jak głodna stanie się ludzkość, gdy śliczni się budzą, głusza wciąż ma zęby. Wyjątkowe zęby. Brzydkie zęby. Nas.

Będziemy w pobliżu i będziemy was obserwować, gotowi wam przypomnieć cenę, jaką Rdzawcy zapłacili za to, że posunęli się zbyt daleko.

Kocham was wszystkich, ale nadszedł czas, by się pożegnać. Przynajmniej na razie.

Uważajcie na ten świat. Inaczej, gdy znów się spotkamy, może zrobić się paskudnie.